LES CAHIERS DE CÉLINE

II - LE CAHIER ROUGE

MICHEL TREMBLAY

LE CAHIER ROUGE

roman

www.quebecloisirs.com

UNE ÉDITION DU CLUB QUÉBEC LOISIRS INC.
© Avec l'autorisation des Éditions Leméac
© 2004, Leméac Éditeur
© 2004, Actes Sud, pour la France, la Belgique et la Suisse
Dépôt légal — Bibliothèque nationale du Québec, 2005
ISBN 2-89430-694-6
Publié précédemment sous ISBN 2-7609-2401-7 (Leméac)
Publié précédemment sous ISBN 2-7427-5335-4 (Actes Sud)
Imprimé au Canada

À mes amis travestis.

Merci à Jean-Claude Pepin,
dont l'abondante documentation
au sujet de l'Exposition universelle de 1967
m'a été très utile.

Et comme ils s'étonnaient de cette générosité,
Madame, radieuse, leur répondit :
« Ça n'est pas tous les jours fête. »

Guy de Maupassant, *La maison Tellier*

Mais que sait la pièce cristalline de la figure
qu'elle forme en tournant avec d'autres
dans le kaléidoscope?

José Carlos Somoza, *Le détail*

La vie n'est pas ce que l'on a vécu, mais ce
dont on se souvient et comment on s'en souvient.

Gabriel García Márquez, *Vivre pour la raconter*

PROLOGUE

Septembre 1967

Dans mon cahier noir, je me suis efforcée de décrire avec le plus de précision possible la période difficile que je traversais l'année dernière, me l'expliquer à moi-même pour essayer de comprendre ce qui se passait, avec le résultat que ma vie a changé du tout au tout, et pour le mieux. Avec ce cahier rouge tout neuf que je possède depuis plus d'un an et demi et auquel je n'ai pas encore touché, j'aurais le goût de raconter deux journées qui ont marqué cet été qui s'achève, celui de l'Exposition universelle, et que tous les Montréalais attendaient comme la promesse du paradis sur terre, avec ses événements de toutes sortes – culturels, sportifs, sociaux, simplement récréatifs – étalés sur une période de plusieurs mois et concentrés sur deux îles construites de main d'homme au beau milieu du fleuve, tirées de son lit pour recevoir les pavillons thématiques de tous les pays du monde. L'ouverture sur les autres que tout ça représentait, aussi, pour nous qui avons été élevés avec un effroyable complexe d'infériorité et qui ne pouvions pas imaginer jusque-là être le centre d'attraction de quoi que ce soit. Et, au bout du compte, la richesse, parce que cette exposition allait sans doute mettre Montréal sur la carte, c'est du moins ce que nous promettait le maire Drapeau, ce ratoureux de haute voltige.

J'aimerais profiter de ces deux journées exceptionnelles pour dépeindre ce qu'est devenue ma vie, qui est loin d'être banale. Elle l'était à l'époque du Sélect, elle ne l'est plus du tout à celle du Boudoir. Mais, depuis mes débuts sur la *Main*, et surtout depuis que se déroule l'Expo, je vois tant de choses curieuses, je suis témoin de faits si différents de tout ce que j'ai jamais connu, si étonnants et en compagnie d'êtres si originaux, qu'il m'arrive plusieurs fois par jour de me dire qu'il faudrait que je me décide à tout raconter ça. Ces deux folles journées que je vais tenter de relater ici en sont l'exemple parfait...

Ce jour-là, le mardi 25 juillet de cette année, j'ai été réveillée par la voix de gorge de Michèle Richard qui garantissait à qui voulait l'entendre que *ce soir elle serait la plus belle pour aller danser.* Tant mieux pour elle. Quant à moi, j'aurais bien aimé dormir encore un peu. Et même beaucoup. La nuit avait été longue au Boudoir, difficile, mouvementée pour un simple petit lundi, les clients indisciplinés et Madame intraitable comme c'est souvent le cas depuis le début de l'Expo. On se demande d'ailleurs pourquoi les affaires sont excellentes. Rien n'est plus jamais assez bon ni assez beau pour elle, pour sa maison, pour ses habitués, pour les étrangers de passage ; les «filles» sont souvent brusquées, plus, rudoyées (Marlene a eu le front de se plaindre, en juin, il n'y a plus de Marlene au Boudoir), les crises sont fréquentes, les solutions rares et l'atmosphère de l'établissement s'en ressent. Mais je reviendrai là-dessus plus tard, pour le moment je n'en suis qu'à mon réveil de ce matin-là, prélude à une série d'événements qui feraient de cette journée un moment privilégié de l'été de l'Expo.

Michèle Richard, donc, tout le monde s'en réjouissait pour elle, serait la plus belle pour aller danser... C'était sans doute un mauvais tour de Mae East, grande insomniaque devant l'Éternel, qui, exaspérée de ne pas pouvoir dormir, s'était levée avant tout le monde et avait décidé de faire suer ceux qui sommeillaient encore en leur imposant un disque que nous détestons tous, même elle. Elle est comme ça, Mae East, quand elle est contrariée, il faut que tout le monde le soit, et quand par hasard elle est de bonne humeur, elle ne supporte pas la morosité et exige de nous des sourires que nous n'avons pas envie d'esquisser et des éclats de gaieté que nous ne ressentons pas. Elle était enragée, elle avait envie de rire de Michèle Richard pour se défouler, il fallait donc que nous nous joignions à elle, du fond de notre sommeil s'il le fallait.

(Ici, petite mise au point utile : quand je parlerai de mes amis travestis, dans ce beau cahier rouge tout neuf, j'essaierai de toujours utiliser le féminin – c'est ce qu'elles font entre elles, de toute façon –, sauf pour Jean-le-Décollé, bien sûr, sans contredit le seul travesti de toute l'Histoire à avoir gardé un nom d'homme. Il veut être traité en femme, en cliché de femme en fait, mais il faut lui parler au masculin, ce qui est plutôt curieux quand on a affaire à un paquet de guenilles de toute évidence féminines. Enfin... On s'y fait.)

C'est d'ailleurs lui qui a réagi le premier au disque de Michèle Richard. Sa voix graveleuse d'avaleur de fumées et de scotches de toutes sortes – la Duchesse de Langeais, le travesti le plus drôle en ville, dit de cette voix qu'elle est le résultat du mariage d'un débardeur efféminé et d'une femme du monde hommasse et velue – s'est élevée dans le grand appartement de la place Jacques-Cartier, à la fois rauque et claironnante :

«Mae, si t'arrêtes pas ce disque-là immédiatement, tu seras pas la plus belle mais la plus amochée pour aller danser, ce soir, et personne va vouloir de toi! Quoique ça changerait pas grand-chose...»

La réaction de Mae East a été immédiate. Un grand fracas de vaisselle brisée s'est fait entendre à la cuisine.

Jean-le-Décollé, toujours :

«Et ajoute un dollar à la banque des objets cassés. J'en ai assez de payer pour tes sautes d'humeur! Si t'as fait un dégât, ramasse!»

Quand je suis arrivée à la cuisine, crinière de travers et peignoir mal fermé, Mae n'avait encore rien nettoyé. Une tasse en morceaux gisait sur la table au milieu d'une flaque de café fumant. Mae East était appuyée contre le poêle, la baboune pesante et le toupet de guingois.

Qui n'a jamais vu un travesti au saut du lit, sans ses artifices de créature de rêve et encore nimbé des frasques et des excès de la veille, ne peut pas imaginer ce que j'avais devant les yeux. C'était à la fois pathétique et drôle, pathétique parce qu'on avait envie de prendre cette chose toute défaite dans nos bras et de lui dire d'aller s'arranger un brin avant d'affronter le monde, et drôle en ce sens qu'il est toujours étonnant – du moins pour moi – de voir à quel point mes amies se foutent de ce dont elles ont l'air entre elles alors qu'elles ne se permettraient jamais de sortir acheter une pinte de lait sans se maquiller et se coiffer à outrance. Quand ils se retrouvent tous les trois autour de la table du petit déjeuner – comme je parle de Mae East, de Nicole Odeon et de Jean-le-Décollé, je dois accorder cette phrase au masculin puisqu'il y a un nom d'homme, mon Dieu que c'est compliqué, je déroge déjà à mes intentions! – on se croirait dans un film d'horreur devant ces visages barbouillés de ce qui a coulé pendant la nuit, du rouge, du vert, du brun, et boursouflés par le manque de sommeil. Une conversation entre trois clowns qui ont oublié de se démaquiller et une naine toute propre – moi – qui, elle, n'oserait jamais se coucher sans se passer le visage au lait démaquillant qui sent le tilleul. J'y suis tellement habituée que je n'arrive plus à sombrer dans le sommeil si mon oreiller ne sent pas le tilleul. C'est une fragrance que j'ai trouvée par hasard, une gamme de produits pas trop chère – eau de toilette, lait pour le visage, lait pour le corps, etc. – en farfouillant dans des bacs de produits en solde au sous-sol de Ogilvy's, et c'est rapidement devenu mon odeur personnelle, un effluve qui me suit partout, qui me précède, même, selon les dires de mes compagnes de travail. Fine Dumas, ma patronne – Madame pour les intimes –, prétend qu'on sait quand je suis là, quand je viens de quitter, quand j'arrive. Elle dit que le tilleul m'annonce, me proclame, qu'il est devenu comme une seconde identité. Je lui ai souvent demandé si ça sentait trop, elle m'a toujours répondu que ça ne sent jamais assez dans un bordel. Elle, c'est *Chanel N° 5* qu'elle arbore avec arrogance parce que c'est cher et que ça fait chic, mais il lui tourne souvent sur la peau, surtout quand il fait chaud comme cet été, et personne n'ose le lui dire. Je plaindrais la pauvre folle qui oserait apprendre à Joséphine Dumas qu'elle ne sent pas bon!

C'est donc sans doute précédée de la senteur peu rafraîchissante du tilleul de la veille que j'ai abouti dans la cuisine, car Mae East a dit sans relever la tête :

«Si tu touches à ce disque-là, Céline, tu vas raccourcir d'une tête! Et Dieu sait que t'as pas besoin de ça!»

Il est très rare qu'on parle de mon physique dans la maison et j'ai été étonnée. Personne, jamais, ne mentionne mon nanisme dans mon entourage et j'en suis reconnaissante à tout le monde. Au Boudoir, c'est la même chose : Fine Dumas m'a choisie surtout pour mon intelligence et ma débrouillardise, dit-elle, mais aussi à cause de mon aspect particulier, j'en suis convaincue. Les filles l'ont assez vite accepté – après une période de froncements de sourcils et de petits rires dissimulés derrière des mains, c'est vrai, mais bon, ça, j'y suis habituée – et je suis en peu de temps devenue ce que la patronne appelle un des *features* de la

16

maison : il paraît que j'attire la clientèle, qu'on vient au Boudoir presque autant pour me voir moi que pour faire autre chose avec les filles. Ça aussi, mon rôle au Boudoir, ce que j'y fais, comment je m'y sens, j'y reviendrai plus tard.

D'abord, que je parle de la cuisine de notre appartement puisque c'est là qu'a commencé cette mémorable journée.

Depuis que ma troisième colocataire, la si bien nommée Nicole Odeon, folle de cinéma devant l'Éternel et au courant de tous les potins de Hollywood et de Paris, a vu *Les demoiselles de Rochefort* il y a quelques mois – en France, s'il vous plaît, avec un richissime Français qui a été fou d'elle le temps d'une romantique traversée de l'Atlantique : partie pour la gloire en bateau, elle est revenue la queue entre les jambes en avion et à ses frais –, elle a décidé que nous allions vivre dans un environnement à la Jacques Demy. Si *Les parapluies de Cherbourg* l'avait bouleversée il y a quelques années – il paraît qu'il lui arrivait de chanter «Non, je ne pourrai jamais vivre sans toi» aux clients qu'elle trouvait de son goût –, *Les demoiselles de Rochefort* a achevé de la rendre folle. Des peintres en bâtiment, tous plus sexy les uns que les autres, se sont donc amenés un matin avec leurs pinceaux, leurs gallons de peinture, leurs échelles et leurs muscles débordants, ils se sont démenés pendant quelques jours comme les sept nains de *Blanche-Neige*, et nous vivons désormais dans des couleurs qui donneraient mal à la tête au plus habile des caméléons. La cuisine, par exemple, est peinte dans un beau rouge sang et les armoires sont jaune citron. Un lendemain de veille, c'est plutôt violent – en plus d'être laid à faire peur – et il faut entendre les commentaires de Mae East et de Jean-le-Décollé, certains matins quand, pour se remettre de la nuit précédente, ils se préparent un Bloody Caesar de la même couleur que les murs de la cuisine! Nicole trouve ça gai, nous autres on trouve ça terrifiant!

Jean-le-Décollé :

«Quand je rentre dans cette cuisine-là, j'ai peur de me faire assassiner par les murs! Je suis sûr qu'ils cachent un couteau quelque part!»

Mae East :

«Tout ce qu'il manque pour accompagner ton ketchup et ta moutarde, Nicole, c'est un énorme hot-dog au beau milieu de la pièce!»

Nous en avons bien sûr trouvé un quelques jours plus tard, en porcelaine, au centre de la table. Il est encore là, d'ailleurs. C'est lui que je regardais pendant que Mae me parlait.

«Il me manquait vraiment rien que ça! Aïe, quand la bad luck te saute dessus, elle te lâche pus, hein? Après une foulure ridicule qui m'a quasiment coûté ma job, il fallait que ça arrive! J'ai vraiment pas de chance!»

Je savais qu'il était inutile de poser des questions, qu'il fallait attendre que les choses sortent d'elles-mêmes, à leur rythme. J'ai dévissé la cafetière italienne, je l'ai remplie d'eau et de ce café qui sent si bon et qui coûte si cher, j'ai même eu le temps de la revisser et de la mettre sur le feu sans que Mae East prononce un seul autre mot. Alors j'ai compris que c'était grave, que c'était probablement *la* chose que toute guidoune qui se respecte craint le plus au monde : la bonne vieille maladie vénérienne – que la Duchesse appelle, bien sûr, maladie «wagné-rienne». Chaude-pisse ou syphilis, une petite dose, une grosse, une sérieuse, une bénigne, qu'importe, c'est tout pareil, ça représente d'abord et surtout pour ces dames un sérieux manque à gagner. De quelques jours ou de quelques semaines. Une mise au rancart onéreuse. Dans le pire des scénarios, si Fine Dumas le prend mal, c'est un congé sans solde qui les guette, ruineux parce que les filles en vacances ne se contentent pas de poireauter, *elles dépensent*. Sans compter les moqueries humiliantes de la part des camarades – on dirait que c'est pire chez les travestis que chez les prostituées, ils sont plus méchants entre eux, se soutiennent moins – et la réputation difficile à racheter parce que le téléphone arabe, sur la *Main*, est encore plus rapide et plus efficace que partout ailleurs.

Je me suis appuyée contre le poêle, à côté de Mae.

«C'est-tu ce que je pense?

— C'est toujours la première chose à laquelle on pense et on a presque toujours raison... Ben oui, c'est ce que tu penses...

— Es-tu allée voir le docteur Martin?

— Ben non. J'ai pas encore eu le temps, je viens juste de m'en rendre compte en me réveillant. Un beau cadeau de lendemain de party. Mais le pire c'est que j'ai peut-être pas attrapé ça hier et que je l'ai peut-être déjà refilé à des tas de clients sans le savoir...

— Es-tu sûre que c'est ça?

— Veux-tu voir la perle verte au bout de mon instrument de travail?

— Mae! Chuis en train de me préparer un café!

— Et moi chuis en train de me préparer une vraie belle fin d'été! Une maladie vénérienne au beau milieu de l'Expo, c'est comme manquer de gaz au milieu de l'Atlantique: ton aréoplane fait pas long feu!»

Elle s'est écrasée sur une chaise, juste en face du hot-dog de Nicole.

«Si elle enlève pas ça de sur la table, elle, elle va le retrouver en mille morceaux sur un de ses maudits murs rouges! Et j'vas lui faire manger!»

Je nous ai servi chacune une grande tasse de café après avoir ramassé les débris de celle qu'elle venait de briser. De l'instantané, bien sûr, une lavasse sans nom qu'elle s'était concoctée à toute vitesse et à laquelle je me suis juré de ne plus jamais retoucher depuis mon départ du Sélect où j'ai travaillé comme serveuse pendant deux ans. Dire que j'en ai bu pendant des années, la plus grande partie de ma vie, en fait, que c'était le seul café que je connaissais avant de le remplacer par le thé, un temps, par pur dégoût... Mais Jean-le-Décollé, entre autres choses et pour mon plus grand bonheur, m'a initiée aux joies du café italien, dont je ne peux plus me passer, et je ne le remercierai jamais assez.

Comme Mae East ne se décidait pas à parler, j'ai pris la liberté de rompre le silence.

«Ça fait mal?

— Ça brûle.

— Ça veut dire que c'est juste une gonorrhée. C'est quand même moins pire qu'une syphilis...

— C'est pas parce que c'est moins pire que c'est drôle!

— J'ai jamais dit que c'était drôle!

— Tu souris!

— Quoi? Je souris pas! Pas du tout!

— J't'ai vue sourire, Céline, dis pas le contraire!»

Quand la paranoïa lui saute dessus comme ça, il n'y a rien à faire. Mae East est une tête de cochon, et essayer de la faire changer d'idée ou de la convaincre qu'elle a tort est une totale perte de temps. Alors j'ai souri.

«Ben oui, tiens, je souris! Es-tu contente? Pour être parfaitement heureuse, il te reste pus rien qu'à décider que je me réjouis que tu sois malade, que chuis contente que tu passes le reste de l'été assise sur ton gagne-pain à te morfondre et à nous regarder nous enrichir.»

Là-dessus, j'ai cogné ma tasse contre la table – pas trop fort, pour ne pas la briser, une par matin c'est assez – et je me suis dirigée aussi vite que mes courtes jambes me le permettaient vers la porte qui mène dans le corridor.

«Arrange-toi donc avec tes troubles, si tu veux pas de notre sympathie, Mae! Parles-en pas, de ta gonorrhée, garde-la pour toi! Essaye de nous faire accroire que tu prends des vacances *par choix*!»

Je croyais, allez savoir pourquoi, qu'elle allait m'arrêter dans mon élan, s'excuser, mettre tout ça sur le compte de la malchance qui lui tombait dessus, essayer de faire la paix… Que nenni! Elle était sûre de m'avoir vue sourire avant que je le fasse pour vrai et rien ne la convaincrait du contraire.

C'est quand même curieux, ces gens qui commencent par quêter votre sympathie pour ensuite vous grimper dans le visage si vous la leur accordez. Orgueil? Manque de confiance en soi? Regret d'avoir fait preuve d'une faiblesse de caractère? Honte de se voir réduit à quémander de l'aide? Pourquoi me parler de sa maladie si c'était pour ensuite refuser toute manifestation d'amitié?

J'en étais là de mes pensées lorsque j'ai ouvert la porte d'entrée afin de ramasser mes journaux après avoir descendu les quatre escaliers si abrupts pour mes courtes jambes. L'appartement est magnifique, mais un peu haut perché à mon goût.

C'est vrai que nous avons un été exceptionnel. Dans tous les sens du mot. Il ne pleut presque jamais pendant cet énorme party que Montréal se paye depuis maintenant trois mois, il fait un temps ravissant, pas trop chaud, juste assez, la canicule, du moins jusqu'ici, n'a pas été écrasante, les nuits collantes sont rares, tout fonctionne à merveille, à l'Expo, mieux que ce qu'on prévoyait. En plus, les étrangers aiment notre ville, nous trouvent sympathiques – il faut passer au Boudoir vers deux heures du matin si on en veut une preuve flagrante –, Montréal explose en feux d'artifice quotidiens, croule sous les compliments, exulte, rose de plaisir, et remet ça chaque jour avec un évident bonheur. Que demander de plus à l'existence?

J'ai observé pendant un certain temps la place Jacques-Cartier. Tout ça aurait bien besoin d'être retouché, ravalé, poncé. C'est juste joli alors que ça pourrait être beau.

L'un des premiers changements que j'ai faits en entrant dans cet appartement, il y a un an et demi,

a été de nous abonner à trois quotidiens, *La Presse,*
Le Devoir et *Le Journal de Montréal.* J'étais choquée
par l'ignorance de mes colocataires de ce qui se passait dans le monde et je voulais essayer de piquer
leur appétit de savoir. J'étais loin d'être une érudite
moi-même, mais à côté d'elles, je pouvais passer
pour un prix Nobel! Elles savaient qu'une exposition universelle se préparait à Montréal parce que
la prostitution était de plus en plus bannie des rues
et que le Boudoir se remplissait à mesure que les
trottoirs de la *Main* se vidaient, mais de ce qui s'y
passerait, de son importance, de ce que ça repré-
senterait pour leur ville et ses habitants, dont elles
faisaient pourtant partie, ça, elles n'avaient aucune
idée et ne montraient pas la moindre curiosité. Sauf
au sujet de l'argent qu'elles pourraient y faire, bien
sûr, pour se payer des perruques plus hautes, des
souliers à talons plus vertigineux et, dans certains
cas, des paradis artificiels plus efficaces dont elles
ne reviendraient jamais. Alors on peut imaginer ce
qu'elles connaissaient de la situation mondiale!

La plupart des gens avec qui je travaille, au
Boudoir, ignorent le nom du premier ministre du
Canada, celui du Québec aussi. Quant au maire de
Montréal, ils savent qui il est parce qu'il était déjà
là quand ils allaient à l'école...

Mais les trois guidounes avec qui je vis ont
désormais l'occasion de feuilleter trois journaux
tous les matins, même si elles n'en profitent pas
toujours. C'est vrai qu'elles fréquentent plus les
pages féminines ou celles des arts et spectacles que
les cahiers sérieux qui dissèquent les guerres, les
famines et les catastrophes de toutes catégories...
Au moins, ça les extirpe un peu du petit monde
consanguin dans lequel elles évoluent et dont elles
ne sortent jamais. (J'ai surpris à plusieurs reprises
Jean-le-Décollé à rire devant les caricatures du
Devoir, c'est mieux que rien, non? Et il offre de
plus en plus souvent de descendre les quatre
étages pour aller cueillir les journaux...)

C'est vrai que j'ai un peu charrié dans le cas du *Devoir*. C'est trop intellectuel pour nous quatre, mais il m'arrive quand même de lire un article au complet.

Je savais avant d'y travailler que la *Main* était un monde fermé, coupé de toute réalité, mais jamais à ce point-là. Un microcosme de guerres internes et de petites et grandes mesquineries la tient enroulée sur elle-même, concentrée sur son nombril pas toujours propre, occupée à ses crises et problèmes sans gravité qui prennent pourtant fréquemment une importance exagérée, qui frise le ridicule, produit de l'imagination débridée de ses habitants et de la paranoïa ambiante. J'aime la *Main*, qu'on ne s'y trompe pas, son atmosphère festive, son côté party sans fin, sa résistance à l'ordre établi, ses pieds de nez à la soi-disant normalité, et je serais désormais bien incapable de m'en passer, mais son insouciance m'inquiète souvent, et ceux à qui j'ai osé jusqu'ici en parler, Fine Dumas, la Duchesse, même Jean-le-Décollé, rient de moi et me conseillent d'en profiter plutôt que de l'analyser. Je ne suis pas là pour jouer les dames patronnesses, me disent-ils, mais pour gagner ma vie du mieux possible en profitant de la manne que représente pour nous l'Exposition universelle de Montréal.

Je me suis penchée pour ramasser les trois quotidiens... et une énorme photo du général de Gaulle m'a sauté au visage. Pleine page, sur la couverture du *Journal de Montréal* : «Vive le Québec libre!» Sur la première page de *La Presse* aussi : le général, les bras levés en V : «Vive le Québec libre!» Même chose dans *Le Devoir*, bien sûr. On en avait entendu parler, la veille, au Boudoir, mais c'était plus comme une rumeur, une histoire d'hommes soûls. C'était donc vrai. Il l'avait vraiment dit. Devant tout le monde.

L'insolence du geste me ravissait. Je ne me suis jamais occupée de politique, ça ne m'intéresse pas, je ne crois pas les politiciens, aucun d'entre eux, aucun. Ils ont tous l'air de menteurs patentés, je suis sûre qu'ils le sont, et ils m'ennuient, d'un côté comme de l'autre, les rouges comme les bleus, les prétendus libéraux comme les conservateurs avoués. Ils se prennent trop au sérieux pour ne pas être suspects. Je n'ai pas encore eu l'occasion de voter parce que je suis trop jeune et je ne sais pas si je le ferai jamais, même si je me doute que ça doit avoir une certaine importance... Mais cet étranger qui vient semer la zizanie au beau milieu d'une exposition universelle, qui ose proférer une phrase inespérée pour une partie de la population locale et honnie pour l'autre, ce géant arrogant, les bras levés en croix au balcon de l'hôtel de ville, devant les dignitaires, prêt à insulter autant qu'à plaire, à se mêler de ce qui ne le regardait pas, quel toupet et quelle joie tout de même! Je ne sais pas pourquoi, je l'aurais embrassé!

Mais je n'ai pas eu l'occasion de m'attarder sur cet événement bien longtemps.

Une autre nouvelle, autrement importante, m'attendait à la lecture des journaux, ce matin-là.

Michèle Richard avait changé sa rengaine. C'était maintenant la scie de l'été qui régnait au salon, l'imbuvable *J'écoutais la mer* qu'on entendait partout, *la* toune détestable typique, celle qu'on voudrait n'avoir jamais entendue parce qu'elle colle au cerveau comme une maladie et qu'il n'existe hélas pas d'antidote pour s'en débarrasser, *la* phrase musicale qui vous réveille au milieu de la nuit et vous empêche de vous rendormir, qui rend enragé d'angoisse et fou d'exaspération. Mae East avait gardé le levier de distribution des disques du pick-up levé, on allait donc entendre cette insignifiance pendant des heures si personne n'y mettait fin. Je décidai de m'en occuper malgré les conséquences que risquait de déclencher mon geste et je retirai le quarante-cinq tours de l'appareil sans prendre la peine de le remettre dans sa gaine de carton sur laquelle Michèle, tout sourire, semblait me narguer : «Tu veux pas l'entendre, ma chanson, hein, ben tu vas l'entendre quand même!»

À mon grand étonnement, aucune protestation ne s'est élevée dans l'appartement. Mae devait se trouver sous la douche et les deux autres, qui allaient enfin pouvoir se rendormir, m'être reconnaissants sans daigner le manifester.

Si la cuisine est laide, le salon, lui, est confondant. Les murs sont pervenche, les découpes et le plafond lilas, les rideaux rose saumon et le tapis bleu paon. Shéhérazade s'y sentirait à l'aise, moi pas. Nicole trouve ça reposant, moi j'ai plutôt l'impression de me prélasser dans une boîte de bonbons fondants. Je suis convaincue que notre salon donne des caries! Surtout que nous avons dû, faute de fonds, garder les mêmes vieux meubles qu'avant le fameux grand ménage, des horreurs sans nom héritées des parents de Nicole et qui datent des années trente : c'est massif, c'est lourd, c'est recouvert de velours tapé trop raide et orné de feuilles d'acanthe et de feuilles de vigne rousses sur fond brun. La même Shéhérazade ne s'y attarderait pas trois minutes. Nous avons donc le choix entre la moutarde et le ketchup de la cuisine et la boîte de bonbons fondants du salon. C'est un appartement salé-sucré.

J'ai posé les journaux sur la table à café grande comme un plancher de danse où traînaient encore des vestiges du party de la veille : une bouteille de champagne à moitié bue sans doute rapportée du Boudoir, une boîte de capotes de mauvaise qualité et un échantillon de ce phénomène récemment apparu au Boudoir, nouvelle folie chez les travestis et les prostituées qu'on appelle, allez savoir pourquoi, un *joint*. Je n'y ai pas encore succombé. Il paraît que j'ai tort. Mais je dois avouer que ça sent bon. Il était d'ailleurs étonnant qu'il en reste un, comme ça, même pas entamé, auquel personne n'avait touché. Trop *partis* pour se rappeler sa présence, Mae, Nicole et Jean avaient dû l'oublier là. Mais ils seraient sans doute ravis de le retrouver après le petit déjeuner…

J'ai étalé mes trois quotidiens sur la table à café pour lire en détail ce que disaient les journalistes de la déclaration du général de Gaulle… Mais une deuxième nouvelle, tout en bas de la première page du *Devoir* et de *La Presse*, a aussitôt attiré mon attention. Ce n'était guère plus qu'une mention, et c'est ça, je crois, qui m'a le plus choquée.

Le Devoir titrait : «Les émeutiers mettent Détroit à feu et à sang» et *La Presse* : « 1800 "paras" entrent dans Détroit où les émeutiers noirs pillent, saccagent et incendient (photos et informations Page 29)». Ainsi, pendant que Montréal se paye le party de sa vie, pendant qu'elle reçoit de la visite de partout, qu'elle s'ouvre enfin au monde en montrant pour la première fois un semblant de personnalité et de force de caractère, le jour même où un étranger de passage vient l'encourager à se libérer des liens qui l'unissent à un pays qui ne la respecte pas, les Noirs américains, exaspérés par trois cents ans d'injustice, sont obligés de mettre une ville à feu et à sang pour attirer l'attention sur leurs malheurs et passent quand même après le «Vive le Québec libre!» du général de Gaulle! Et, dans le cas de *La Presse*, ils n'ont même pas droit à une amorce d'article, il faut aller à la page 29 pour le trouver! Quant au *Journal de Montréal*, rien du tout, juste la grosse tête souriante du général. Ce n'est sûrement pas à moi, une ancienne waitress du Sélect aujourd'hui hôtesse dans un bordel plutôt particulier du *red-light* de Montréal, de montrer aux journalistes comment composer leurs journaux, bien sûr, ce n'est pas mon rôle – je viens d'ailleurs d'écrire que la politique ne m'intéresse pas –, mais l'évidente différence d'importance entre les deux événements m'a sauté aux yeux même si je ne suis qu'une ignorante travailleuse de la nuit sans grande éducation. La déclaration du général de Gaulle est capitale, sans doute, pour ceux qui pensent comme lui, pour les séparatistes, pour le R.I.N., pour l'orgueil des Canadiens français et même pour les opposants au mouvement indépendantiste qui vont pouvoir conspuer le président de la France jusqu'à plus soif, je comprends tout ça, je ne suis pas idiote, mais les Noirs américains n'ont-ils pas sué plus que nous et depuis plus longtemps? L'incendie de Détroit, avec ses vingt-cinq morts et ses mille blessés, n'est-il pas plus important qu'un Français, aussi haut placé soit-il, venu encourager ses cousins d'Amérique dont il se moquera sans honte aussitôt le dos tourné et qu'il laissera à leurs problèmes quand on aura fini de parler de lui, de son courage à lui, de son front de beu à lui à travers la presse mondiale (si par chance on en fait mention)?

Encore une fois, je ne veux pas en faire tout un plat, je ne m'y connais pas assez, mais j'ai soudain eu l'impression de faire partie d'une toute petite société, éloignée et coupée de tout. J'ai écrit plus haut que la *Main* est refermée sur elle-même, que ce qui se passe à l'extérieur d'elle ne l'intéresse pas, et j'ai eu la preuve en lisant les journaux, ce matin-là, que Montréal ne valait guère mieux, centrée qu'elle était depuis trois mois sur sa petite exposition universelle qui ne laissera peut-être pas la moindre trace dans l'Histoire et qu'elle imaginait plus importante qu'elle ne l'était en réalité. Des Noirs meurent assassinés par des soldats à Motor Town, la ville où l'écart entre les riches et les pauvres est parmi les plus importants aux États-Unis, et c'est la bouille du général de Gaulle qui aboutit à la une de nos journaux?

J'étais très troublée. Combien de personnes à travers Montréal avaient eu la même idée que moi en ramassant leurs journaux, ce matin? Je n'étais tout de même pas la seule! Je ne lis jamais les journaux étrangers, mais je me suis promis d'essayer de trouver un exemplaire du *New York Times* au cours de l'après-midi. J'étais bien curieuse de voir si le *New York Times* allait parler de la déclaration du général de Gaulle du haut du balcon de l'hôtel de ville de Montréal!

J'ai été maussade une bonne partie de la journée. Michèle Richard a beuglé ses plus grands succès (*Quand le film est triste, J'entends siffler le train, Les boîtes à gogo*) sans compter ceux que nous avions déjà entendus le matin. Jean-le-Décollé, devant l'air buté de Mae East et sentant la soupe chaude, s'est éclipsé en prétextant un rendez-vous galant dont personne n'était dupe, Nicole Odeon est disparue dans la salle de bains – qu'on appelle sa loge parce qu'elle y passe le plus clair de son temps – pour se refaire une beauté qui lui a demandé des heures d'efforts et qui était loin d'être concluante quand la chrysalide est enfin sortie du cocon.

J'avais laissé les trois journaux étalés sur la table à café et j'y revenais de temps en temps pour relire les articles (Claude Ryan, dans *Le Devoir*, essayait de comprendre ce qu'avait voulu dire le général. Franchement!) et contempler la mine satisfaite du président de la République française, fier de son bon coup, prophète des temps modernes, sauveur des cousins du Nouveau Monde. Aucune photo flatteuse des Noirs révoltés, bien sûr, mais un soldat américain arborait avec arrogance une mitraillette en page 2 de *La Presse*.

Je ne pourrais pas expliquer en mots clairs ce qui me choquait le plus dans tout ça, l'absurdité de la mise en pages des journaux qui mettait l'accent sur la nouvelle la moins importante de la veille, du moins à mon avis, ou le fait de savoir qu'après m'être bien insurgée, après avoir passé la journée à fulminer et à sacrer contre les journalistes, j'allais moi-même retourner, comme tout le monde, je le savais très bien, à mon train-train quotidien, à l'air climatisé du Boudoir, aux mines onctueuses et intéressées de Fine Dumas, aux exigences des clients étrangers, aux élucubrations de la Duchesse si elle daignait se pointer le nez, à la chaude-pisse de Mae East qu'il ne fallait pas laisser se développer en quelque chose de plus grave. J'étais impuissante devant les grands mouvements sociaux mondiaux, c'est évident, ce n'est tout de même pas une naine de la place Jacques-Cartier, à Montréal, qui peut faire la différence dans un conflit comme celui qui secoue Détroit et peut mener à une révolution aux États-Unis, mais c'était peut-être cette impuissance, justement, l'impression d'être toute seule dans mon coin à m'offusquer de la une des journaux qui m'exaspérait tant. Parce que je savais, je l'ai déjà dit, que dans quelques heures, à la nuit tombée, j'oublierais tout ça pour me plonger tête la première dans le petit monde interlope de la *Main*. Mon monde à moi. Dont je ne sors plus jamais. Et qui me coupe de tout.

Je me suis promis d'éplucher les journaux chaque jour. Peut-être que le lendemain, le général parti, les choses se replaceraient, les événements importants reprendraient l'espace qui leur était dû. La révolution se retrouverait à la place du party.

Illusion. Le lendemain, j'aurais oublié tout ça. Comme tout le monde.

Vers quatre heures de l'après-midi – cette fois, Michèle essayait de nous persuader que *L'argent ne fait pas le bonheur*, comme si elle le croyait elle-même! –, la mine basse et le front plissé, Mae East est venue me retrouver dans ma chambre.

«O.K.»

J'ai relevé la tête du dernier Françoise Sagan que je dévore depuis quelques jours. Les malheurs de la bourgeoisie française m'amusent beaucoup. Je ne suis jamais touchée, mais je prends toujours un malin plaisir à ses incartades conjugales et ses problèmes financiers. C'est fou ce que l'argent peut être important dans les romans français.

«O.K., quoi?»

Mae, au contraire de la plupart de ses consœurs, ne porte pas de perruque. Elle se contente de teindre en blond une abondante chevelure dont elle a oublié depuis longtemps la couleur d'origine – sans aucun doute déjà grisonnante – et qu'elle remonte en chignons, nids d'abeilles et French twists de toutes sortes, amoncellements de cheveux en général compliqués, pas toujours réussis mais, chose étonnante, souvent flatteurs. Cette fois, elle s'était contentée d'une simple queue de cheval qui lui battait le dos et lui donnait ce petit air *girl next door* qu'affectionnent tant les Américains. Mais pas les clients du Boudoir. Ce n'est pas la *girl next door* qu'ils veulent, les touristes venus du Nebraska ou de l'Arkansas pour lâcher leur fou à Montréal, c'est la *slut next door*! Et Mae East, chaque soir, se fait un plaisir de la leur fournir!

«Le docteur Martin. J'vas y aller.

— Bon, enfin tu te décides! Tu pensais quand même pas y échapper!»

Elle s'est assise devant ma coiffeuse, s'est passé ma brosse dans le toupet pendant que je posais mon livre sur ma table de chevet.

«Ben non. Mais j'avais juste pas envie d'en entendre parler, à matin. J'étais trop enragée. Je venais juste de m'en rendre compte... Si j'avais eu devant moi le gars qui m'a refilé ça...

— Vous dites toujours la même chose!

— On leur ferait toujours la même chose, aussi! Ramène à la fille le client qui lui a refilé une dose, et laisse-moi te dire que tu le reconnaîtras pus, après! Et il ferait moins son jars! Il aurait pus les moyens de rien refiler à personne pour un bon bout de temps!

—Veux-tu que j'y aille avec toi?

— Quoi?

— Chez le docteur... Veux-tu que j'y aille avec toi... C'est pas ça que t'étais venue me demander?

— Tu serais ben fine... J'veux pas être tu-seule, tu comprends, si jamais il m'apprend que c'est autre chose...

— Ça sera pas autre chose...

— On sait jamais.»

Quoi répondre? C'est vrai qu'on ne sait jamais. Depuis un an et demi que je travaille au Boudoir, j'ai vu des filles pourtant prudentes attraper des trucs assez vilains pour les obliger à se retirer pendant des mois, sans salaire bien sûr, elles qui ne pensent jamais à l'avenir et dépensent tout leur argent au fur et à mesure en babioles inutiles et en maquillage jamais utilisé. Elles empruntent à taux usuraire aux shylocks de Maurice, n'arrivent pas à respecter les échéances, se font taper dessus, Fine Dumas les engueule ou les renvoie, elles essaient de retourner à la rue, se font arrêter... Quelle vie!

«Mais avoue que t'aurais pu te décider avant, Mae... Y est passé quatre heures, y faut qu'on soit au Boudoir à huit heures, tu sais comment Fine haït ça quand on arrive en retard...

— Jamais je croirai que ça va nous prendre quatre heures! Une shot de pénicilline, ça prend deux secondes!

— La dernière fois, avec Babalu, le docteur Martin arrivait à rien...

— C'était pendant l'épidémie de gonorrhée de Londres, c'était pas pareil... J'pense qu'y a pas une fille qui y a pas passé! Fais-moi pas peur, Céline, j'veux être de retour au travail dans maximum trois jours, j'ai surtout pas les moyens de me payer des vacances au beau milieu de l'Exposition universelle!»

Elle savait pourtant que c'était ce qui risquait de lui arriver. Des vacances forcées. À ses frais. En plein boom économique pour les travestis du cru. D'où, je suppose, cette barre dans le front que je ne lui connaissais pas et qui lui donnait un air de fillette bougonne. À ce moment-là, aucun ressortissant du Nebraska en virée à Montréal n'aurait voulu d'elle.

«Es-tu prête? J'vas aller appeler un taxi...

— Mae! C'est à trois coins de rue d'ici!

— J'ai pas envie de marcher! Ça brûle! De toute façon, c'est moi qui paye, plains-toi pas!

— Même avec mes pattes courtes, chuis sûre que si je partais maintenant, j'arriverais chez le docteur avant toi!»

Elle a esquissé un sourire, ce qui m'a un peu soulagée. Puis elle est allée téléphoner.

En passant dans le salon des mille et une nuits, j'ai trouvé Nicole Odeon plongée dans un des trois quotidiens toujours ouverts sur la table à café.

«As-tu trouvé quelque chose qui t'intéresse, ma Nicole?»

Une petite prise de conscience sociale, peut-être? On ne sait jamais...

Elle a brandi le *Journal de Montréal* devant elle.

«Peux-tu croire comme il est laid, cet homme-là? Dire qu'y a une femme, quequ'part en France, qui se tape ça tous les soirs!

— Ceux que tu te tapes toi-même tous les soirs sont pas toujours mieux que ça, Nicole...

— Non, mais au moins c'est jamais les mêmes! Me retrouver devant ça tous les soirs, moi, je mourrais d'angoisse! Au moins, j'espère qu'y l'a pas amenée avec lui... Ça va y donner un peu de répit, pauvre femme!»

Logique de guidoune.

Si mon entourage est plutôt discret au sujet de mon apparence, moi je le suis moins depuis un certain temps. Désormais entourée d'êtres encore plus écorchés que moi, plus maltraités par la vie, pour qui, souvent, l'autodérision représente une forme de défense, une carapace, la seule façon d'affronter le monde, j'ai appris et adopté depuis mon arrivée au Boudoir cet état d'esprit salutaire qui s'appelle la désinvolture. Pas la fausse, évidente au premier coup d'œil, et qui n'attire en fin de compte que la pitié sur la personne qui veut faire illusion ; non, la vraie désinvolture née d'un bien-être réel, passager ou non, d'une vraie satisfaction d'être soi et qui fait qu'on se fout *tout à fait* de ce que les autres peuvent penser de nous.

Je peux presque dire que je suis bien dans ma peau pour la première fois de ma vie. Et que je peux enfin considérer mon corps si particulier d'un côté positif. Ma mère m'a toujours dit de tout essayer en société pour me faire oublier ou, si c'était impossible, de me faire pardonner mon physique ingrat par des gentillesses et, je crois que c'est le bon mot, des flagorneries de toutes sortes. Elle n'utilisait pas ce mot-là, bien sûr, elle ne le connaissait pas, mais elle m'apprenait à me rabaisser devant les autres, à les flatter, à les servir, à leur laisser toute la place parce que je n'étais digne d'aucun respect. À cause de mon corps difforme. Je l'ai écoutée trop longtemps pour ne pas lui en vouloir encore. Et ne pas la maudire de m'avoir fait perdre tant de temps. J'ai toujours voulu passer inaperçue, alors que la seule chance que j'avais de survivre était de regarder les gens droit dans les yeux et de leur dire : «Et alors?»

C'est un peu ce que j'avais fait sans trop m'en rendre compte quand j'étais entrée comme waitress au Sélect, ma première vraie crise d'indépendance, d'affirmation de soi, la naine qui ose aborder un métier pour lequel les gens comme elle ne sont pas faits. Mais ce n'est que maintenant, entourée d'inadaptés pour qui le déguisement est la seule porte de secours et l'humour noir le baume qui gèle toute douleur, quand je descends l'escalier du Boudoir dans ma robe verte à paillettes et mes souliers rouge sang comme ceux de Dorothy dans *The Wizard of Oz*, que je comprends pleinement le sens du mot désinvolture. J'atteins à peine cinq pieds avec mes talons hauts, mais personne n'a plus de présence que moi, ni de présence d'esprit, et ça se voit dans ma façon de me comporter. Et gare à celui qui oserait passer un commentaire!

Mes amis de la *Main* m'ont montré à courir au-devant des coups, à les deviner, à les esquiver, à m'en servir pour faire rire avant qu'on rie et ça me sauve la vie avec une constante régularité. Je dois à ce sujet une reconnaissance particulière à la Duchesse de Langeais qui dit toujours que si tu ris la première, tu es sûre de gagner! Elle a passé sa vie à rire et à faire rire, devenant par son esprit dévastateur et ses répliques lapidaires un des personnages les plus aimés, les plus haïs et les plus respectés de la *Main*. Je ne suis pas encore tout à fait une lutteuse comme elle, la route est longue et difficile, mais au moins je sais désormais où concentrer mes forces et mon existence s'en trouve facilitée.

La petite hôtesse du Boudoir au sens de l'humour si singulier, qui cache ses pattes croches sous du lamé et des paillettes de couleurs vives, a plus d'ambition qu'on ne le croit et, avec un peu de chance, pourrait bien se rendre pas mal loin!

C'est du moins ce que je me disais en attendant le taxi en compagnie de mon amie Mae East, la Mae West de Pointe-Saint-Charles. Elle faisait pitié à voir, la pauvre : elle serrait les cuisses parce que son entrejambe la faisait souffrir tout en fumant une cigarette qui empestait la place Jacques-Cartier au grand complet. De loin, nous devions avoir l'air de la mère et de sa fille. Mae West, la vraie, celle qui parle en miaulant comme une chatte en chaleur et qui chante avec une voix de crécelle des mots qu'elle ne se donne pas la peine d'articuler, est toute petite, semble-t-il, à peine plus grande que moi, et se juche sur de très hauts talons pour qu'on la croie de taille normale (c'est d'ailleurs la raison pour laquelle on ne l'a jamais vue en robe courte dans aucun de ses films); Mae East, par contre, mesure plus de six pieds, porte des souliers larges comme des pieds de dromadaire et des robes rase-trou au bord de l'indécence. Elle est donc très en demande, au Boudoir, surtout auprès des Asiatiques, et je me disais que je ne voulais pas être présente lorsque Fine Dumas apprendrait qu'elle aurait à se passer, pour un bout de temps, d'un de ses meilleurs gagne-pain. Surtout après tous les avertissements, notes et conseils pratiques dont elle inonde le babillard des filles, à l'étage des chambres, depuis le début de l'Exposition uni-verselle. Elle s'est même donné la peine d'écrire à l'encre violette sur un papier lilas accroché bien en vue au-dessus du babillard : «Une fille avertie en vaut deux!» Mae East était la première victime de négligence depuis un bon bout de temps et, j'en avais bien peur, elle aurait à payer le gros prix. Fine voudrait faire un exemple et, comme elle ne déteste pas terroriser ses filles de temps en temps, elle en profiterait pour vitupérer, fulminer, condamner et punir, tout en agitant son fume-cigarette au bout de son bras comme une arme vengeresse.

Le taxi a fini par arriver, Mae a écrasé sa cigarette sous son soulier dans un geste assez élégant, un peu comme certaines héroïnes des vieux films français en noir et blanc. Viviane Romance. Ou Simone Signoret. (Je dois souligner ici que j'évolue dans un milieu sans cesse inspiré par et souvent copié sur celui du cinéma et que tout le monde, même moi à l'occasion, je l'avoue, emprunte ses gestes, sa façon de parler, ses vêtements aux vedettes féminines françaises et américaines. Nous faisons donc sans arrêt des allers et retours entre Bette Davis et Arletty, entre Viviane Romance et Barbara Stanwyck, entre la femme fatale à l'européenne et celle, plus dure, plus froide, telle que vue par les Américains.)

Mae a ouvert la porte du taxi. J'ai une façon particulière de monter dans une voiture. Je me hisse, un peu à la façon des enfants, en prenant d'abord appui sur le siège avec le bras avant de lever la jambe, et je me retrouve souvent face à lui, pour ensuite y grimper et m'asseoir. Alors j'ai trouvé une réplique qui me permet d'éviter les sarcasmes des chauffeurs de taxis, une boutade qui m'a encore servi cet après-midi là et qui a même réussi à faire sourire Mae.

Avant que le chauffeur de taxi ouvre la bouche, j'ai lancé :

«Allez pas penser que chuis à genoux, là, parce que j'ai trop bu, non, non, non, chuis vraiment debout!»

Il a ri, m'a fait un clin d'œil dans le rétroviseur quand j'ai été installée sur le faux cuir de la banquette et, comme ils le font tous, m'a parlé de mon beau sens de l'humour. J'avais envie de lui répondre que ce n'était pas le sens de l'humour, c'était le sens de la survie!

Mais il a un peu déchanté quand Mae lui a donné l'adresse du docteur.

«C'est à côté! Vous auriez pu y aller à pied! Me déranger pour faire trois coins de rue! Franchement!»

Mae m'a prise par l'épaule comme pour me pro-téger.

«C'est à cause de mon amie qui a de la misère à marcher.»

Je lui ai donné un coup de coude sans toutefois oser protester parce que le chauffeur se confondait en excuses. Je me suis contentée de la fusiller du regard. Je déteste qu'on me prenne comme para-vent, qu'on se serve de moi pour attirer la pitié. Elle le savait, pourtant. J'ai mis ça sur le dos de sa maladie «wagnérienne» et j'ai décidé de passer l'éponge, encore une fois.

Le docteur Martin est vieux, grincheux et laid. La Duchesse dit d'ailleurs de lui qu'il a mis notre père Adam au monde, qu'il était de mauvaise humeur et qu'il lui a fait peur.

Comme nous sommes arrivées, Mae East et moi, vers la fin de ses consultations, nous n'avons pas eu longtemps à attendre. Une ou deux guidounes, de vraies femmes, celles-là, jetaient de temps à autre un regard inquiet vers son cabinet. Nous ne les connaissions pas, nous n'avons donc pas eu à entreprendre une de ces conversations faussement enjouées où la gêne de se rencontrer dans un tel endroit se mêle à l'inquiétude de savoir ce qui nous pend entre les jambes. Des *Photoplay* et des *Nous deux* de l'année dernière traînaient sur la table ronde placée au milieu de la pièce. Mae East s'est plongée dans un compte rendu de la vie tumultueuse de Susan Hayward pendant que je lisais une nouvelle sirupeuse, idiote, écrite pour faire rêver les ménagères en mal de romance et qui ne réussissait qu'à me faire enrager.

Le tour de Mae est arrivé. Comme elle était la dernière patiente de la journée, le docteur Martin a accepté de laisser la porte de son bureau ouverte et j'ai pu entendre toute leur conversation. Il a commencé par lui faire, avec une certaine douceur, je dois l'avouer, les reproches habituels au sujet de la prudence, des risques de son métier, de l'importance des préventions, etc. Mais mon amie n'était pas dans un *mood* pour endurer un sermon et l'a remis à sa place avec un beau petit monologue court, bien tourné, bien structuré et qui n'appelait surtout aucune réplique :

«Écoutez, docteur, le sermon sur la montagne, je peux l'entendre le dimanche matin à la messe si je veux, et j'ai cessé d'aller à la messe pour pas l'entendre, ça fait que vous pouvez économiser votre salive! Je connais mon métier mieux que vous, ses dangers aussi, et j'ai pas le goût de me faire mettre le nez dans ma crotte parce que j'ai commis une erreur, c'est-tu clair? Le voulez-vous, votre dix piasses, ou si vous le voulez pas? Parce que si vous le voulez pas, y a un autre docteur quequ'part à Montréal qui va être ben content de me shooter une faible dose de pénicilline pour ce prix-là! Tout ce que je veux que vous me disiez, c'est quand est-ce que je vas pouvoir retourner travailler. Et il me semble, à moi, que deux jours de repos ça serait suffisant!»

Mais le docteur non plus n'avait pas envie de se laisser engueuler et Mae, je suppose, a payé pour toutes les vilaines maladies qu'il avait vues depuis le matin. Pour les sarcasmes, aussi, et les injures qu'il avait essuyés de la part de guidounes mécontentes qui essayaient de lui reprocher leurs propres gaffes au lieu de s'en prendre à elles-mêmes. Le discours de Mae n'appelait peut-être pas de réplique, mais il lui en a quand même servi toute une!

«Écoutez-moi bien, mademoiselle…» Il fouilla dans son dossier pour trouver son nom. «… mademoiselle East! Ce n'est pas moi qui ai choisi ce métier-là et ce n'est pas à moi à en endurer les conséquences! C'est à vous! Et vous allez faire ce que je vais vous dire sans discuter! Après une *grosse* dose de pénicilline, parce que laissez-moi vous dire que nous n'avons pas de chances à prendre avec ce qui court actuellement, qui galope plutôt, dans les coulisses de l'Exposition universelle! Si vous saviez ce que je sais, vous changeriez peut-être de profession pour un bout de temps! Vos consœurs et vous-mêmes, les vraies femmes comme les fausses, devriez redoubler de prudence dans les trois mois qui viennent! Mais je n'ai pas l'impression que c'est ce que vous faites! Vous êtes trop occupées à compter votre argent pour prendre la peine de vous protéger! Alors endurez! Ça va faire mal, ça va brûler, peut-être longtemps, et vous allez tout endurer parce que ce petit jus vert là qui vous sort par ce que vous appelez, avec tant de subtilité, votre instrument de travail ne me dit rien de bon et que je veux vous revoir demain après-midi à la même heure! Sans faute! Sinon, j'appelle les autorités pour déclarer un cas de maladie vénérienne suspecte! Vous m'avez bien entendu? Mae East? Dont le vrai nom, selon votre dossier, est Jean-Claude Bergeron? Ce n'est pas Mae East qui est malade, là, c'est Jean-Claude Bergeron! Jean-Claude Bergeron a une importante dose de gonorrhée, il devrait s'en inquiéter et remercier le docteur qui va prendre ses dix dollars sans le déclarer aux autorités! Alors tournez-moi le dos, baissez votre petite culotte, penchez-vous par en avant et serrez les lèvres, ça va faire mal! Et si vous voulez aller porter votre clientèle ailleurs, sachez bien que tous les docteurs n'ont pas ma sympathie et ma compréhension pour les professionnelles de votre genre!»

Madame le dit souvent, les travestis sont difficiles à boucher. Mais cette fois-là, Mae East est restée la bouche grande ouverte devant le docteur Martin, sans rien trouver à lui répondre. Elle a même jeté un regard vers moi dans l'espoir que je n'avais pas tout entendu. Le docteur aussi. Mais fier de lui, et dans l'espoir du contraire. J'ai levé le pouce en direction du docteur pour montrer mon appréciation et mon assentiment, il a souri. Pas Mae East. Elle a haussé les épaules en descendant sa culotte. On aurait dit qu'elle était au bord des larmes. Dans le même état où je l'avais trouvée, le matin, à la cuisine.

C'était vrai, en fin de compte, qu'elle ne serait pas la plus belle pour aller danser, ce soir-là...

Elle a lancé un énorme «Ayoye, câlisse, ça brûle!» pendant que le docteur lui plongeait une *énorme* aiguille dans la fesse droite. Elle a frappé la table du plat de la main. Je n'ai pas pu m'empêcher de me demander s'il se servirait d'une aiguille plus petite pour moi... Une petite dose de pénicilline pour une petite femme, une grosse dose pour une géante comme Jean-Claude Bergeron!

Je venais d'apprendre son vrai nom et, c'est drôle, le personnage devenait tout à coup moins intéressant. Il perdait beaucoup de son originalité, de son mystère. Un travesti qui s'appelle Mae East, c'est drôle. Mais une Mae East qui s'appelle Jean-Claude Bergeron, ça l'est moins. Une Mae East, ça n'a pas de passé, c'est né de rien, ça vient de nulle part; un Jean-Claude Bergeron, si. J'essayais de me l'imaginer sur les bancs d'école, ou à la messe, le dimanche matin, devant le fameux sermon sur la montagne... et je ne voyais qu'un petit garçon habillé en Mae East! Une toute petite Mae East, gracile et boutonneuse, qui rêvait, pendant que le prêtre pérorait, à Ronald Coleman ou à Gary Cooper. Comme si Jean-Claude Bergeron n'existait plus, qu'il avait été effacé de la surface de la Terre, que c'est Mae East, en fin de compte, qui avait toujours été là. Mais n'est-ce pas ce que les travestis prétendent tous? Que la femme a toujours été là, omniprésente, envahissante, inévitable?

Je me suis demandé pour la première fois ce que pouvaient bien être les vrais noms des autres filles du Boudoir. Il faudrait que je fasse ma petite enquête...

Mae est sortie du bureau du docteur en se frottant la fesse.

«Une dose, un sermon, une piqûre qui brûle comme le yable... Tout ce qu'il me manque, aujourd'hui, c'est de perdre ma job au Boudoir! Et c'est peut-être en plein ce qui m'attend!»

Nous sommes rentrées à pied, moi boitillant sur mes petites pattes, elle boitant en se tenant la fesse. Il n'a pas été question de taxi.

Il fallait maintenant apprendre la nouvelle à Madame!

INTERMÈDE ÉLÉGIAQUE EN HOMMAGE AU SÉLECT

Je suis peu retournée au Sélect depuis que je l'ai quitté. D'abord, je n'aime pas jouer les clientes dans un endroit où j'ai déjà travaillé. Je me trouve déplacée, j'ai envie d'aider les filles s'il y a beaucoup de monde – déformation professionnelle – ou de plier des serviettes de papier avec elles si le restaurant est vide alors qu'elles ne me demandent rien. Ensuite, parce que la période de ma vie où j'y ai gagné ma croûte me semble désormais lointaine, au bord de l'incroyable... La petite Céline qui trottinait en tous sens plus que quiconque pour répondre aux demandes des clients parce qu'elle voulait prouver qu'elle pouvait être serveuse malgré son handicap physique, des plats chauds étalés sur les bras, essoufflée, suante, souvent impatiente, est une personne que je ne reconnais plus.

Je la trouve naïve, je la trouve touchante, il m'arrive même de m'ennuyer d'elle. Parce que le monde dans lequel elle évoluait est tellement plus simple que celui où je suis plongée depuis un an et demi, avec ses conspirations de toutes sortes et ses drames quotidiens qu'il faut faire semblant de prendre au sérieux alors qu'ils ne sont la plupart du temps que ridicules et, surtout, ses personnages, hauts en couleur, c'est vrai, passionnants, drôles à mourir, divertissants, mais combien envahissants et difficiles à supporter.

Ce qui ne signifie pas pour autant que je voudrais retourner en arrière, me retrouver en compagnie de Nick et de Lucien à la cuisine qui sent le graillon, ou revoir ma bande d'artistes chevelus qui passent leurs soirées à refaire le monde, ou même Aimée Langevin qui, aux dernières nouvelles, n'avait pas encore réussi à convaincre qui que ce soit qu'elle a un talent de comédienne, non, bien sûr, je préfère quand même, et de beaucoup, ma vie actuelle.

Mais il m'arrive de rêvasser...

Il est cinq heures de l'après-midi, je viens d'arriver au restaurant, j'ai pendu mon imperméable dans le placard des employés qui sent la même chose que la cuisine puisqu'il en fait partie, simple case de bois coincée entre le frigidaire et la porte, je jase avec Madeleine qui, son *shift* de jour fini, a décidé de remplir les sucriers avant de partir. Je lui ai déjà dit cinq fois de laisser faire, que je vais m'en occuper, que sa journée est terminée, que ses enfants l'attendent à la maison, rien n'y fait. Cigarette au bec, l'œil droit fermé pour éviter la fumée, elle dévisse le couvercle d'un sucrier, le geste sûr, remue le contenu avec un couteau pour décoller le sucre de la paroi de verre, y ajoute ce qu'il y manque, revisse le couvercle, remet le sucrier à sa place, satisfaite du travail bien accompli. Elle frotte un peu la table d'arborite avec de l'eau et du vinaigre et passe à la suivante, sérieuse, concentrée.

Jeannine arrive en coup de vent, presque en retard. Vite, qu'elle enlève son manteau, elle en a une bonne à nous raconter...

Je me suis installée à la table des serveuses, une tasse de thé à la main (mon passage au Sélect correspond à la période de ma vie où je m'étais mise au thé Orange Pekoe parce que le café du restaurant était trop dégueulasse), j'appuie la tête sur la banquette de plastique façon cuir, j'écoute les confidences de Jeannine, variations plus ou moins compliquées des mêmes déboires amoureux reportés d'un homme à l'autre, pattern sans fin, pourtant simple, mais dont elle ne se rend pas compte parce qu'elle n'y réfléchit jamais, se contentant de le subir et de se plaindre qu'elle ne mérite pas autant de misère ni autant de malheurs.

Madeleine me fait un clin d'œil de l'autre bout du restaurant. Je lui souris. Et pendant quelques secondes fugaces, trop vite passées, je suis bien...

C'est cette simplicité qui me manque, je crois, cette absence de responsabilités, la vie coupée en deux parties qui ne s'entremêlent jamais : d'un côté le travail, de l'autre le reste, la vie privée, les problèmes, les angoisses. Sur la *Main*, je vis avec mes compagnes de travail, le Boudoir me poursuit jusque dans mon salon, les problèmes ne s'arrêtent jamais sur le pas de la porte de l'appartement, ils envahissent tout, ils sont le tissu même dont est faite ma vie. Je me dis parfois que les travestis sont leurs propres problèmes! Et moi, la seule fille du groupe, je suis l'hôtesse de l'appartement de la place Jacques-Cartier au même titre que celle du Boudoir! Ce n'est jamais ennuyant, je dois l'admettre, mais ce n'est pas reposant non plus.

C'est presque toujours la voix de Fine Dumas qui me sort de mes rêveries. J'ouvre les yeux, je suis assise dans la pièce centrale du Boudoir, entourée de velours et de peluche, il est quatre heures du matin, je m'étais assoupie. Des fois je suis soulagée de me réveiller, des fois j'aurais envie de retourner où j'étais, dans l'odeur des patates frites, dans la chaleur des filles du Sélect.

«Tu peux aller te coucher, Céline, c'est une petite nuit. J'pense pas qu'on voie la barre du jour, à matin...»

Quelque part au fond de ma mémoire, la petite Céline prend son autobus pour se rendre rue de Lorimier. Ici, dans la vraie vie, Jean-le-Décollé ou Nicole Odeon ou Mae East la prend par le bras et l'attire dans un bar tout près où elle n'a pas du tout envie de se rendre mais où elle se laisse entraîner, trop fatiguée pour résister.

Jamais, cependant, au grand jamais, je ne me laisse aller à une pensée pour ma famille ou, si son souvenir m'effleure, je me débarrasse de tout ça d'un geste de la main et je passe à autre chose.

Première partie

UN PROJET SURPRENANT

Il y a à peu près un an, Fine Dumas a eu un trait de génie. On pourrait même dire qu'elle a, avec une impertinence sans précédent et une facilité déconcertante, dépassé les bornes de ce qui jusqu'alors avait été permis à Montréal et rendu possible l'impensable. En pleine répression de la part de la police municipale et de la Sûreté du Québec qui voulaient présenter aux yeux des étrangers, surtout des hypocrites Américains, une Montréal familiale, aseptisée et sans vie sexuelle pendant la durée de l'Exposition universelle – il ne faut pas oublier que la Ville de Montréal a refusé à un promoteur de spectacles le droit d'ouvrir une boîte de strip-tease sur le site de l'Expo! –, Madame a imaginé, en plein cœur de la *Main*, une chose jusque-là inexistante dans notre belle ville et que personne, jamais, n'aurait crue concevable, un bordel de travestis!

Entendons-nous bien, l'arrière-boutique du Boudoir n'existe pas de façon officielle, c'est une non-entité, un corps étranger à l'Expo dont on s'échange le nom en chuchotant, dont aucun journal jusqu'ici n'a osé faire mention – la protection doit vraiment venir de très haut –, même si tout le monde sait qu'il est en exploitation depuis près d'un an. Le Boudoir reste un accroc aux règlements municipaux, un projet original que quelqu'un, quelque part, a trouvé assez payant pour le laisser passer. Parce que de l'argent, il en *passe*, au Boudoir! Tout ici est trop cher pour la faune habituelle de la

Main, pas un seul client des autres établissements du quartier n'oserait venir y jeter un coup d'œil, le prix d'entrée à lui seul est trop exorbitant. Ce qui s'y pratique est donc un sujet incessant de cancans, de suppositions et de mémérages de toutes sortes alors que nous ne sommes, en fin de compte, qu'un bon vieux bordel déguisé comme tant d'autres en boîte de nuit agrémentée de coulisses, disons, un peu plus actives. Mais nos filles, et c'est là que se situent notre différence et notre intérêt, sont des hommes.

Comment Fine Dumas a-t-elle réussi à faire passer une couleuvre aussi grosse? L'énormité même du projet? Son originalité? L'expectative de son rendement?

Ça aussi, c'est sujet à spéculations. Et j'en ai entendu des vertes et des pas mûres, la plus tirée par les cheveux, et la plus amusante, étant que Fine Dumas serait en position de faire chanter le maire Drapeau. On prétend qu'elle se serait présentée à l'hôtel de ville, comme ça, un bon matin, en bonne voisine, et qu'elle en serait ressortie quelques heures plus tard bail en main et sourire aux lèvres! J'avoue que c'est la version que je préfère parce que c'est la plus absurde. (Quoique Madame nous répète souvent qu'elle pourrait faire chanter l'*Alléluia* de Haendel à un chœur formé des plus gros bonnets de la ville.) On prétend aussi que notre maire bien-aimé aurait récemment ouvert un restaurant chic où se produisent des chanteurs d'opéra pour accommoder sa maîtresse, cantatrice française bien connue, alors pourquoi pas le Boudoir s'il y trouve aussi son compte? Mais on est en droit de se demander quel rapport peut bien exister entre le maire Drapeau et Fine Dumas!

Toujours est-il que, plusieurs mois avant l'inauguration de l'Expo, le Boudoir faisait déjà les beaux soirs de Montréal. Fine, qui connaît son monde, sait traiter ses «partenaires», et beaucoup de «soirées-bénéfice» au profit d'«œuvres charitables» ont eu lieu avant l'ouverture officielle de la boîte. Les œuvres charitables en question portaient des noms que je n'avais jamais entendus nulle part et souvent loufoques, les bénéfices étaient répartis en tas plus ou moins égaux à la barre du jour, et ceux qui partaient avec l'argent ne semblaient pas du tout miséreux ni en manque de quoi que ce soit. Madame, tout à coup élue reine de la nuit, jetait l'argent par les fenêtres tout en sachant que le vent le ramènerait avec diligence dans ses coffres quand l'Expo ouvrirait ses portes... J'ai vu passer de main à main des enveloppes épaisses, des caisses de champagne ont quitté le Boudoir en pleine nuit pour être entassées dans des voitures de grand prix et, je dois taire les noms puisque je suis tenue au secret, des personnalités montréalaises, féminines et masculines, se sont parfois glissées en coulisse pour aller goûter des fruits défendus que jusque-là, c'est du moins ce qu'elles prétendaient, elles s'étaient interdits.

Se taper un travesti est ainsi devenu la chose à faire pendant un temps. Avant que ça coûte trop cher. Parce qu'on savait que les prix grimperaient aussitôt l'Expo inaugurée. Et, bien sûr, c'est ce qui s'est produit.

Les travestis, êtres diserts, peu discrets et mal embouchés s'il en fut, racontent à cœur de soirée des choses à faire dresser les cheveux sur la tête, mais ça aussi c'est sujet à spéculation même si, comme on dit, il n'y a pas de fumée sans feu. Si le dixième de ce qui se dit dans la coulisse du Boudoir est vrai, cependant, il y aurait de quoi alimenter le feu des journaux à potins pour des années à venir. Mais qui croire et dans quelle mesure? Je vis désormais dans un monde où la vérité est parfois difficile à discerner des fantasmes des créatures qui l'habitent. Mais c'est en même temps un de ses charmes...

Autre preuve que Fine Dumas jouit d'une protection exceptionnelle : Maurice, Maurice-la-Piasse, roi incontestable de la *Main*, terreur des quartiers chauds de Montréal et ennemi personnel de Madame, *n'a pas dit un seul mot*! Il laisse faire tout ça sans broncher, sans jamais se montrer le nez au Boudoir, lui qui se mêle toujours de tout, surtout lorsqu'il est question d'argent! (Mais j'ai souvent vu Tooth Pick, son âme damnée, sortir de la boîte avec une enveloppe de papier brun plutôt dodue...) Maurice a-t-il été condamné par quelqu'un de plus haut placé que lui à ne retirer du Boudoir que des dividendes insignifiants pour ne pas en avoir eu lui-même l'idée? Se trouve-t-il, par la force des choses, rabaissé au rôle de «partenaire» de Fine Dumas dans cette affaire si lucrative?

Ainsi, Fine Dumas tiendrait à la fois le maire Drapeau et Maurice-la-Piasse par les couilles? Idée réjouissante, mais peu crédible. Le maire doit avoir à sa disposition les moyens de faire *déchanter* les gens comme Madame, et Maurice, on le sait, a la gâchette facile – ou, plutôt, celle de Tooth Pick – quand quelque chose ne fait pas son affaire. La seule raison, si tout ça est vrai, serait donc que les profits générés par le Boudoir sont plus qu'intéressants. Et d'après ce que je vois circuler de soir en soir depuis plus de trois mois, ce ne serait pas étonnant.

Dans sa grande sagesse, toutefois, pour ne pas trop attirer l'attention ou alors parce qu'elle a toujours fonctionné ainsi, Fine Dumas ne s'est pas laissée aller au gigantisme ni à la mégalomanie : le Boudoir est un petit commerce au débit de filles plutôt faible (elles sont six mais font du bruit comme cinquante), il ne fonctionne que la nuit venue, n'a besoin ni d'un portier ni d'un videur, se retrouve tous les soirs à huit heures poncé, poli, laqué par une mystérieuse armée de fées du ménage dont nous n'avons jamais vu le bout du plumeau – moi seule sais qu'elles sont Gaspésiennes, dures au travail et sans doute très bien payées parce que d'une absolue discrétion – et fonctionne comme un petit négoce familial de province avec à sa tête un seul chef qui décide de tout et en tout état de cause *fait* tout. Madame est à la fois la directrice de l'établissement, son âme et son comptable. Et je suis convaincue que si elle pouvait faire mon travail à ma place, elle le ferait.

Mais comme le Boudoir est une bête à deux têtes, l'une, l'officielle, inoffensive quoique un peu particulière, l'autre, l'arrière-boutique, plus intéressante pour la clientèle et surtout pour la propriétaire, il a besoin d'une double surveillance constante. Fine Dumas trône donc sur la partie légitime authentifiée par des tas de permis placés bien en vue au-dessus de la caisse qui, bien sûr, n'enregistre que les recettes licites, boissons alcoolisées ou non, alors que moi, à l'arrière-scène si je puis dire, je contrôle à partir de huit heures les allées et venues parfois comiques, parfois pathétiques de ces messieurs-dames. Juchée sur mes talons hauts auxquels j'ai fini par m'habituer après des mois de boitillements et de cors aux pieds, le menu à la main et le sourire aux lèvres, il m'arrive de penser que j'ai été engagée au Boudoir parce que Madame ne pouvait pas se trouver à deux endroits en même temps.

Pour légitimer son existence, le Boudoir présente un spectacle de travestis au demeurant pas très intéressant parce que les artistes qui s'y produisent n'ont aucun talent. Ils dansent parfois d'une façon à peu près potable, mais ils chantent tous mal, sans exception, et font des plaisanteries éculées qui ne faisaient déjà plus rire les habitants de Sodome et Gomorrhe. Si on ne connaît pas ses atouts cachés et l'envers de son décor, on est en droit de se demander pourquoi on a payé si cher pour un show aussi pourri. Mais cette clientèle-là, celle venue pour assister à un vrai spectacle, est rare vu la réputation du Boudoir et si, par inadvertance, quelqu'un se plaint de la qualité des artistes, Fine Dumas monte sur ses grands chevaux, remet l'argent en jouant les insultées et montre la porte au malotru. On est pourri, mais on a sa dignité!

Passé l'entrée principale qui donne directement sur la *Main*, quelque part entre Sainte-Catherine et Dorchester, côté ouest, tout près du French Casino, le coup d'œil est plutôt joli : Fine Dumas n'a pas lésiné sur l'or, le rouge, l'éclairage indirect et le miroir vénitien. Le cabaret lui-même est petit, intime, dit Madame, la scène minuscule – ce qui s'y passe n'a pas besoin de déploiement –, le bar, joyau de l'établissement avec son cuivre rutilant, son chêne sombre et son faux marbre italien, donne envie de s'y vautrer, de se confier à la barmaid, de trop boire pour ensuite monter à l'étage, but de toute l'opération. C'est là, au bar, que se tient la patronne, perchée sur un siège pivotant surélevé à dossier confortable pour mieux dominer, tel un bouddha libidineux qui ne veut rien manquer. Et, croyez-moi, elle ne manque rien. Jamais. Rien n'échappe à son regard d'oiseau de proie. On peut toujours savoir ce qui se passe d'intéressant dans la boîte en suivant la direction que prend son fume-cigarette.

La barmaid se nomme Mimi-de-Montmartre même si elle n'a jamais vu la France et que son vrai nom est Georges. C'est une plantureuse fausse blonde dans la quarantaine qui a connu des jours meilleurs et qui prend son rôle très au sérieux. Experte en boissons et cocktails de toutes sortes, elle sait faire boire son monde. Elle peut vous concocter un Between the Sheets ou un Cucumber Dream le temps de le dire, tout en faisant semblant d'être passionnée par ce que vous lui racontez, et trouve le moyen d'économiser sur les rations d'alcool quand le client commence à perdre la notion de ce qui se passe autour de lui parce qu'elle en a trop pris soin. Elle fait beaucoup d'argent et voue pour cette même raison une reconnaissance sans faille à Fine Dumas, sa bienfaitrice, son bon ange, son idole. Elle se jetterait au feu pour elle et l'a peut-être déjà fait.

Une seule autre fille – *la* serveuse du Boudoir – travaille sur le plancher. Avec, elle aussi, un nom improbable : Greluche. J'ignore son vrai nom parce qu'elle a toujours refusé de me le dire. Mais greluche elle l'est jusqu'au bout des ongles : aussi maigre que la barmaid est grasse, aussi nerveuse que l'autre est lymphatique, aussi impolie que l'autre est gentille, aussi inconvenante que l'autre se veut chic, elle porte, plutôt mal, des vêtements qui semblent surgir tout droit de la vieille garde-robe de Barbie. C'est la terreur du Boudoir, son bulldog, et Fine Dumas s'en sert pour faire la loi dans l'établissement. Pas besoin de gros bras, ici, Greluche est là pour voir à ce que les règlements de la maison soient respectés. À la lettre. Pas de passe-droit. Un plateau rempli de boissons de toutes sortes à bout de bras, elle peut vous pataraffer une table de clients qui ne font pas son affaire tout en servant celle d'à côté sans jamais se tromper ni dans les commandes ni dans les prix. Elle vitupère autant qu'elle s'enthousiasme et met de la vie dans le Boudoir quand les travestis n'y arrivent pas ou que ces dames sont trop «occupées» à l'étage pour remplir leur rôle d'artistes.

Derrière la scène sur laquelle des choses pour la plupart du temps navrantes se déroulent, on aboutit dans mon royaume dont l'accès est situé près de l'entrée des toilettes des hommes. Celles des dames sont au bout du bar, ne cachent rien et ne sont pas très fréquentées parce que peu de femmes s'aventurent au Boudoir. À l'extrémité d'un court corridor trop décoré pour être honnête, un petit escalier de quelques marches qu'on peut deviner à travers un rideau de perles représentant, allez savoir pourquoi, des flamants roses devant un coucher de soleil aux rouges et aux orangés passés depuis longtemps, mène aux fameux plaisirs défendus quelque peu particuliers pour lesquels on s'est déplacé, en compagnie de gui-dounes pour le moins différentes qu'on dit aussi drôles qu'efficaces. Mais qui risquent fort, hélas, de ne survivre que le temps de l'Expo. Le Boudoir fait partie des avantages cachés de cette foire internationale, de ses petits secrets transmis avec prudence et à mots couverts, il faut donc en profiter avant qu'il ne disparaisse dans le fouillis des souvenirs aseptisés d'une Exposition universelle qui se voulait trop bon enfant. Jamais l'idée d'aller lever un travesti sur la *Main* ne vous viendrait à l'esprit, bien sûr, ou de le conseiller à un étranger de passage, mais c'est tout de même autre chose lorsque l'expérience se présente comme une «découverte unique tentée dans un contexte précis d'expérimentations et d'avenues inexplorées» comme le clame la petite carte de visite, seule publicité que s'est permise Fine Dumas et qu'elle tend, sourire aux lèvres, aux clients dès leur arrivée... L'alibi rêvé. Le parfait paravent.

Mon fief ressemble à une caricature de bordel européen tel qu'on peut en voir dans les vieux films. Il est bête à pleurer, mais Fine Dumas connaît ses hommes, leurs goûts, ou plutôt leur manque de goût, leurs habitudes, et ne s'est pas trompée dans l'aménagement des singuliers agréments et délices qu'ils viennent chercher ici. Issu de l'imagination intéressée de sa propriétaire, il n'échappe à aucun cliché et, sans vergogne, avec une belle assurance, annonce tout de suite ses couleurs, c'est le cas de le dire : tout est rose pêche, bleu pâle, vert d'eau, faussement féminin, savamment voilé et éclairé avec parcimonie. C'est, tout mêlé, en vrac et empilé sans complexe, *Les mille et une nuits, Alice au pays des merveilles*, le *Kama Sutra* et un péplum italien, une accumulation de banalités confondantes mais d'une efficacité que je qualifierais de hargneuse parce que j'y sens une pointe de mépris mal dissimulé de la part d'une directrice de bordel pour l'imbécillité de ses clients. C'est d'une laideur à faire peur mais aussi d'un rendement furibond. Même le parfum d'ambiance, choisi lui aussi avec soin, donne envie à ces messieurs de dépenser. C'est ça, je crois, qui m'étonne le plus et que je n'arrive pas à rendre par des mots précis : comment Fine Dumas a-t-elle su trouver tout ce qu'il fallait pour donner aux hommes l'envie *irrépressible* de dépenser. Et beaucoup? En compagnie d'hommes déguisés en femmes?

Au milieu de la salle d'attente trône un vrai vieux sofa de bordel rond, en velours rouge vif comme chez Toulouse-Lautrec, une roue de tissu et de bois autrefois confortable mais qui pique désormais la cuisse là où l'étoffe, trop usée, a cédé et vous casse le dos parce que l'armature tient à peine. Mais Madame l'adore, on dit qu'elle le traîne avec elle depuis ses débuts, chez Betty Bird, pendant la guerre.

Ainsi, c'est un bordel quelque peu décati que nous proposons à nos clients, une copie bon marché des clichés charriés par le cinéma – au contraire du bar qui, lui, se veut moderne –, et ça marche! Ils arrivent ici, ils jettent un coup d'œil curieux, semblent ravis du côté vieillot et défraîchi de l'endroit, peut-être parce qu'ils trouvent déjà dans le décor la décadence qu'ils sont venus chercher, et demandent aussitôt à voir les filles.

On s'attendrait, dans mon antre, à voir se déhancher des danseuses de cancan ou passer de belles femmes déshabillées avec soin, les cheveux sur le dos, en chemin pour un bain éponge dans une cuvette d'eau tiède; ce qu'on y trouve d'abord, c'est moi dans ma robe à paillettes vertes, mes souliers rouges et ce que j'appelle mon maquillage de scène, bien droite dans le cadre de porte, le menu à la main, le sourire aux lèvres. Le cerbère du Boudoir est une naine sympathique, polie, assez drôle à ses heures, et de bonne compagnie.

Le menu, c'est mon idée. Les filles me disent que c'est un relent de mon ancien métier de serveuse, moi je trouve ça original : le client – ou la cliente, il y en a quand même plus qu'on ne pense – peut feuilleter le catalogue des faveurs proposées par la maison sans qu'on soit obligé chaque fois de faire parader les filles disponibles comme c'est le cas dans les autres maisons. En plus, ça a l'avantage d'une certaine discrétion parce que les clients ne rencontrent jamais toute la maisonnée en même temps (sauf ceux, bien sûr, qui y tiennent, qui veulent faire des partys à plusieurs, ce que nous leur concédons avec plaisir parce que c'est très payant). Je suis donc vraiment l'hôtesse du Boudoir, pas juste la matrone qui règle la circulation et gère l'intendance. Tout passe par moi, je sais toujours qui est libre, qui ne l'est pas, qui est sur scène ou qui va suivre, je peux donc aider le client dans l'éventail des possibilités, dispenser des conseils, le questionner sur ses goûts, décrire les spécialités et, chaque fois, lui faire croire qu'il a fait un excellent choix. Comme au restaurant.

Ils restent parfois abasourdis devant mon menu, le feuillettent en fronçant les sourcils – les photos y sont bien sûr flatteuses, même si certaines filles de la maison sont difficiles à avantager –, mais finissent de bon cœur par jouer le jeu. Après tout, ils sont censés tenter cette expérience de baiser des hommes habillés en femmes pour la première fois! Le plus étonnant est que j'ai souvent l'impression que l'allure de la créature en question, sa beauté, le fait qu'elle soit sexy ou non importent en fin de compte assez peu. La preuve en est que Greta-la-Vieille, qui fait souvent peur à force de mal s'attifer, est aussi populaire que Babalu, le joyau de notre couronne, la plus belle de nos six merveilles.

Après tout, nos travailleuses sont d'anciennes fausses filles de trottoir qui, il y a à peine un an, se trimballaient hiver comme été sur le boulevard Saint-Laurent, entre Sainte-Catherine et Dorchester, à la recherche d'un pauvre hère trop imbécile pour se rendre compte qu'il n'avait pas affaire à une femme… Ce sont donc des hommes sans talent particulier, sans expérience des maisons closes ni du show business, mais à qui on demande de se comporter en *professionnelles* tout en essayant, en plus, de faire croire qu'ils peuvent chanter ou danser! Faut le faire! Ils triment comme des forcenés et méritent, à mon avis, beaucoup plus que l'argent qu'ils font.

Ce qui fait que tout marche toujours tout croche, au Boudoir, et que c'est sans doute ce que recherche Fine Dumas : une espèce de chaos à peu près contrôlé où tout peut arriver à tout instant, un goût de subversion, de résistance, plongé dans une fête de six mois trop poncée, trop propre, trop planifiée où on a oublié que l'amusement peut se situer ailleurs que dans des pavillons thématiques, des spectacles culturels et des repas folkloriques. Je ne sais pas jusqu'à quel point ce besoin de subversion est conscient chez elle – elle a peut-être juste eu une idée de génie pour faire de l'argent –, mais j'ai pour son audace une admiration sans borne.

Les légendes du Boudoir

I - L'ENLÈVEMENT
DE LA GROSSE SOPHIE

Les spectacles du Boudoir – si tant est qu'on puisse qualifier ainsi une série de numéros d'amateurs exécutés sans grande conviction et parfois avec une évidente hostilité par des gens qui n'ont rien à faire sur une scène –, sont intermittents, de durée élastique et pour le moins imprévisibles, selon l'humeur, la forme, la disponibilité et la bonne volonté des «artistes». Après tout, ils ne servent que d'alibi à l'existence de l'établissement, d'excuse à se qui se passe en coulisse, d'entrée en matière, d'amuse-gueule avant le plat principal.

Certains soirs, quand la clientèle se fait rare et qu'on peut entendre jusqu'à l'étage des chambres les ongles carmin de Fine Dumas frapper le faux marbre du bar comme un régiment d'araignées de métal qui danseraient la claquette, la revue du Boudoir, *Expo Follies* avec deux l pour faire anglais, peut durer des heures parce que les filles, n'étant pas occupées à leur vrai gagne-pain, ont envie de passer le temps en s'amusant. Elles montent en scène moins nerveuses, racontent des histoires cochonnes ou débitent leur répertoire au grand complet – parfois court et navrant –, font des imitations, exécutent quelques pas de danse, et c'est dans ces moments-là, je crois, alors que personne ne peut les voir, donc les juger, et qu'elles ne se sentent pas obligées de livrer une marchandise dont elles se savent bien incapables, qu'elles sont le plus intéressantes. Au milieu du fouillis, du n'importe quoi, de l'aléatoire, surgit parfois une perle, un moment de grâce, de sincérité – une anecdote véridique ou une ritournelle venue de l'enfance –, un instant de pure beauté qui les transfigure et en fait, le temps d'une improvisation ou d'une chanson, de grands artistes.

Greta-la-Vieille, par exemple, qui vient du Nouveau-Brunswick, peut soit vous faire mourir de rire, soit vous chavirer le cœur avec *Évangéline*, selon qu'elle a envie de la massacrer parce que les clients du bar ne l'écoutent pas ou ne comprennent pas le français ou de se laisser aller à la nostalgie si déchirante des Acadiens et exprimer leur errance. L'*Évangéline* de Greta-la-Vieille, lorsqu'elle est livrée avec sincérité, est une splendeur. Greta-la-Jeune, quant à elle, fille adoptive de l'autre mais qui n'est jamais sortie de Montréal, vous exécute de temps en temps, surtout lorsqu'elle a trop bu, une interprétation tout à fait originale et absolument bouleversante de *Padre don José*, ce chef-d'œuvre du quétaine, originale parce que la chanteuse est persuadée qu'elle s'en moque en exagérant le mélodrame que raconte la rengaine à deux sous, bouleversante parce que du cœur même de cette exagération surgit une espèce de fausse vérité, plus vraie que la vraie, qui ferait comprendre le malheur de la protagoniste au plus prévenu des cyniques et arriverait à lui tirer des larmes. Cette simple ballade devient alors quelque chose de grandiose. Même chose pour le *Babalu* de Babalu, confondant ou génial selon l'humeur de l'interprète.

En deux mots comme en cent, j'ai bien peur que notre spectacle ne soit pas très éloigné des *freak shows* tant décriés que présentent depuis toujours des endroits qu'on dit mal famés comme l'Auberge du Canada, pas loin d'où j'habite, ou le Café Monarch, sur Sainte-Catherine où, pour une *shot* de fort ou une bière, on peut monter sur la scène et se rendre ridicule.

Ce qui m'amène à raconter comment Fine Dumas a réussi un autre de ses coups fumants : voler la grosse Sophie, notre pianiste-accompagnatrice, à l'Auberge du Canada. Et en plein spectacle.

L'Auberge du Canada est une institution de l'univers clandestin de Montréal, de la ville secrète, des bas-fonds où grouille une foule étrange et proscrite, un de ces endroits louches que tout le monde connaît, dont on parle beaucoup, mais qu'on prétend ne pas fréquenter, ou alors y être passé par hasard, pour accompagner quelqu'un ou sans savoir dans quoi on s'embarquait, et en être ressorti abasourdi, choqué, parfois même scandalisé. Un peu comme notre Boudoir, mais moins chic, moins à la mode. Ceux qui se prétendent les plus scandalisés, cependant, ont souvent des yeux qui proclament le contraire et une voix animée qui trahit le plaisir méchant d'avoir assisté à quelque chose de honteux et d'unique qu'on est incapable de garder pour soi, qu'on raconte le rouge aux joues et le cœur battant d'excitation. On s'est encanaillé et on veut le partager.

Située rue Saint-Paul, tout près du théâtre des Saltimbanques et à quelques pas de chez moi, l'Auberge du Canada est le repaire des laissés-pour-compte, des fatigués de la vie et de ceux qui ont abandonné tout intérêt pour quoi que ce soit, se livrant pieds et poings liés à la mollesse de la bière tiède, à l'ivresse brute, aux réveils douloureux, au piège de l'éternel recommencement. C'est Jean-le-Décollé qui avait repéré l'endroit un soir de beuverie où, dans le but de noyer un chagrin d'amour – un client auquel il s'était attaché, l'imbécile, et qui l'avait vite remis à sa place à la première manifestation de vraie tendresse –, il avait erré à travers les rues du Vieux-Montréal à la poursuite d'une panacée qu'il savait inexistante mais qu'il s'ingéniait à chercher quand même.

Il répétait à qui voulait l'entendre que ce n'était pas l'oubli qu'il avait trouvé à l'Auberge du Canada, ce soir-là, mais le talent.

Le spectacle qu'on y présentait deux ou trois fois par semaine, un soi-disant concours d'amateurs, était donné par les clients eux-mêmes à qui on payait une tournée s'ils osaient monter sur la scène pour chanter une toune ou exécuter quelque pirouette. Question de passer une partie de la soirée au détriment d'artistes qui ne coûtaient pas cher et pouvaient rapporter gros s'ils étaient grotesques à souhait et poussaient à la consommation. On passait donc sans transition de l'hilarant au monstrueux, du pitoyable au pathétique, avec ses chanteurs édentés qui se creusaient la mémoire en quête d'une ritournelle apprise dans leur enfance ou une récitation d'une grande insignifiance héritée de leur mère et qui leur vaudrait une bière gratuite, un quart d'heure de plus d'oubli dans la zone grise de leur existence présente, avec ses danseuses au passé louche qui n'avaient aucun sens du rythme et ne comprenaient pas qu'on ne les admire pas parce qu'elles se pensaient encore belles, et ses instrumentistes qui traînaient avec eux depuis toujours leur accordéon ou leur violon ou leur ruine-babines dans l'espoir qu'on les découvre un jour alors qu'ils n'avaient jamais rien eu à offrir.

Mais ce n'est pas de ça que je veux parler – j'ai peu fréquenté l'Auberge du Canada et je n'ai pas l'intention d'y remettre les pieds –, c'est de la grosse Sophie que nous aimons tant et sans qui les *Expo Follies* du Boudoir n'auraient souvent pas lieu parce que les «artistes» n'ont pas le goût ou sont trop occupées à gagner leur pitance en coulisse.

Jean-le-Décollé ne tarissait pas d'éloges au sujet de la grosse Sophie depuis le soir où il était entré à l'Auberge du Canada. C'était l'époque où Fine Dumas cherchait justement quelqu'un pour assurer la partie musicale de son spectacle, un vrai musicien qui ferait oublier l'absence de talent des interprètes et pourrait improviser, faire diversion, si les choses, c'était inévitable vu la teneur du show, venaient à se gâter. Un artiste véritable, quoi, au milieu du chaos et du n'importe quoi. Il répétait sans cesse à Madame que c'était une perle, une grande musicienne, d'une gentillesse et d'une politesse à toute épreuve, qu'elle passait sans problème du «classique» au «moderne», du rock and roll à la valse, du swing au slow, de la Bolduc à Monique Leyrac, qu'elle était un spectacle à elle toute seule, qu'elle piochait sur son piano droit avec un évident ravissement parce qu'elle aimait ce qu'elle faisait, que c'était sa passion, sa vie.

Fine Dumas tirait sur son fume-cigarette, plissait les yeux, pinçait la bouche, faisait tomber sa cendre d'un mouvement expert de l'index. Quand Fine Dumas réfléchit, la pièce où elle se trouve se remplit de fumée de cigarettes trop fortes qui la font tousser mais qui l'aident, prétend-elle, à avoir les idées claires. Et quand elle écrase sa cigarette d'un geste brusque, on sait qu'elle a trouvé.

Un soir, donc, où Jean-le-Décollé se montrait encore plus complimenteux et plus lyrique que d'habitude au sujet de la grosse Sophie, la patronne s'est décidée. Elle a écrasé sa cigarette dans un cendrier plein à ras bord de mégots dégoûtants, a montré la porte à Jean-le-Décollé et donné son ordre sans presque ouvrir la bouche, signe chez elle d'une grande détermination :

«Va me chercher la Duchesse.»

Quelques heures plus tard, un drôle de trio se présentait à l'Auberge du Canada pour assister au concours d'amateurs : une énorme et courte femme toute vêtue de rouge, le fume-cigarette aux lèvres, énergique et imposante, image même du leader incontesté malgré sa petite taille, accompagnée de deux travestis aux physiques opposés, de toute évidence les estafettes de Madame. L'un, le plus maigre, était vêtu de guenilles rapaillées n'importe comment et portées sans aucun souci d'esthétique ou de goût, du gris, du brun, du noir, une espèce d'oiseau de proie haut sur pattes au regard perçant qui fait peur ; l'autre, gros, rose, était déguisé en parfaite secrétaire jusque dans les moindres détails, le coquet béret posé sur le côté de la tête, les souliers à talons plats et confortables, le calepin à la main comme s'il allait prendre des notes, penché vers sa patronne pour boire chacune de ses paroles et les graver ensuite en vue de l'enrichissement moral et de l'élévation d'esprit de la postérité.

Ils se sont assis dans le *ring side*, ont commandé du champagne, se sont fait répondre qu'on n'en tenait pas et ont dû se contenter de simples Singapore Slings auxquels, de toute façon, ils n'ont pas touché parce que pas buvables dans ce haut lieu de la bière tablette et du rye *straight up*.

Ils n'ont pas regardé un seul numéro de toute la soirée. Ils avaient les yeux rivés sur la gigantesque silhouette de la pianiste, cette masse de chairs molles et dures à la fois dotée d'une incroyable énergie, qui faisait vibrer un piano droit avec lequel elle faisait corps et qu'elle malmenait avec amour. Musicienne étonnante, artiste habitée, elle se montrait tout de même attentive aux éructations confondantes et aux navrantes fausses notes issues du micro couinant posé au milieu de la scène et livrées par des êtres sans aucun talent qui ne pensaient qu'à l'ivresse passagère que leur procurerait peut-être leur prestation s'ils réussissaient à se rendre jusqu'au bout. Elle ne les accompagnait pas, elle les guidait. Sans condescendance. Sans les juger. Parce qu'elle voulait qu'ils se la méritent, leur maudite bière gratuite.

Même de dos, dans l'ombre, elle avait du talent.

Au milieu d'une inqualifiable interprétation du classique *C'est en revenant de Rigaud* exécutée par un unijambiste de la dernière guerre couvert de médailles, Fine Dumas s'est levée, a poussé sa chaise, a traversé le *ring side* et est montée sur la scène. Elle est passée en trombe devant l'unijambiste qui, du coup, s'est arrêté de chanter et est venue se poster à côté de la grosse Sophie. Debout, elle était exactement de la même grandeur que la pianiste assise. Elle a posé la main sur l'épaule droite de la pianiste. Et tout le monde présent ce soir-là à l'Auberge du Canada a entendu sa proposition. Elle a dit à haute et intelligible voix :

«Deux cents par semaine. Clair. En dessous de la table. Cigarettes fournies.»

La grosse Sophie a semblé hésiter un instant, alors Madame a ajouté :

«La bière aussi.»

La pianiste s'est aussitôt levée sans même achever son accord et a suivi Fine Dumas qui n'a pas pris la peine de s'arrêter à la table où l'attendaient Jean-le-Décollé et la Duchesse de Langeais, abasourdis par son audace même s'ils la connaissaient bien.

Ils étaient trois à leur arrivée, ils sont repartis quatre.

Et aujourd'hui, le Boudoir est impensable sans la grosse Sophie, sa gentillesse, sa bonne humeur, son talent.

Quant à l'Auberge du Canada, j'ai entendu dire que les concours d'amateurs ont été annulés depuis le départ de la pianiste et que l'établissement périclite doucement dans l'odeur aigrelette du houblon mal digéré.

Comme la distance entre la place Jacques-Cartier et le Boudoir est peu importante, je mets chaque soir moins de quinze minutes à la parcourir. Je monte de la place Jacques-Cartier à la rue La Gauchetière que j'emprunte vers l'ouest jusqu'à Saint-Laurent et, en tournant à droite, je suis tout de suite rendue à mon lieu de travail. Cette expression n'est pas la bonne parce que lorsqu'on dit «lieu de travail», on imagine des bureaux ou une usine, un endroit où le labeur est ardu, exigeant, souvent fastidieux, alors qu'au Boudoir je m'amuse la plupart du temps comme une petite folle sans avoir l'impression de besogner pour gagner ma croûte.

Les heures sont longues, c'est vrai, le milieu peut se montrer dur malgré sa superficialité, parfois même dangereux quand les clients ont trop bu et perdent la tête. Le fait d'être sans cesse plongée dans un environnement où le sexe, une sexualité non orthodoxe en plus, tient la plus grande importance alors que je n'y participe jamais s'avère à l'occasion difficile à expliquer si j'y pense trop – j'y vis mais je n'en vis pas, j'en suis témoin mais je ne collabore pas –, comme si j'évoluais dans un monde auquel je n'avais pas accès parce que je n'en étais que la gardienne, le maître d'hôtel. Mais ce n'est jamais ennuyant et l'effort, le vrai, celui au bout duquel se trouve le précieux dollar, ce n'est pas moi qui ai à le faire, après tout, je ne suis que celle qui tient les comptes et tend le menu. Les dollars viennent à moi sans que j'aie à dépenser beaucoup d'énergie, alors je m'estime chanceuse et j'apprécie avec gratitude ma position privilégiée de simple pourvoyeuse en plaisirs.

Il m'arrive bien sûr de me demander comment je réagirais si j'avais un jour à participer à ce qui se passe dans la chambre rose ou celle aux miroirs, à écarter mes courtes jambes pour gagner ma croûte, à feindre la jouissance en petits halètements courts ou en grands cris désespérés comme le font avec tant de talent les filles du Boudoir, mais je ne m'y attarde jamais très longtemps. J'ai là-dessus, le cul et ses vicissitudes, des vues et des sentiments que je n'ai jamais pu démêler parce que mon expérience en la matière, à vingt-deux ans, est encore très limitée et mon intérêt plutôt mince. Mes expériences jusqu'ici n'ont pas été, disons, concluantes, tant s'en faut, et mon intérêt pour la chose, après quelques tentatives et tâtonnements, s'en est retrouvé refroidi pour le moment. J'écris «pour le moment» parce que j'espère que c'est passager, que je ne suis pas frigide ou asexuée, comme il m'est arrivé de le penser à l'adolescence, à cause d'un physique que je n'assume pas et que je refuse d'imposer à qui que ce soit. Peur du rejet, de la moquerie au fond de l'œil du partenaire? Il y a de ça, je ne peux pas me le cacher, je ne suis pas idiote, mais il me semble que si j'avais vraiment envie de baiser, ce n'est pas mes jambes bancales ni mes bras trop courts qui m'en empêcheraient, surtout dans le monde que je fréquente où une différence physique peut s'avérer plus un atout qu'un handicap. La difficulté ne vient donc pas du partenaire à trouver mais de moi, du fait que même entourée du cul le plus cru qui existe, je n'en ai pas envie (peut-être même à cause de ça, qui sait?). Alors je me contente de tenir la chandelle sans trop me poser de questions et je mets du cœur à l'ouvrage en me concentrant sur l'univers captivant dans lequel j'évolue, la *Main*, ce fourre-tout de l'humanité souffrante, ce micro-cosme de hauts et bas sentiments, de grandeur et de petitesse, d'héroïsme et de lâcheté, qui me passionne comme un anthropologue sa branche, un chirurgien sa spécialité.

La *Main* a beaucoup changé depuis un an. L'Escouade de la moralité chère au cœur du maire Drapeau est passée par là avec son cortège d'injustices incontestables, de mauvaise foi patente et d'infâme hypocrisie, se contentant de brouiller les cartes, de brasser la cage sans rien proposer de neuf. On a ravalé la *Main*, on lui a imposé un lifting rapide et mal fait, surtout mal pensé, on l'a trop vite fardée sans prendre la peine de la nettoyer en profondeur, et le semblant de propreté qui y règne depuis le mois d'avril cache une misère noire chez les filles de la rue qu'on ne peut quand même pas empêcher de travailler pendant six mois et qui se retrouvent souvent en prison sans raison. On vante Montréal comme étant la deuxième plus grande ville française au monde, et tout ce qu'on a à offrir aux étrangers passé dix heures du soir, c'est Muriel Millard sur le site de l'Expo, et sa vie nocturne un tant soit peu *underground* est indigne d'une métropole. Montréal a l'air d'une matante qui vit d'habitude dans sa cuisine et qui insiste pour recevoir la visite dans son salon qu'elle connaît mal et où elle n'est pas à son aise. Une ville de province, en fait, qui se prend pour une capitale : bienvenue à l'Opéra de Vienne, ça c'est de la culture, mais sus à la *Main* qu'il faut cacher au point de nier qu'elle ait jamais existé.

J'espère que les autres marges, les autres indésirables, les putains de l'ouest, par exemple, à Verdun, à Saint-Henri, ou celles qui hantent les halls des grands hôtels de la rue de la Montagne ou de la rue Crescent ont réussi, comme Fine Dumas avec le Boudoir, à se creuser une niche à l'intérieur de ces six mois d'intolérance et de respectabilité à tout crin, qu'il existe un peu partout à Montréal des foyers de résistance semblables au nôtre, des cellules de survie qui proposent aux visiteurs de l'Expo autre chose qu'un comportement impeccable de vieille fille frustrée qui sert le *high tea* pour la première fois et qui ne sait pas quand mettre le lait dans le thé. Je sais que le Boudoir est unique à cause de sa spécialité, mais je fais confiance aux autres travailleurs de la nuit, à leur imagination, à leur détermination. Et, par-dessus tout, à leur instinct de survie.

Fine Dumas n'est sûrement pas la seule madame en ville avec des connexions. Qui sait, le maire Drapeau a peut-être plusieurs paires de mains autour des couilles!

En tournant le coin de La Gauchetière et Saint-Laurent, Mae East et moi, nous avons ce soir-là tout de suite aperçu la grosse Sophie qui faisait les cent pas devant le Boudoir. Chaque soir on peut la voir déambuler comme ça, sur le trottoir de la *Main*, une demi-heure avant de commencer à travailler. Cigarette au bec, les mains dans le dos, un peu penchée par en avant, on la prendrait pour une femme enragée qui attend son mari à la porte d'une taverne. Si on lui demande ce qu'elle fait là, elle vous répond de sa voix rauque de grande fumeuse qu'elle se dégourdit un peu les jambes avant de les enfermer en dessous du piano pour le reste de la soirée. Pourtant, ses jambes ne resteront pas inactives pendant que ses mains potelées et expertes se promèneront un peu partout sur le clavier, on pourra les voir battre la mesure, taper sur le plancher, malmener les pédales, se promener de gauche à droite, incapables de tenir en place, transportées elles aussi par la musique, galvanisées par le rythme.

Elle nous a regardées monter la *Main* en fronçant les sourcils.

«Y en a une de vous deux qui a perdu un pain de sa fournée, certain! Vous avez ben l'air bêtes!»

En effet, Mae East n'avait pas déragé depuis que nous avions quitté le cabinet du docteur Martin et cherchait une façon de répandre la mauvaise nouvelle, au Boudoir, qui ne lui attirerait pas trop les foudres de Madame. J'avais essayé de la convaincre de prendre le taureau par les cornes et d'aller directement parler à la patronne, de se jeter à ses pieds en lui demandant grâce, comme on dirait dans les romans à deux sous, mais elle avait trop peur de sa réaction et cherchait un moyen de la mettre au courant de manière détournée et, surtout, pas trop brusque. J'avais beau lui expliquer que c'était ridicule, que Fine Dumas lui en voudrait moins si elle se présentait à elle d'une façon franche et directe, rien n'y faisait, Mae se disait trop terrorisée pour affronter la patronne.

Sophie a jeté sa cigarette sur le trottoir, l'a aplatie sur le ciment en produisant un désagréable petit crissement d'insecte qu'on écrase.

«Bon, ben, allons-y pour un petit mardi!»

Elle s'est tournée vers nous avant d'ouvrir la porte.

«En tout cas, laissez-moi vous dire que Madame est à prendre avec des pincettes, à soir! C'est pas le temps de lui demander une augmentation de salaire!»

Affolées toutes les deux, nous nous sommes consultées du regard.

Sophie nous tenait la porte en aluminium brossé sur laquelle on pouvait lire le nom de l'établissement en lettres bien rondes, bien féminines, entrelacées comme sur un travail compliqué de broderie. Fine Dumas avait insisté pour qu'on teigne l'aluminium rose pâle afin, disait-elle, d'annoncer d'emblée nos vraies couleurs. Mais le résultat n'est pas des plus heureux et l'accès au Boudoir a plus l'air de l'entrée d'un restaurant prétentieux que du seuil d'un bordel chic. Madame se promet de remplacer tout ça par une simple porte de verre, mais elle ne s'y est pas encore résolue, trop accaparée par le succès inespéré du Boudoir et trop occupée à compter son argent. Elle a même dit, un soir de grande foule : «Au diable la porte d'entrée, ils la voient même pas deux secondes!» Et on n'en a plus entendu parler.

Sophie a tendu le bras pour empêcher Mae East de passer. Et quand la grosse Sophie lève le bras, on a l'impression de se retrouver derrière un pan de mur de chair à la fois molle et puissante, en tout cas vivante parce que tout ça bouge et branle, indépendant, on dirait, du reste du corps de la musicienne.

«Vous êtes ben silencieuses, vous deux! Y a-tu quequ'chose que je sais pas et que je devrais savoir?»

Mae East a repoussé le bras comme si elle avait ouvert une seconde porte.

«Et nous autres, y a-tu quequ'chose qu'on sait pas nous autres non plus et qu'on devrait savoir avant d'entrer dans la cage aux lions?»

Nous étions dans ce que Madame appelle d'une façon pompeuse le hall d'entrée alors que c'est simplement le bout du bar où elle se tient. Madame avait dit : «On n'a pas besoin de vestiaire, on sait même pas si on va durer jusqu'à l'hiver prochaine!»

La grosse Sophie a toussé dans son poing avant de parler.

«Greluche s'est pas encore pointé le nez, on la cherche partout, on la trouve pas, et y a personne pour travailler sur le plancher.»

Vide, comme ça, quelques minutes avant l'ouverture, alors que Madame n'a pas encore sollicité le concours de la fée électricité, le Boudoir me fait l'effet d'un décor de cinéma abandonné. Ça reste clinquant, mais d'une façon éteinte, sans rutilance. Ça manque d'éclairage, de vie, de sons. Des dorures dans la pénombre, c'est déprimant; des miroirs sans reflets aussi. Quand rien ne brille dans cette boîte à musique faite pour la lumière douce, flatteuse, pour le mensonge élevé au rang de grand art, quand la magie du faux-semblant n'a pas encore commencé à opérer et que l'envers du décor est trop visible, une angoisse glaciale vous prend au creux du ventre, vous voulez quitter cet endroit mort pour vous réfugier là où se trouverait un peu de chaleur humaine. La supercherie est évidente, tout à coup, le mercantilisme sans vergogne remonte à la surface et vous avez l'impression de vous retrouver à l'intérieur d'une machine à sous cassée. Et comme Madame fait partir la climatisation quand elle arrive, vers six heures, c'est vite trop glacial dans l'établissement et je trouve que ça sent le fond de frigidaire en plus du cendrier refroidi de la veille et de l'arnaque bon marché. Une demi-heure avant qu'on ouvre les portes, le Boudoir est une chambre froide.

Il arrive parfois à la grosse Sophie de jouer quelques morceaux joyeux avant l'ouverture, façon, dit-elle, de mettre un peu d'ambiance dans le tombeau. Elle a beau piocher sur son instrument, les notes résonner aux quatre coins du Boudoir, aucune vraie vie ne se fera sentir tant que Fine Dumas n'aura pas abaissé dans un geste impérial – la fée brandissant sa baguette magique, la sorcière levant le bras pour accomplir un miracle – la manette de la boîte d'électricité dont, ai-je besoin de l'ajouter, elle détient la seule clé. Le miracle s'opérera alors en une fraction de seconde, tout reprendra sa place, les miroirs s'animeront, les dorures sortiront de l'ombre, le bar fera briller son faux marbre et son vrai bois verni, le Boudoir redeviendra le cocon chaleureux et menteur où tout est possible quand on n'est pas trop regardant, le charme délétère du défendu pourra recommencer à répandre ses poisons.

Cette fois, cependant, malgré l'atmosphère morbide du Boudoir un quart d'heure avant l'ouverture, une espèce de vie l'animait, une activité faite de cris perçants et de va-et-vient désordonné, telle une danse effrénée dont on a perdu le contrôle et que personne ne peut plus arrêter. Une grosse femme, courte et massive, énorme tache mouvante bleu pervenche, formait l'épicentre de cette gigue folle qu'elle semblait à la fois mener et subir malgré elle : Fine Dumas elle-même dans toute sa splendeur. Elle vociférait comme si on venait d'attenter à sa vie, elle déplaçait des tables en les soulevant comme des poufs légers, elle mordait dans son fume-cigarette qui se dressait vers le plafond en signe de protestation. Mimi-de-Montmartre la suivait, les bras tendus. On aurait dit qu'elle pourchassait un animal dangereux évadé de sa cage. Pendant ce temps, les filles du Boudoir arpentaient le plancher en laissant échapper des protestations ou des paroles d'encouragement. À moitié habillées, certaines encore dans leurs vêtements de ville, le maquillage à peine esquissé, plus hommes mais pas encore femmes, elles criaient, elles piaillaient, elles lançaient des imprécations, mais c'est quand même la voix de Madame qui dominait tout ça, qui formait le thème de la phrase musicale pendant que les autres faisaient figure de simple accompagnement. Une scène d'opéra faussement grandiose. On aurait juré qu'une tragédie venait de s'abattre sur le Boudoir, mettant en danger son existence et notre survie, alors qu'il ne s'agissait, si Sophie avait raison, que de la simple absence d'une serveuse.

Je me suis tournée vers Sophie.

«Tout ça pour un retard de Greluche?»

La pianiste a levé les yeux au plafond.

«C'est vrai que c'est hors de toute proportion. Ça doit cacher quelque chose…»

Grandiose dans son outrage, gonflée comme une poule à qui on vient d'enlever son poussin, Madame en était au point d'orgue, au résumé, à la conclusion. Le petit accent anglais affecté qu'elle emprunte pour parler à ceux qui l'impressionnent ou qui osent lui résister en était comme grossi, souligné, plus faux que jamais :

«Combien de fois je vous l'ai dit? Combien de fois je vous l'ai répété? Mille fois? Deux mille? Que

je ne supporterais jamais aucun retard! Jamais!
Aucun! Que le Boudwar ouvre à huit heures et que
je veux tout mon monde ici une heure d'avance!
Hein? Mais non! Ça fait à leur tête! Ça arrive n'importe quand! Ça fait n'importe quoi! Qui est-ce
qui va servir les clients quand ils vont se pointer
le nez tout à l'heure si Greluche est pas là? Hein?
Moi? Dans ma robe longue? Avec mon fume-
cigarette? La patronne qui a pas les moyens de se
payer un staff qui a du bon sens?»

Elle se rendait bien compte qu'elle perdait un peu
de son emprise sur son public, qu'elle se répétait,
que sa diatribe commençait à traîner en longueur,
que les filles protestaient moins. Alors elle changea
tout d'un coup de tactique et opta pour la dignité
offensée, la douleur d'avoir été trompée alors
qu'elle était sur le point, prétendit-elle, de nous
apprendre une très grande nouvelle :

«Quand je pense! Quand je pense que chuis
arrivée ici tout excitée à cause de ce que j'avais à
vous dire! Quand je pense que je préparais tout ça
depuis des semaines, que je me faisais une joie de
vous faire la surprise, que j'avais de la misère à me
retenir tellement j'étais énervée! Tout ça pour une
gang de sans-cœur! Des perles aux cochons! Vous
mériteriez que j'annule tout! Que je défasse toute
l'organisation! Soyez bonne pour vos employés,
gâtez-les, traitez-les comme des amis, et qu'est-ce
qu'ils font? Hein? Qu'est-ce qu'ils font? Ils viennent
chier sur votre perron!»

Et c'est là que nous avons compris. Tous. Parce
que nous la connaissons bien. Tout ça, la scène,
les cris, les airs offensés, n'était qu'un subterfuge,
une excuse, une façon d'attirer l'attention sur un
détail sans importance pour en arriver à nous
apprendre une bonne nouvelle, à forcer d'avance
notre reconnaissance, à nous *obliger* à la gratitude.
Si Greluche avait été à l'heure, Fine Dumas aurait
trouvé autre chose pour s'insurger, elle aurait sauté
sur n'importe quelle raison, logique ou non, pour

nous réunir dans le cabaret et nous insulter avant de nous faire le cadeau qu'elle nous avait préparé. Un cadeau qu'elle voulait nous faire payer avant de nous le donner.

Malheureusement pour elle, la chute qu'elle avait si bien montée en neige, son punch, sa grande finale, lui a pété au visage avant qu'elle y arrive.

La porte du Boudoir s'est ouverte au moment où Madame allait nous dévoiler son secret et Greluche est entrée, tenant à la main un énorme hot-dog du Montreal Poolroom dégoulinant de moutarde, de ketchup et d'oignons frits. Le gras glissait le long de ses bras, dégouttait de ses coudes. Elle nous a regardés comme si nous sortions tous d'une boîte de Cracker Jack :

«Chuis arrivée trop de bonne heure, tout à l'heure. Y avait personne. Même Madame était pas là. Alors chuis allée jaser avec Thérèse, chez Ben Ash, et j'ai décidé de manger un hot-dog *steamé* parce que j'avais faim. Excusez-moi, Madame, j'vous promets que j'vas mâcher des Life Savers pour pas trop sentir le graillon.»

Pendant le lourd silence qui a suivi, Mae East s'est penchée sur moi, ce qui l'a pliée en deux vu sa grandeur.

«Qu'est-ce que j'vas faire, Céline? J'peux quand même pas aller parler à Madame après ça!»

Je lui ai tapoté la main.

«On va trouver quequ'chose...»

Nous nous attendions tous à ce que la tempête redouble, Jean-le-Décollé et Greta-la-Vieille avaient même amorcé leur retraite en direction des toilettes des hommes pour se protéger de ce qui allait suivre, mais, chose étrange, Fine Dumas est restée un long moment immobile, bouche bée, comme paralysée au milieu de sa crise, vidée de son inspiration ou de ce qui avait nourri sa colère, elle pourtant jamais à court de vocabulaire imagé.

Elle regardait Greluche qui se hâtait de terminer son hot-dog de plus en plus mou en prenant des bouchées doubles, on sentait qu'elle avait envie d'assassiner la serveuse, de lui planter un poignard dans le dos ou dans le ventre, de l'écorcher vive pour ensuite la suspendre à un crochet de boucher avant de l'éviscérer devant tout le monde, surtout parce qu'elle était innocente du crime dont elle l'avait accusée, mais elle restait là, une main potelée posée sur une table, de l'autre tenant son fume-cigarette d'où ne s'élevait plus aucun filet de fumée. Sa propre statue grandeur nature – c'est-à-dire toute petite – trônant au milieu de son fief.

J'ai senti qu'il fallait que je fasse quelque chose, que c'était à moi, allez savoir pourquoi, de sauver la situation, sinon nous risquions de passer le reste de la soirée dans un silence intimidant, et l'atmosphère du bordel en serait gâchée de façon irrémédiable.

Je me suis approchée de Madame et je me suis plantée devant elle. Elle n'a pas daigné me regarder et je me suis dit que cette conversation serait plus difficile que je ne l'avais d'abord cru.

«Mae East et moi aussi on était en retard, Madame. Excusez-nous. A fallu que j'aille chez le docteur Martin, j'ai pas pensé de vous appeler pour vous le dire, et en plus j'ai demandé à Mae East de m'accompagner. Mais on pensait jamais que ça serait si long... Y avait beaucoup de monde, le docteur prenait son temps, vous savez comment ça se passe, ces visites-là...»

J'avais piqué sa curiosité. *Moi*, l'hôtesse du Boudoir, son simple maître d'hôtel, qui n'avais jamais de contacts avec les clients sauf pour leur tendre le menu et prendre leur argent, j'avais dû me rendre chez le docteur Martin, le docteur des guidounes, le dispensateur des shots de pénicilline pour soulager des maladies attrapées en baisant? Elle a froncé le sourcil droit, le seul qui bouge, a penché un peu la tête dans ma direction, abandonnant Greluche à sa dernière bouchée de hot-dog.

«Qu'est-ce que tu faisais chez le docteur Martin, toi? T'es-tu mis à faire des clients sans me le dire?»

Je lui ai répondu du tac au tac.

«Le docteur Martin est là pour autre chose que les maladies vénériennes, vous savez, et il existait avant de s'occuper de nous autres!»

J'avais réussi à faire diversion, à désamorcer, du moins pour le moment, l'ouragan en formation, mais il fallait que je pense vite si je voulais encore gagner du temps, intéresser Madame à autre chose que le spectacle qu'elle était en train de nous donner et qu'elle trouvait sans doute passionnant.

Un mensonge en attirant un autre, je me suis lancée dans une histoire bête à pleurer et d'une grande invraisemblance : je m'étais tordu le pied durant l'après-midi, j'avais cru que c'était plus grave, que je m'étais cassé quelque chose, et j'avais demandé à Mae East de m'accompagner chez le docteur. Tout en lui parlant, je me disais qu'il faudrait que je pense à contrefaire devant elle un boitillement différent de celui dont j'ai toujours été affublée, à exprimer une douleur que je ne ressentais pas, à lui dire dans deux ou trois jours que ça allait mieux puis, plus tard, que ça achevait, que c'était fini. Je m'étais embarquée sans y penser dans un mensonge qui durerait des jours. Mais il était trop tard pour revenir en arrière et je continuais ma broderie en espérant être la plus convaincante possible.

Pendant ce temps-là, les filles étaient une à une retournées en coulisse pour se préparer à l'ouverture de la boîte, surtout Mae East qui avait intérêt à filer doux et qui m'en devait toute une. Greluche était partie se laver les mains de toute trace de hot-dog ou mâcher des Life Savers. Mimi-de-Montmartre tranchait ses citrons derrière le bar comme si de rien n'était. La grosse Sophie pianotait en sourdine, l'air absent mais l'oreille aux aguets. Madame, pour sa part, était à l'évidence agacée par mon histoire trop longue et trop tarabiscotée pour une anecdote aussi insignifiante et lançait des regards impatients autour d'elle. La vie reprenait peu à peu son cours normal. La crise était passée.

Mais j'ai cru lire dans le regard de Fine Dumas le moment où elle s'est doutée que je lui avais peut-être passé un sapin, que je l'avais occupée pour la détourner de sa colère, qu'elle venait de se laisser manipuler comme une amateure, elle pourtant passée maîtresse, et depuis longtemps, de la machination compliquée, de la manigance bien ourdie, de l'intrigue confuse et sans issue.

Elle a jeté un regard circulaire dans le Boudoir désormais presque désert, puis est revenue à moi en exhibant cette moue de petite fille gâtée qui n'augure jamais rien de bon.

«C'est ça, allez-vous-en toutes! Même quand j'ai pas fini de parler. J'avais d'autres choses à dire... J'avais une grande nouvelle à vous apprendre... Tant pire pour vous autres, vous saurez rien.»

Drapée dans sa dignité, elle est allée se réfugier à sa place au bout du bar. Elle a fiché une cigarette dans son instrument de bois et de nacre qu'elle appelle parfois avec prétention le prolongement naturel de son bras parce qu'il ne la quitte jamais, a lancé son premier nuage de fumée vers le plafond où ne tournait pas encore la maudite boule aux mille reflets que je déteste tant parce qu'elle me donne le vertige, s'est regardée dans le miroir, entre deux bouteilles de scotch, pour vérifier les dommages sur son maquillage si élaboré qu'aurait pu occasionner la scène qui venait de se dérouler. Puis elle a pris son air fermé des mauvais jours.

Allait-elle nous imposer cette douche froide toute la soirée, bouder jusqu'à la fermeture, recevoir les clients avec indifférence, du bout des lèvres, à contre-cœur, jouer les indisposées, pour ensuite nous mettre sur le dos la recette ridicule, les clients insatisfaits et la piètre performance de tout le monde? L'intimidation silencieuse? Quand Fine Dumas met son front de beu, tout le monde se sent impuissant, même moi qui me vante pourtant d'être la seule à pouvoir lui tenir tête.

D'ailleurs, pourquoi est-ce que je lui avais tenu tête? Pourquoi est-ce que je m'étais immiscée dans tout ça? Pourquoi est-ce que je me sens toujours obligée de me mêler de ce qui ne me regarde pas quand quelqu'un de mon entourage se retrouve en situation difficile? Est-ce vraiment pour les aider? Est-ce que j'avais *vraiment* voulu sortir Greluche, et Mae East, et le reste des employés du Boudoir de ce mauvais pas de début de soirée, ou bien, encore une fois, ne m'étais-je pas plutôt mise en valeur moi-même pour me faire apprécier des autres, me faire accepter, me faire aimer? Céline, notre sauveuse, celle qui se sent toujours investie d'une mission, celle qui défend les affligés, notre Messie, qu'on l'aime donc notre Céline, on peut toujours compter sur elle? Est-ce là en résumé ce que je suis devenue avec le temps? Élevée à me faire oublier, je fais tout aujourd'hui pour qu'on me remarque et qu'on m'apprécie? Une petite fille prête à tout pour attirer l'attention sur son insignifiante personne? Une Shirley Temple de vingt-deux ans?

J'aimerais bien répondre que non, que tout ça procède d'une bonté naturelle, d'un véritable dévouement, mais si je creuse, si j'étudie mes intentions, si je me remets à la place de la Céline qui s'est avancée vers Fine Dumas pour lui raconter une histoire invraisemblable, qu'est-ce que je vais trouver? Ce que je voudrais y voir, la pure volonté de faire le bien qui se déclenche toute seule quand se présente un problème, ou bien… Shirley Temple, le petit singe savant prêt à tout pour plaire?

Non, je voulais que l'harmonie revienne. Et la seule façon que je pouvais trouver était de me mêler à l'action, *de prendre sur moi une partie du problème*, c'est ça, de prendre sur moi une partie du problème. Un petit paratonnerre de cinq pieds qui croit pouvoir détourner la foudre. Pas pour faire le bien, non, juste pour retrouver l'harmonie. Je ne voulais pas me mettre de l'avant, je voulais simplement que revienne le parfait équilibre des choses.

Je ne suis donc pas aussi bonne que je l'aurais espéré mais pas aussi manipulatrice que je le redoutais non plus, ce qui est tout de même un peu rassurant.

Au bout de quelques secondes, Fine Dumas a daigné jeter un regard dans ma direction.

«Va donc mettre ton costume, toi, le show va bientôt commencer et mon hôtesse a l'air du beau diable!»

Aucun reproche.

Une fois de plus, elle ne m'en voulait pas. Elle ne m'avait pas devinée comme je l'avais d'abord craint, elle ne me reprochait pas non plus de l'avoir entretenue de mon pied tordu au moment même où elle allait nous apprendre sa fameuse nouvelle. Elle croyait ce que je lui avais dit. J'étais frappée d'immunité. J'avais réussi à l'emberlificoter, la manipulation avait une fois de plus fonctionné.

Juste avant que je me tourne vers la porte qui mène à mon fief, Madame a pointé son fume-cigarette sur Greluche qui allumait, en se faisant le plus petite possible, les chandelles de couleur dont était décorée chaque table.

«Toi, tu vas le payer cher, ce hot-dog là!»

L'injustice encore, la mauvaise foi, faire payer par quelqu'un d'autre sa propre faute. Elle avait fait une colère sans raison et refusait de l'admettre.

Je l'aurais frappée.

Mais, cette fois, j'ai décidé de ne pas intervenir.

Fine Dumas est descendue de son stool, s'est dirigée vers le panneau électrique derrière le bar puis, d'un geste royal, a abaissé la manette qui allait déclencher le miracle de l'éclairage diffus, flatteur, menteur, en grande partie responsable du succès de son établissement.

J'ai trouvé Mae East écroulée sur le divan rond de velours rouge. À ma place. À côté de ma pile de menus. Jean-le-Décollé lui tenait une main, Greta-la-Vieille l'autre, pendant que Babalu lui jouait dans les cheveux comme on fait, au cinéma, avec un enfant qui a de la fièvre.

« Qu'est-ce que j'vas devenir? Chuis finie! Finie! C'est sûr et certain qu'elle va me mettre à la porte! Vous avez vu dans quel état elle est! Imaginez quand elle va apprendre ça! »

Une voix nous est parvenue du fond d'une des chambres. C'était Greta-la-Jeune à qui on avait confié la veille la tâche ingrate d'ouvrir le spectacle de ce soir et qui avait peu de temps pour se préparer :

« On va trouver quequ'chose! Céline va trouver quequ'chose... »

Ça y est, me suis-je dit, le Messie, encore. On sait bien, Céline trouve toujours quelque chose à dire ou à faire dans les moments pénibles. On peut se fier à elle. Surtout quand il s'agit d'amadouer Madame. Un mensonge, comme tout à l'heure, ou une demi-vérité concoctée avec art, et le tour est joué. Je suis devenue la détourneuse de problèmes délicats, celle qui gère les crises, majeures ou non, qui empoisonnent sans cesse l'atmosphère du Boudoir, celle qui sert de tampon, depuis l'ouverture de la boîte, entre Fine Dumas et ses employés.

En fin de compte, je crois que j'aurais fait une excellente représentante syndicale.

Toutes les têtes se sont tournées vers moi.

J'ai esquissé une grimace.

«Au moins, laissez-moi le temps d'y penser! Chuis quand même pas une machine à solutions!»

Cette fois, j'ai dû grimper, et de façon plutôt malhabile, sur ce que nous appelons tous le «piton rouge», parce que quelqu'un avait déplacé le petit pouf qui me permet d'habitude d'y avoir accès et de sauver la face tous les soirs. À cause d'un petit tabouret bien placé qui me sert de marche-pied, je peux jouer les grandes dames et prendre des airs supérieurs sans trop me rendre ridicule. Déplacez cet accessoire de quelques pouces, cachez-le un seul soir, et le Boudoir s'écroulera sous les rires et les moqueries des clients qui, déjà, ont souvent envie de pouffer en passant derrière la scène parce qu'ils viennent accomplir ici des choses dont ils ne se croyaient pas capables et qui les rendent nerveux. Non seulement vont-ils baiser avec un homme déguisé en femme, mais en plus c'est une naine décorée comme un arbre de Noël qui les reçoit! Peut-on trouver plus bizarre que ça, plus «Exposition universelle», plus «l'été où tout est permis»? Alors imaginez si en plus cette petite hôtesse est incapable de garder un minimum de décorum et descend de son trône comme un enfant de trois ans de sa chaise haute!

J'ai retouché lentement mon rouge à lèvres pendant qu'on mouchait Mae East, qu'on lui tapotait le dessus de la main, qu'on lui frottait le dos. En vain, parce qu'elle semblait inconsolable, la pauvre. On dit que la pénicilline déprime, nous en avions une preuve flagrante. Mais que faire d'elle? Je ne pouvais pas la laisser travailler, c'était évident. Risquer qu'elle refile la gonorrhée à des *rednecks* du New Jersey ou des Pakistanais en goguette serait criminel, bien sûr, mais il ne fallait pas non plus que Madame se rende compte qu'il y avait une fille de moins sur le plancher...

À moins que...

L'histoire que j'avais inventée quelques minutes plus tôt allait peut-être me servir, après tout...

Aussi étonnant que ça puisse paraître, j'ai échafaudé mon plan le temps de retraverser le Boudoir dans l'autre sens. En sautant en bas du piton rouge, je n'avais qu'une vague idée de ce que j'allais raconter à Madame, lorsque je suis arrivée devant elle, quelques secondes plus tard, tout était prêt. Je suppose qu'on pourrait appeler ça l'expérience du mensonge dans un milieu propice.

La patronne s'était vissée à son siège comme elle le fait tous les soirs vers huit heures moins quart. Même si les premières heures s'avèrent souvent plus que tranquilles et qu'il est difficile d'imaginer que le Boudoir en viendra jamais à s'animer, elle se sent obligée d'être à son poste. Elle peut passer des heures comme ça, immobile sur son stool, en tirant sur son fume-cigarette d'un air absent, à regarder la grosse Sophie bardasser son instrument. Quand le temps nous paraît trop long, dans l'arrière-boutique, et que nous descendons dans la partie bar pour jaser, prendre un coup ou concocter un spectacle à notre façon, il lui arrive de frapper le bord du bar avec son fume-cigarette :

«Mesdames! Mesdames, un peu de calme, s'il vous plaît! Les clients peuvent arriver d'une seconde à l'autre!»

Mais jamais elle ne quitte sa place. Elle assiste à tout du bout de son bar, engueulades, batailles, fêtes improvisées, enterrements de vies de garçon, beuveries, souriante si on s'adresse à elle pour la féliciter de l'originalité de son établissement et du fun qu'on y trouve, sinon impassible et froide. Rien qu'à la voir, on sait que c'est elle la patronne, qu'elle est intraitable, et on la laisse en paix jouir de son succès.

En fait, elle ne se déplace que pour les grandes vedettes internationales en visite au Boudoir. Elles sont d'ailleurs moins rares qu'on pourrait le supposer. Elles entendent parler de nous et veulent voir de plus près ce foyer de résistance plongé dans cet univers bien-pensant et mercantile déguisé en chant d'amour universel et de fraternité qu'est censée être l'Exposition universelle de Montréal. Les dessous de la mariée, quoi.

Maurice Chevalier, qui présente son spectacle *Flying Colors* quelque part en ville, s'est pointé le nez il n'y a pas longtemps et Madame a failli en faire une crise cardiaque. Le grand Maurice Chevalier chez elle! L'ancien chum de Mistinguett! La vedette de tant de films qu'elle était allée voir au Bijou ou au Saint-Denis avec ses amies de chez Betty Bird! Chantez-nous *Valentine*, monsieur Chevalier, chantez-nous *Valentine*! Elle vacillait sur ses talons hauts, elle bafouillait, Mimi-de-Montmartre est même allée lui donner une tranche de citron parce qu'elle avait la bouche sèche et n'arrivait plus à produire de salive. Lui, bon joueur, lui donnait du *madame* et du *ma chère* gros comme le bras, ce qui lui a valu, bien sûr, toute une soirée gratuite – champagne, champagne et champagne – à regarder un des pires spectacles du prestigieux et prétentieux Festival mondial. Il est même venu jeter un coup d'œil sur mon royaume, vers la fin de la nuit. Il a dit, flatteur sans vergogne, qu'on ne trouvait pas mieux à Paris et est reparti sans goûter à la marchandise. Moi, j'avais envie de lui crier: «Pas mieux? Je suis convaincue qu'on trouve même pas l'équivalent, à Paris, et que vous êtes trop orgueilleux pour l'admettre!»

Carol Channing aussi est passée en coup de vent après une représentation de *Hello, Dolly* à l'Expo-Théâtre. Mais elle croyait assister à une revue de travestis imitateurs et est vite repartie, déçue, lorsqu'elle s'est rendu compte que personne ne l'imiterait et que la qualité du spectacle était pour le moins douteuse. Personnellement, je n'avais jamais entendu parler d'elle, mais la Duchesse de Langeais et Jean-le-Décollé ont failli péter un plomb quand ils ont appris qu'elle était là. C'est d'ailleurs la Duchesse qui est allée dire à Madame, cette fois-là, qu'une grande vedette de Broadway était présente et qu'elle devrait la traiter comme telle. La patronne s'était un peu fait tirer l'oreille avant de sortir le champagne parce qu'elle non plus ne savait pas qui était Carol Channing, mais avait fini par plier au titre de *Hello, Dolly* que tout le monde connaît, surtout depuis l'interprétation de Louis Armstrong.

Après le départ de la grande vedette de Broadway, la Duchesse était montée sur scène et nous avait exécuté une chanson intitulée *Diamonds are a Girl's Best Friend* qui nous avait beaucoup fait rire. On lui avait demandé pourquoi elle ne l'avait pas chantée devant Carol Channing dont c'était, semble-t-il, le cheval de bataille, elle avait répondu que quelqu'un, un jour, lui avait dit qu'elle n'était qu'une comique de salon et qu'elle avait décidé depuis ce temps-là de ne jamais essayer de monter sur une scène de façon professionnelle. Ce à quoi Babalu avait répondu : «Tu considères quand même pas que notre scène est professionnelle, Duchesse?» et la Duchesse avait répliqué, du tac au tac : «Ce qui se fait ici est même pas amateur, ma pauvre chérie!»

Arrivée près de son tabouret, j'ai décidé de ne pas me laisser avoir par l'air rébarbatif de Fine Dumas et j'ai sauté à l'eau sans réfléchir.

«Vous allez être encore plus en maudit, Madame, je vous avertis, vous allez même peut-être m'en vouloir à mort, mais il faut que je vous le demande quand même…»

Elle a froncé le sourcil, a retiré son fume-cigarette de sa bouche.

«Si c'est un service que tu veux me demander, ma petite Céline, c'est non. Et avoue que ça prend un joli toupet pour oser venir me demander un service après ce qui vient de se passer…»

J'ai répondu sans prendre la peine de respirer :

«C'est pas un service que je veux vous demander, je viens juste vous mettre devant le fait accompli.

C'est plate, mais c'est comme ça. On n'y peut rien ni vous ni moi...»

Elle s'est un peu penchée dans ma direction.

«Bon! Un drame, encore!

— Ben oui. Un drame. Mais, vous en faites pas, tout peut s'arranger avec un peu de bonne volonté.

— J'espère! Parce que chuis pas en état, ce soir, d'endurer une seule contrariété de plus! As-tu compris?»

Cette fois, cependant, j'ai pris la peine de respirer avant de déballer mon mensonge :

«Chuis désolée de vous dire ça, mais j'ai besoin d'une assistante pour une couple de jours... À cause de mon pied...

— Une assistante! Où est-ce que tu vas trouver une assistante!

— Je l'ai déjà trouvée.

— Mon Dieu! T'as fait ça vite!»

J'ai déballé mon sac d'une seule frippe, sans trop savoir comment je finirais ma phrase en la commençant, je parlais de trois choses en même temps tout en guettant la réaction de Madame à chaque mot, espérant éviter une crise ou un plat d'injures qui ne seraient qu'une perte de temps parce que ma décision était prise – je n'avais pas le choix, il ne fallait pas que Mae East travaille –, et que je ne dérogerais pas d'un pouce, qu'elle le veuille ou non :

«Il fallait que je pense vite, vous comprenez... Comme je peux pas beaucoup marcher, vous m'avez vue venir, tout à l'heure, ça fait très mal et je boite encore plus que d'habitude, vous devriez me voir le pied, il est tout bleu, j'ai pris sur moi, je l'avoue, avant de vous consulter, c'est vrai, j'espère que vous me pardonnerez, j'ai pris sur moi de demander à Mae East de m'assister jusqu'à ce que tout ça se replace. Mais je vous jure que vous vous en rendrez pas compte...

— Mae East! Mais Mae East est trop occupée pour t'assister! D'abord, qu'est-ce que ça veut dire, ça, t'assister?»

Je savais que j'étais sauvée parce qu'elle m'avait posé une question au lieu de rester péremptoire comme dans la première partie de sa réplique. Quelque chose me disait – elle m'avait peut-être observée pendant que je m'approchais et j'avais peut-être mieux joué mon rôle d'éclopée que je ne l'avais cru – qu'elle se rendait compte que j'avais besoin d'aide, du moins pour ce soir, et tergiversait juste pour ne pas me donner raison trop vite et pour montrer une fois de plus qui était la patronne du Boudoir.

«Ça veut dire porter le menu pour moi, Madame, aller reconduire les clients dans les chambres... Moi, je vais me contenter de rester à ma place sur le piton rouge, de conseiller les clients, de toucher l'argent... Je permettrais à personne, vous le savez bien, de prendre l'argent des clients...»

Elle a tiré une longue poffe de son fume-cigarette.

«Mouan... Ça fait une fille de moins sur le plancher, ça...

— C'est mardi, Madame, on sera peut-être pas très occupés... Si on est trop occupés, je vous promets de lui laisser faire des passes...

— Et tu me jures que j'm'en rendrai pas compte...

— Ça, je vous le jure! Les autres filles sont toutes d'accord. Elles vont faire ça pour me rendre service! Et si Mae East s'ennuie à son poste, une autre va la remplacer... Et si à un moment donné y a un bouchon, en haut, je m'occupe de faire boire les clients pour passer le temps!»

On prétend que le Boudoir fait autant d'argent avec l'alcool qu'avec les filles, je tenais donc un excellent argument.

«C'est ce que je fais toujours, de toute façon, vous le savez...»

Elle avait froncé son sourcil et me regardait droit dans les yeux. Je commençais à en mettre un peu trop...

«T'as pas besoin de me vanter tes qualités, Céline, je les connais toutes par cœur, je t'ai pas choisie pour rien! Je connais tes défauts, aussi, et je sais que t'as une façon de présenter les faits qui est pas toujours kosher, ça fait que j'vas te dire juste une chose: que j'apprenne jamais que tu me caches quequ'chose, parce que tu pourrais très bien te retrouver très vite à la rue ou entre les tables du Sélect où chuis t'allée te cueillir! J'te laisse passer des affaires parce que t'es efficace, mais ambitionne pas sur le pain bénit, tu pourrais le regretter!»

Je l'ai remerciée sans insister, j'ai juré que la soirée se passerait sans accrocs, qu'elle n'aurait pas à se plaindre de la recette, et je l'ai quittée en boitillant juste un peu plus que d'habitude.

La grosse Sophie jouait *One of these Days*, le vieux succès de Sophie Tucker, en lui donnant un petit côté honky tonk qui chavirait l'âme. Greluche et Mimi-de-Montmartre fredonnaient les paroles tout en travaillant, Mimi toujours à ses citrons, Greluche époussetant les menus sur les tables.

Mae East m'attendait derrière la scène en se tordant les mains.

Je me suis contentée de lui dire:

«Tu m'en dois pas juste une, toi, tu m'en dois deux!»

Elle a dû s'agenouiller pour me sauter au cou.

«J'te promets que j'vas guérir vite! Vite, vite, vite!»

Les filles voulaient que je leur rapporte ma conversation avec Madame, mais tout ce que je désirais, moi, c'était un scotch bien tassé malgré l'heure précoce. Il était huit heures et quart, les premiers clients venaient d'arriver, Greta-la-Jeune, la Marilyn Monroe des pauvres, s'apprêtait à entrer en scène.

COMMENT FONCTIONNE LE BOUDOIR

C'est simple.

Certains des clients savent très bien ce qu'ils viennent chercher chez nous. Ils n'ont pas besoin de préliminaires, ni de mode d'emploi, ni de l'alibi de l'alcool. Ils traversent le bar sans s'arrêter, souvent fiers comme Artaban (ils portent haut, parlent fort et font leur choix sans honte), parfois pliés sous le poids de la culpabilité ou du remords parce qu'ils se considèrent comme des parias. Ceux-là, les honteux, ne me regardent pas dans les yeux quand je leur tends le menu, me parlent à voix basse, surveillent par-dessus leur épaule à la recherche d'espions ou de délateurs, suivent les filles comme des chiens battus et payent en pliant l'échine. Les autres, et c'est la majorité des cas, sont néophytes, viennent là pour la simple raison que c'est la mode, une des choses à faire pendant l'Expo, ou par pure bravade. Les riches étudiants en vacances, par exemple, fils de bonne famille et habitués à gaspiller l'argent qu'ils n'ont pas eu à gagner, se présentent en horde et font un chahut pas possible. Mais tous ces débutants ont besoin de se soûler pour monter à l'étage, de se donner du courage parce qu'ils sont hétérosexuels et ne viennent au Boudoir que pour pouvoir s'en vanter, c'est du moins ce qu'ils prétendent : il faut essayer ça une fois dans sa vie, c'est le temps, allons-y, ça ne fera pas mal et, qui sait, on se découvrira peut-être un fantasme qu'on ne se connaissait pas (mais personne, jamais, ne réussira à nous le faire reconnaître. Après tout, on est des vrais hommes, on aime les vraies femmes, la vie est faite d'expériences nouvelles et une fois n'est pas coutume!).

La première personne qu'ils voient quand ils quittent le bar est une naine qu'ils examinent souvent en fronçant les sourcils, se demandant s'ils ont affaire à une femme ou à un travesti particulièrement réussi. Quand je les sens rassurés par mon sourire franc et ma gentillesse désarmante – je parle toujours de généralités avant de passer aux choses sérieuses –, je leur présente le menu en leur expliquant que, contrairement à certaines autres maisons, nous ne faisons pas de parades de filles, ici, qu'ils doivent choisir sur papier, que je vais moi-même leur dire si celle qu'ils vont élire est libre et, dans le cas contraire, combien de temps ils auront à patienter s'ils persistent dans leur choix. Quatre-vingt-dix pour cent d'entre eux font alors les farces habituelles sur la ressemblance du Boudoir avec un restaurant ou l'impression qu'ils ont d'acheter quelque chose par catalogue : on sait ce qu'on commande mais on ne sait jamais ce qu'on va recevoir par retour du courrier! Ou bien ils parlent du spécial du jour, de la suggestion du chef, du dessert maison. Je fais semblant que ça m'amuse, que je n'ai jamais entendu leurs farces plates, ça les détend, et je leur offre un dernier verre que je leur sers moi-même, une espèce de liqueur trop sucrée qui ne possède aucun goût de revenez-y et qu'on voudrait oublier aussitôt qu'on y a trempé les lèvres, une invention de Mimi-de-Montmartre qu'elle a baptisée *Sirop d'Arabe* ou, en anglais, *Mabel's Syrup*.

Les six filles que nous avons à leur offrir sont loin d'être des beautés – à part peut-être Babalu quand elle s'en donne la peine – et les photos du catalogue ni artistiques ni flatteuses. Mais à mon grand étonnement, du moins au début, quand je n'étais pas encore habituée, ça ne semble faire aucune différence. Quand les clients sursautent, c'est d'amusement. Je suppose qu'ils considèrent que ça fait partie du trip, tant qu'à s'encanailler, aussi bien le faire jusqu'au bout, accepter les clichés, jouer avec eux le temps de prendre son pied avec un objet de convoitise *vraiment* différent de ce qu'on connaît, de ce qu'on fréquente, de ce qu'on expérimente d'habitude. La beauté n'a plus cours ni la laideur d'importance.

S'ils sont en groupe, ce qui arrive très souvent, ils font grand cas de ce qui s'est passé quand c'est terminé, comme pour banaliser la chose, l'enterrer sous un amoncellement de remarques drôles, de répliques épicées, sans doute pour en effacer tout sérieux. On était là pour s'amuser, on s'est amusé, on ne recommencera plus parce que ce n'est pas notre tasse de thé, mais on est content de l'avoir vécu et, pourquoi pas, peut-être même qu'on s'en vantera pour étonner les copains, pour en boucher un coin à ceux qui s'aviseraient de nous accuser de manquer de fantaisie ou d'ouverture d'esprit. Et on retournera dans son pays en donnant de Montréal une idée bien différente de celle que voulaient imposer les organisateurs de l'Exposition universelle.

Les récidivistes sont rares, cependant. Les prix exorbitants, je l'ai déjà écrit, empêchent les anciens clients de ces dames de fréquenter le Boudoir et nous condamnent au succès haut de gamme parce que nous coûtons cher. Madame pensait avec raison que les visiteurs argentés de l'Expo seraient prêts à payer une fortune pour s'épivarder chez nous; ils le font mais ils ne reviennent pas, ce qui nous fait anticiper l'avenir avec une certaine crainte. Les filles ont beau dire : «On retournera sur le trottoir, c'est tout!», je suis convaincue qu'aucune d'entre elles n'en a vraiment envie et que la perspective de se retrouver à dix sous zéro l'hiver pour nourrir Maurice et ses acolytes leur pue au nez. Mais la patronne, il faut lui faire confiance, a commencé à parler d'un projet qu'elle aurait pour après l'Expo, un plan infaillible qui nous permettrait de continuer à l'année de pratiquer notre métier sans retourner à la rue, dans mon cas au Sélect. Mais le Boudoir pourrait-il survivre avec des prix coupés? Et Maurice laisserait-il Fine Dumas continuer à lui passer de l'argent sous le nez? Et le maire Drapeau? Il n'est pas éternel, le maire Drapeau, il va finir par crever comme tout le monde! Mais je suppose qu'aucun maire n'est à l'épreuve d'un bon gros pot-de-vin.

Quant aux femmes qui fréquentent notre établissement, elles ne viennent presque jamais pour consommer. Quelques-unes, oui, et elles sortent des chambres en fanfaronnant comme les hommes, fières de leur victoire sur elles-mêmes, étonnées de leur propre hardiesse, quoiqu'elles n'aient pas, après tout, changé le genre de leur partenaire sexuel puisqu'elles viennent de baiser avec un homme. La plupart d'entre elles, toutefois, sont là en observatrices, pour pousser les hommes à l'aventure un peu sulfureuse, les encourager et, dans certains cas, leur tenir la main en riant trop fort et en levant le coude. Mais elles sont moins généreuses en pourboires. Comme au restaurant.

Mais si Madame avait espéré attirer les riches homosexuels étrangers de passage, elle s'était trompée : ils préfèrent de toute évidence fréquenter les vrais endroits louches ou le mont Royal, la nuit, dont on dit qu'il est leur endroit de rassemblement favori depuis toujours. De toute façon, les vrais homosexuels ont la réputation d'avoir du goût et le spectacle que nous présentons n'est sans doute pas digne d'eux. Et s'ils payent pour baiser, c'est avec un vrai James Dean, pas une fausse Marilyn Monroe! Il s'en présente bien un ou deux par soir, mais ils se rendent vite compte qu'ils sont en nette minorité et quittent le Boudoir après un drink vite avalé.

Mon travail, cependant, ne consiste pas juste à tendre le menu et à conduire les clients dans les chambres. En bonne gérante de l'intendance, je dois savoir à tout moment qui est avec qui, depuis combien de temps, qui est libre, qui est occupé, sur la scène comme dans les chambres, et improviser mes petits boniments en conséquence, vanter les qualités de l'une quand elle n'est pas en «représentation», faire patienter si le client devient trop insistant, noyer le poisson en disant n'importe quoi pour le retenir... Le pire, c'est lorsque toutes les filles sont en chambres – disons le samedi soir après minuit – et qu'une queue se forme dans le corridor des toilettes des hommes parce que mon salon est envahi de mâles impatients et trop gais. Dans ces moments-là, je ne suis plus l'intendante, je deviens l'animatrice de la soirée, la dispensatrice des jeux et plaisirs, une véritable salonnière, responsable non seulement des allées et venues, des paiements en bonne et due forme – rubis sur l'ongle parce que nous n'acceptons que du cash –, mais aussi des conversations, des présentations s'il y a lieu, en un mot des festivités au grand complet. Je suis hôtesse *et* actrice. C'est épuisant, c'est vrai, mais lorsque j'ai l'impression d'avoir tout ce beau monde sous contrôle, que les rires fusent, que les critiques se font rares, qu'on s'amuse beaucoup en attendant de passer aux choses sérieuses, ça peut s'avérer assez réjouissant, en tout cas très gratifiant pour moi.

Pour qu'on me voie bien de partout, il m'arrive dans ces occasions-là de monter sur le piton rouge, de m'appuyer au dossier en forme de cône et de vaquer à mes occupations tout en faisant comme si de rien n'était. Ça épate la galerie et, encore une fois, la désinvolture paye : ils sont plus respectueux si je me retrouve à la même hauteur qu'eux, plus polis, ils se sentent moins supérieurs et je les tiens dans ma main en prenant des poses semblables à celles de Madame. Sans le fume-cigarette, bien sûr. L'hôtesse de bordel haute comme trois pommes prend tout à coup une importance primordiale : comme sa tête surplombe la foule en liesse, on sent qu'elle voit tout, qu'elle sait tout et qu'elle enregistre tout. Elle empoche avec des gestes de reine l'argent qu'on lui tend et on se dit que cet établissement, tout de même, a une certaine classe malgré son côté fané et désuet.

Dès le soir de l'ouverture, Madame nous a fait un long discours pour nous expliquer que, le Boudoir n'existant pas de façon officielle, il ne doit rester aucune trace de son passage sur Terre et que, par conséquent, tout ce qui doit y circuler c'est du bon vieux cash, de préférence canadien, mais l'américain n'est pas à dédaigner. Aucune carte du Diner's Club n'est acceptée, les chèques de voyage non plus. Les clients sont prévenus par une pancarte à l'entrée, en cinq langues s'il vous plaît, et je me charge moi-même de le leur rappeler avant qu'ils partent avec une fille.

Lorsqu'un client quitte une chambre, il me retrouve une deuxième fois sur son chemin, sourire aux lèvres et main tendue, polie mais ferme, et s'exécute sans discuter, rouge de honte ou d'orgueil, comblé ou déçu, sérieux comme un pape ou secoué par un fou rire qu'il a quelque difficulté à dissimuler. Je compte les billets, je les glisse dans une grosse boîte de cinq livres de chocolats Lowney's que j'ai adoptée comme caisse enregistreuse – c'est discret, on pense juste que je suis gourmande – et je les oublie jusqu'à la fin de la soirée après les avoir consignés dans ce que j'appelle mon «*ledger* des festivités», un énorme livre de comptes, austère et sérieux, dans lequel je note toutes les passes de chaque soirée, qui a fait quoi, combien on doit à chaque fille, combien on a fait jusque-là, de façon à pouvoir faire à Madame un rapport d'une grande précision si elle me le demande. Je sépare les soirées en trois catégories bien distinctes : médiocres, bonnes, excellentes. À l'issue des médiocres, Madame est furibonde et quitte le Boudoir sans saluer personne ; quand elles sont bonnes, elle se contente de pousser un long soupir en tendant la main; mais lorsque je lui rends la recette d'une excellente nuit de travail, ses yeux s'illuminent de convoitise, elle se rengorge en glissant les liasses dans son sac – et dans son soutien-gorge si elles sont trop volumineuses – et ne quitte pas le Boudoir avant d'avoir payé une tournée générale. Et quand, ce qui est quand même assez rare, la soirée s'avère exceptionnelle, Madame me gratifie d'un immense sourire :

«On a bien travaillé, ce soir, ma belle!»

Et elle me donne un beau gros bonus.

La femme qui quitte alors le Boudoir en mordant son fume-cigarette est plongée jusqu'aux yeux dans les billets de banque de toutes les couleurs.

Où cet argent s'en va-t-il? Dans quel matelas? Sous quel lit? Dans quel coffre-fort dissimulé au fond de quel placard? Qui le touche – Maurice? la police? le maire? – et dans quelles proportions? J'aime mieux ne pas le savoir, me contenter de mon salaire, plus que respectable d'ailleurs, lui aussi payé en espèces, et dormir sur mes deux oreilles. Ce que j'ignore ne me fait pas de mal et, j'en suis convaincue, me protège même d'éventuels problèmes.

Quand nous quittons le Boudoir au petit matin, beaucoup d'argent y a circulé, beaucoup de rires aussi, d'alcool et de fluides corporels. Des hommes déguisés en femmes ont chanté – mal – avant de gagner leur vie en baisant – divinement bien, si j'en crois leur réputation –, d'autres ont payé cher le plaisir de folâtrer en pays étranger. Une petite femme grasse, toujours habillée de vêtements de la même couleur, camaïeu ambulant, toute rouge ou toute verte ou toute jaune, s'est enrichie de façon significative et rentre chez elle en fredonnant une vieille chanson de guidoune française; une autre, minuscule et boitillante, a réussi à passer à travers une journée de plus sans se laisser aller à son maudit penchant naturel pour l'autocritique et le fatalisme.

Ai-je besoin de souligner qu'au retour de ma courte visite à Madame, j'ai été reçue comme une héroïne?

Mae East s'est relevée en me soulevant dans ses bras pour esquisser quelques tours de valse, chose que je déteste le plus au monde. Je ne suis tout de même pas une enfant qu'on peut trimballer comme une poupée de guenille molle! Si j'en ai le format et l'allure, je ne suis pas un jouet!

La grosse Sophie venait d'entamer les premières mesures d'*Heure exquise*, le grand succès, allez savoir pourquoi, de Greta-la-Jeune qui prend la voix d'Yvonne Printemps pour l'interpréter alors qu'elle est déguisée en Marilyn Monroe dans *Seven Year Itch*. Marilyn Monroe qui chante l'opérette, et mal, faut voir ce que ça donne pour le croire!

J'agitais les jambes et je donnais des coups de poings sur les épaules de Mae East; je devais, en effet, avoir l'air d'une petite fille gâtée qui fait une crise parce qu'elle n'a pas obtenu ce qu'elle voulait.

«Si tu me poses pas par terre immédiatement, je retourne tout conter à Madame et tu t'arrangeras avec tes troubles!»

Je me suis retrouvée debout sur le divan de velours, rouge d'humiliation, le souffle court. Les autres filles s'étaient éclipsées dans les chambres; elles devaient sentir la soupe chaude et filaient doux.

«Tu sais à quel point j'haïs ça quand on me soulève comme ça! J'ai vingt-deux ans, Mae, pas deux!»

Le travesti se confondait en excuses, jurait ses grands dieux qu'il ne recommencerait plus.

«Chuis tellement contente, tu comprends! Tu viens encore une fois de me sauver la vie! J'oublierai jamais ça! Veux-tu que je te donne une *cut* sur ce que j'vas gagner la semaine prochaine quand ça va aller mieux? Ça me ferait plaisir, hein, y a pas de prix pour ce que tu viens de faire!»

J'époussetais mes vêtements comme si on venait de me traîner dans la poussière pendant dix minutes.

«Laisse faire la *cut*, là, et allons nous changer! Le seul salaire que je te demande, pour le moment, c'est de nous épargner Michèle Richard à neuf heures du matin! Bon... Greta-la-Jeune a commencé à chanter, le premier client va se pointer et on n'est pas encore en costumes. T'as entendu ce que j'ai dit à Madame? Pour les jours qui viennent, c'est toi qui donnes les menus, qui vas mener les clients aux chambres, mais tu me laisses parler! Je continue d'être l'hôtesse et toi, l'assistante, tu m'écoutes sans dire un mot, et tu prends *aucune* initiative. O.K.? Aucune!»

Mae East a promis tout ce que je voulais et nous sommes allées enfiler nos costumes, elle celui d'une Brigitte Bardot géante, moi celui d'une hôtesse de bordel revenue de tout parce qu'elle a tout vu et que rien ne peut plus l'étonner, ce qui est loin d'être mon cas. Nous serions les dernières prêtes alors que nous aurions dû nous préparer avant tout le monde.

Le Boudoir a beau être un établissement où ne se pratique pas la parade des filles disponibles, il est plutôt difficile de retenir ces dames dans les chambres, en début de soirée, quand le flot de clients n'est pas encore commencé, que l'atmosphère se fait mollasse et qu'elles auraient bien besoin de s'occuper pour passer le temps. Avant, et c'est là le véritable danger, de tomber dans l'alcool. Il m'arrive donc de leur permettre de venir jaser avec moi en attendant le premier prospect. Elles sont vite dissipées, se perdent en conversations futiles sans fin et en commentaires vitrioliques gratuits et se font tirer l'oreille quand arrive le temps de commencer à travailler. Non pas qu'elles soient paresseuses, elles ne le sont pas, mais elles détestent laisser une histoire inachevée ou un commérage sans conclusion et restent collées au salon même après que je leur ai dit trois ou quatre fois de se retirer. Alors je me vois dans l'obligation de les punir et de les garder dans leurs chambres, comme des enfants.

L'*Heure exquise* à peine terminée, les filles étaient revenues au salon et nous attendaient, Mae East et moi, pour voir comment allait s'amorcer la soirée. Je les ai retrouvées réunies autour du piton rouge, prêtes pour l'action et aussi pour la formule lapidaire : on n'avait pas encore eu le temps de gloser au sujet de la maladie de Mae East et les langues ne seraient pas longues à se délier...

Babalu était plutôt jolie dans son pantalon de soie jaune citron et son soutien-gorge transparent vert pomme. Elle s'était couverte de bijoux et tintinnabulait sans cesse, véritable petite fée Clochette. Jean-le-Décollé faisait peur, comme d'habitude, dans ses vêtements plus dignes d'une gitane d'un roman de Théophile Gauthier que de l'orgueil d'un bordel chic de Paris, et serait parmi les plus populaires, comme d'habitude. Greta-la-Vieille reprenait son numéro d'ancienne étoile de music-hall, plumes au cul et diadème sur la tête. On l'avait vue mille fois mais on ne s'en fatiguait pas parce qu'elle était drôle. Nicole Odeon, elle, avait opté pour le western et arborait un costume d'Indienne assez sexy qui exciterait beaucoup les Européens, surtout les Français qui débarquent ici plus pour voir des Indiens que leurs lointains cousins d'Amérique.

Ce début de soirée fut parmi les plus déprimants depuis l'ouverture du Boudoir. Autant nous avions été étonnés, la veille, un lundi, de voir débarquer tant de monde alors que nous nous préparions à passer une nuit tranquille à jaser en prenant un verre, autant le temps nous parut long, ce soir-là, au milieu du bordel presque vide, alors que nous aurions tant eu besoin d'action, de rires, de va-et-vient pour effacer l'atmosphère négative qui planait sur nous depuis l'incident déplorable de Greluche et son maudit hot-dog.

Sur la scène, les numéros se succédaient dans l'indifférence générale. Les deux pelés et les trois tondus présents étaient trop timides pour réagir, ils se regardaient boire leur drink en se demandant ce qu'ils faisaient là. Un vieux Japonais surtout, à qui on avait sans doute promis mer et monde et qui se retrouvait dans un trou vide dénué de tout intérêt. Le centre-ville de Tokyo ne résonnerait pas des éloges du Boudoir la semaine suivante! Greluche et Mimi-de-Montmartre avaient beau essayer de leur expliquer, par signes s'il le fallait, qu'il était trop tôt, que les choses se passaient plus tard, après minuit, le doute se lisait sur leur visage et ils repartaient sans passer par chez moi. Mes filles, désœuvrées, étaient venues me rejoindre au salon – je ne pouvais tout de même pas les garder prisonnières – et se faisaient les ongles ou retouchaient leur maquillage en parlant bas, ce qui n'est pourtant pas dans leur nature.

Pendant ce temps-là, toujours sertie au bout de son comptoir comme une pierre pervenche et maléfique, Fine Dumas fulminait. On pouvait presque l'entendre tempêter dans sa tête, nous agonir d'injures, nous honnir, nous, les responsables de tous ses malheurs. Une fois de plus, j'en étais sûre, elle s'en prenait aux autres pour expliquer ce qui n'allait pas dans sa vie. Si elle nous avait annoncé la fameuse nouvelle, plus tôt, elle l'aurait sans doute annulée d'un geste de la main pour nous punir alors que ce n'était tout de même pas notre faute à nous si personne ne se présentait au Boudoir en ce mardi soir 25 juillet 1967! Je suis convaincue qu'elle arrivait à compter le manque à gagner au fur et à mesure que les minutes passaient.

En sortant de scène, Jean-le-Décollé, qui venait d'assassiner avec grande assurance *Les filles de Cadix* de Luis Mariano parce qu'il ne possède aucune notion, même vague, de ce que pourrait être une note de musique, nous dit qu'il fallait que quelque chose se passe sinon Fine Dumas allait mettre le feu à la boîte!

«Je vous le dis! Je la guettais de l'œil pendant que je chantais… Elle regardait autour d'elle comme si elle voulait arracher la peinture de sur les murs!»

Nicole Odeon a lancé un long soupir.

«N'importe qui obligé de t'écouter chanter *Les filles de Cadix* aurait envie d'arracher la peinture des murs, pauvre toi!»

Jean-le-Décollé n'a pas bronché. Il est habitué aux piques de Nicole, ces deux-là n'arrêtent pas de s'insulter, soi-disant pour le fun, à l'appartement de la place Jacques-Cartier. Il est aussi habitué de lui répondre du tac au tac.

Il a replacé sa perruque savamment défaite et qui affichait une certaine ressemblance avec de la laine d'acier numéro 5, a jeté un vague regard en direction de notre colocataire.

«J'aime mieux donner envie d'arracher la peinture que de se suicider!»

Nicole, plus soupe au lait que lui, s'est aussitôt dressée sur ses ergots.

«Qui, ça, qui donne envie de se suicider! Hein? Qui, ça? C'est pas moi la vieille sacoche, de nous deux, Jean-le-Décollé! C'est pas moi qui fais pousser des cris d'horreur aux clients quand ils le voyent tout nu! Les murs sont minces, ici, on entend tout!»

Ça pouvait être long, s'éterniser, je n'en avais pas le goût, alors j'ai mis fin au conflit tout de suite en renvoyant tout le monde dans les chambres. Et puis j'ai discrètement rappelé Jean-le-Décollé auprès de moi.

J'entendais Greta-la-Vieille, essoufflée, chevrotante, égrener les notes de *Paris, reine du monde* et, pour une fois, je plaignais les pauvres clients. Quand la salle est pleine, Greta-la-Vieille peut se montrer amusante, poussive Mistinguett dont on peut se moquer à loisir parce qu'elle est là pour ça, mais dans le Boudoir déserté, seule sur la scène à entonner les «T'auras pas ta pomme, ta pomme, ta pomme, t'auras pas ta pomme...» parce qu'il n'y a personne pour lui répondre, le spectacle est trop grotesque et le cœur vous fend devant tant de pathétique manque de talent.

Jean-le-Décollé et moi avons passé la tête dans la porte de perles de verre qui sépare la salle de spectacle des toilettes des hommes, celle aux flamants roses et au coucher de soleil improbable. Jean, nerveux, faisait du bruit en jouant avec les boules de couleur qu'il frottait les unes contre les autres dans un crissement désagréable. Il avait la main à la hauteur du soleil, on aurait dit qu'il voulait l'éteindre.

«Faut faire quequ'chose, ça a pas de bon sens!»

Fine Dumas était de toute évidence au bord d'exploser. Sa colère avait monté de plusieurs crans depuis que je l'avais quittée, moins de quinze minutes plus tôt. Sa peau rougie par la rage faisait un contraste peu flatteur avec sa robe bleu pervenche. Elle luisait presque comme un lampion au bout de son bar. Et, chose curieuse entre toutes à cette heure, un double martini était posé devant elle sur le marbre qu'elle prétendait authentique. La patronne ne boit pas souvent et, quand elle se laisse aller, ce n'est pas beau à voir. J'ai déjà vu des soirées très mal se terminer parce que Madame avait décidé de noyer un quelconque problème dans le martini, qui lui enlève toute inhibition, tout verni, et la rend presque aussi folle que Thérèse, la serveuse du Ben Ash avec qui Greluche était allée jaser plus tôt et qui devient un monstre quand elle boit. Elle m'a d'ailleurs confié, un soir, que c'est ça qui la retenait : elle ne voulait pas devenir une légende comme Thérèse, une pestiférée qui ne peut plus travailler dans les bars de la *Main* parce que personne ne veut plus d'elle et qui a abouti, à sa grande honte, simple serveuse dans un *Smoked Meat* alors qu'elle a déjà régné au Coconut Inn et au Zanzi Bar. Je ne savais pas que Madame avait déjà bu et j'avais compris cette fois-là où elle allait chercher sa grande retenue et son admirable contrôle. Mais comme la retenue et le contrôle étaient au bord de lui faire défaut, il fallait éviter ça à tout prix.

J'ai quitté le rideau de perles pour me diriger vers mon salon où les autres filles étaient revenues, inquiètes de ce qui allait se passer.

J'ai grimpé sur le piton rouge en me servant du pouf.

«Je peux quand même pas m'offrir d'aller lui parler, j'viens de le faire... Deux fois!»

Jean-le-Décollé s'est assis à côté de moi sur le velours rouge défoncé, il a retiré une pincée du crin qui débordait des crevés du tissu. C'était jaune, raide, ça sentait la poussière. Ça avait connu des générations de fessiers de guidounes de tout acabit, dans le *red light* ou dans l'ouest de la ville, ça avait amorti d'innombrables coups de reins plus ou moins sincères et, désormais inutile dans mon fief où ça ne servait plus que de décoration, ça rendait doucettement l'âme en se désintégrant en poussière.

Jean-le-Décollé a émietté ces restants de jours de gloire sur le faux tapis de Turquie qui faisait lui aussi l'orgueil de Madame.

«Y a juste une personne pour la dérider dans ces moments-là.»

C'est vrai. Il y a juste une personne pour la dérider dans ces moments-là.

La Duchesse de Langeais.

La Duchesse est un phénomène unique sur la *Main*. Vendeur de chaussures chez Giroux et Deslauriers le jour, au coin de Mont-Royal et Fabre, il se transforme la nuit, du moins le croit-il, en créature de rêve devant qui tous les hommes se pâment alors que son physique peu flatteur – cinq pieds et dix pouces, deux cent cinquante livres, complexion de roux – ne lui permet qu'une vague ressemblance avec une grande Sophie Tucker ou une Juliette Petrie obèse. La Duchesse se mêle aux guidounes du quartier depuis des années sans toutefois se prostituer, pour le fun comme elle le dit elle-même, elle frôle l'interlope sans y toucher, et on l'endure pour la simple et unique raison qu'elle est très drôle, sinon les hommes de main de Maurice l'auraient effacée de la surface de la Terre depuis longtemps. Elle amuse les filles quand elles sont fatiguées, fait leurs courses, invente des jeux de mots irrésistibles, raconte des potins pas possibles, fomente des coups pendables qui vont alimenter les conversations pendant des semaines et, surtout, elle a su gagner la confiance de Fine Dumas qui la protège, la dorlote, comme un petit frère efféminé trop sensible et trop faible pour se défendre tout seul contre les vississcitudes de la vie alors qu'elle est probablement trois fois plus forte qu'elle.

Avec Fine Dumas et Jean-le-Décollé, la Duchesse forme aussi un trio très respecté, très craint dans le quartier, un triumvirat qu'on appelle «le trio infernal» ou «les trois grasses», même si Jean-le-Décollé est mince comme un fil, et qui fait la pluie et le beau temps sur la *Main* depuis déjà quelques années. Ils ont développé à eux trois un réseau d'informations assez étendu et puissant dont la Duchesse constitue l'élément mobile, puisqu'elle est la seule des trois à circuler en toute liberté, les deux autres étant prisonniers chaque soir des exigences du Boudoir.

Madame l'a adoptée, elle l'adore, et la Duchesse est la seule à pouvoir lui parler quand tout le reste a foiré. Elle est notre ultime recours, notre dernière planche de salut.

«As-tu son numéro de téléphone?»

Jean-le-Décollé a ouvert son sac en carton bouilli imitation crocodile qui ne le quitte jamais.

«D'habitude je le sais par cœur, mais là chus trop énervé.

— La Duchesse habite toujours au même endroit?

— Oui, oui, sur la rue Dorion au sud de Sherbrooke. Est là depuis des années. Depuis la fin de la guerre, je pense… Ah, le v'là!

— Penses-tu qu'elle va pouvoir venir rapidement?

— Si est chez elle, elle va courir!

— Un mardi soir? Elle travaille pas, demain?

— J'vas y dire de rester en homme… On n'a pas le temps d'attendre qu'elle se transforme en vedette de Hollywood, ça prendrait le reste de la soirée et on a besoin d'elle tu-suite…»

Jean-le-Décollé s'est lancé vers le combiné posé sur une petite table d'appoint et à partir duquel il est impossible, Madame y a vu, de composer un appel interurbain. La patronne veut bien qu'on téléphone de son bordel, même les clients, mais elle refuse qu'on lui monte des comptes de téléphone astronomiques. Elle a bien raison.

Le visage de Jean-le-Décollé s'est illuminé.

«Allô? Édouard? As-tu fini de manger, gros verrat? On a besoin de toi, au Boudoir! Vite!»

Les légendes du Boudoir

II - LA VISITE DE LA REINE

Quelques jours avant l'arrivée de la reine Elizabeth II à Montréal, au début de l'Expo, chacun des
colocataires de l'appartement de la place Jacques-
Cartier a reçu une étrange invitation. C'était faussement chic, imprimé sur une imitation de vélin
couleur crème, le lettrage, plein de boucles, de
pattes et de fioritures, faisait penser à une vitrine
de magasin de jouets dans le temps de Noël, et le
texte était des plus sibyllins :

Au lieu de vous rendre à la réception officielle
offerte par la Ville de Montréal,
Sa Majesté la Reine Elizabeth II, reine du Canada,
vous invite à un grand bal
donné en la somptueuse demeure (le palais
Boudoir) de Lady Fine Dumas,
chevalière de l'Ordre de la Jarretière Légère
et ci-devant fournisseuse du prince Philip
en plaisirs de toutes sortes.

Suivaient la date, bien sûr celle du grand bal
organisé par la Ville de Montréal pour la reine,
l'heure (*sur le coup de minuit, lorsque les carrosses*
redeviennent citrouilles et les jeunes beautés de
vieilles picouilles) et l'adresse (*boulevard Saint-*
Laurent, épicentre du bon goût et de l'élégance à
Montréal).

Tout au bas nous attendait un post-scriptum
plutôt étonnant : *Si vous n'avez rien à vous mettre,*
vous viendrez tout nus!

Fine Dumas n'ayant organisé aucune réception pour ce soir-là, nous avions tout de suite deviné de qui venait l'invitation. Jean-le-Décollé n'en revenait pas, cependant, de ne pas avoir été mis au courant.

«Non seulement la Duchesse a pas demandé la permission à Madame, mais elle m'en a même pas parlé à moi, son meilleur ami!»

Elle, c'était la Duchesse, bien sûr. Qui se permettait, il fallait le faire, de préparer un party chez Fine Dumas sans lui demander la permission ni même la prévenir!

Mais prévenue elle l'était, puisqu'elle tenait l'invitation à la main lorsque nous sommes arrivés au Boudoir ce soir-là. L'air ravi. Excitée comme une puce. Rose de plaisir.

«Quelle bonne idée! On va faire de la publicité! Ça va attirer du monde! On peut faire une fortune, avec ce party-là, si on se prépare bien! Crée Duchesse, y a rien qu'elle pour penser à des choses pareilles! C'est bien elle qui est derrière tout ça, hein? J'ai bien deviné?»

Si l'un d'entre nous avait lancé la même idée, la patronne lui aurait probablement cloué le bec au bout de trois phrases, prétextant que c'était trop compliqué, que ça coûterait trop cher pour ce que ça pouvait rapporter, que ça demanderait trop d'énergie, qu'elle avait autre chose à faire dans la vie que d'organiser des bals pour fêter la visite de la reine Elizabeth, etc. Le projet aurait pris le chemin de la poubelle et on n'en aurait plus jamais entendu parler. Alors que venant de la Duchesse, sa grosse préférée, comme l'appelait souvent Jean-le-Décollé quand la jalousie le faisait déborder, ça devenait tout à coup intéressant!

La lutte entre la Duchesse et Jean-le-Décollé pour l'attention et les faveurs de Madame est légendaire sur la *Main*, et toute preuve de victoire de l'un ou de l'autre est toujours source de commentaires et de commérages chez les filles du Boudoir qui suivent cette histoire avec grande attention depuis les débuts. Ce triomphe anticipé de la Duchesse fut donc glosé à souhait dans tout le quartier et interprété comme définitif. C'était là beaucoup plus qu'un point que la Duchesse allait marquer, c'était son indiscutable couronnement.

Jean-le-Décollé rongea son frein durant tout le temps que mit la Duchesse à préparer sa fête, il refusa de lui parler, on prétendit même la rupture définitive. Fine Dumas semblait s'amuser du froid entre les deux hommes (diviser pour régner, c'est vieux comme le monde). Elle les montait l'un contre l'autre, disait un jour à Jean-le-Décollé qu'elle commençait à douter de la nécessité de ces célébrations qui risquaient de s'avérer décevantes, pour ensuite aller combler la Duchesse de félicitations et lui dire combien elle lui serait reconnaissante si le bal obtenait le succès qu'elle espérait. Ces quelques semaines furent donc connues sur la *Main* sous le titre du *règne de la Duchesse*.

Qui fut court.

Parce que, on s'en doute bien, la visite de la reine au Boudoir fut loin d'être le triomphe escompté.

La nouvelle qu'un grand bal se préparait au Boudoir à l'occasion de la visite de la reine Elizabeh à Montréal se répandit et, chose curieuse, au lieu de prendre le projet à la légère, le quartier au complet se passionna, sans doute à cause de la reine elle-même que certains haïssaient alors que d'autres lui vouaient un véritable culte. Il y avait ceux qui prétendaient que la Duchesse organisait tout ça pour rire de la souveraine et les autres qui juraient que le bal, quoique grotesque, serait un hommage rendu à Elizabeth II. Si on posait la question à l'intéressée, elle répondait, le nez retroussé et le sourire aux lèvres :

«Vous lui demanderez à elle, elle va être là en personne!»

Madame a bien essayé de faire de la publicité pour cette soirée, mais c'était difficile; le Boudoir étant un lieu de passage, il n'est pas fréquenté par des habitués et répandre la nouvelle qu'une sorte de reine Elizabeth, en plus drôle, allait nous visiter était d'autant plus compliqué que les clients, pour la plupart des étrangers qui ne comprenaient pas le français ou juste un peu d'anglais, se foutaient complètement de la fausse Duchesse de Langeais, c'est compréhensible, c'est une gloire locale, je dirais même de quartier, et même d'Elizabeth II, la vraie. On leur aurait annoncé l'arrivée de Brigitte Bardot que ç'aurait peut-être été autre chose – quoique notre Brigitte à nous, Babalu, ne soit pas la plus populaire de nos fausses créatures de rêve, je l'ai déjà dit, nos personnages de cauchemar sont les plus en demande –, la reine d'Angleterre, cependant, ne les intéressait pas du tout et ils faisaient de grands yeux ronds quand Madame leur tendait une des nombreuses copies de l'invitation qu'elle avait fait imprimer à grands frais, prétendait-elle. De toute façon, ils seraient tous retournés à Moscou, au Caire, à Valparaiso ou à Pittsburgh le soir de la visite de la reine.

Pour ces mêmes raisons, j'ai tenté de faire changer d'idée à la Duchesse ; elle s'est montrée intraitable. Elle disait qu'elle organisait tout ça pour son propre plaisir, que le Boudoir était l'endroit idéal, qu'elle se foutait qu'il y ait du public ou non, qu'on allait avoir du fun entre nous si personne d'autre que les gens qu'elle avait invités (qui étaient quand même nombreux) se pointaient à sa petite fête.

Madame non plus n'était pas parlable. Elle continuait de caresser l'idée d'une soirée qui rapporterait gros en consommation de boisson et de chair plus ou moins fraîche, malgré nos avertissements, à Jean-le-Décollé et à moi. Lorsque je lui disais, par exemple, qu'elle risquait de se retrouver juste avec des gens qu'elle connaissait et qui n'avaient pas les moyens de fréquenter le Boudoir, elle me répondait qu'elle trouverait bien une façon, ce soir-là, de leur faire cracher leur argent.

C'est donc ainsi, dans une sorte d'excitation mêlée d'inquiétude, que se passèrent les quelques jours précédant la fameuse réception.

Une demi-heure avant l'arrivée prévue de la reine, le Boudoir était vide comme le dernier des lundis – trois Japonais, un Arabe même pas émir et quelques Suédois bruyants –, et Madame pompait cigarette sur cigarette. Pour ma part, j'essayais déjà de trouver une façon de réparer les pots cassés, de ramener l'harmonie, pendant que de son côté Jean-le-Décollé savourait d'avance sa victoire en ricanant.

À minuit moins deux, au moment même où Nicole Odeon se retirait dans la chambre bleue avec un Japonais bardé d'appareils photographiques, Madame est arrivée dans mon antre en coup de vent, chose qu'elle ne fait pas souvent.

« Si c'était un tour ? »

J'étais en train de ranger dans ma boîte de chocolats Lowney's l'argent que Greta-la-Jeune venait de faire avec l'Arabe qu'elle avait trouvé gentil avant, brutal pendant et méprisant après. J'ai sursauté en relevant la tête, comme si la patronne me prenait la main dans le sac.

« Quoi ?

— Le party ! D'un coup que c'est une farce, un tour que la Duchesse nous a joué, la maudite ! D'un coup qu'y en a pas, de party ! Que la Duchesse a tout fait ça juste pour nous mettre sur les nerfs ! »

J'ai replacé la boîte de carton sous le piton rouge en la poussant avec le pied.

« Voyons donc. La Duchesse oserait jamais vous faire ça, Madame ! C'est une amie !

— J'espère ! Parce qu'elle resterait pas mon amie longtemps ! Duchesse non plus, d'ailleurs ! Si t'as jamais vu la vraie couleur du sang bleu… »

Elle a fait demi-tour et est repartie dans le bar où Mae East chantait un vieux succès de Michèle Richard, *Du rouge à lèvres sur ton collet*, dont personne sauf elle ne voulait se souvenir. J'ai risqué un coup d'œil entre les perles du rideau qui sépare nos deux royaumes. Pas grand monde. Quelques clients riaient de Nicole, un autre jetait des regards furtifs en direction du bordel. En m'apercevant, il m'a lancé une œillade qui se voulait sensuelle et qui n'était que pathétique.

Madame avait repris sa place au bout du bar et se tournait sans cesse vers la porte d'entrée. Il faisait trop froid dans le Boudoir, il n'y avait aucune atmosphère, personne n'aurait pu deviner qu'une fête se préparait.

Si la reine Elizabeth ne se pointait pas dans les minutes qui allaient suivre, je prévoyais un drame terrible, un règlement de compte d'une grande laideur, un bain de sang, une chicane sans fin dont la *Main* ne se remettrait jamais, la chute de la Duchesse, son bannissement définitif du quartier; j'imaginais aussi la léthargie qui s'emparerait du quartier, l'ennui que je ressentirais devant l'absence de la seule personne vraiment drôle et capable d'orner nos nuits parfois si longues parce que trop prévisibles.

La Duchesse, elle, au moins, est imprévisible!

Vers minuit et demi – la Duchesse aurait dit après un retard raisonnable –, un brouhaha se fit entendre à la porte du Boudoir, une espèce de grondement sourd comme une musique de fanfare au loin. De mon piton rouge je n'ai rien entendu, mais Jean-le-Décollé, qui s'apprêtait à entrer en scène, a crié:

«C'est quoi, ces tambours-là? Dites-moi pas que la voilà enfin! Précédée d'une fanfare, en plus!»

Nous avons tous abandonné nos postes, sauf Greta-la-Vieille qui s'acharnait, nous dit-elle plus tard, sur un grand Suédois, superbe mais peu motivé.

Même Madame a quitté son précieux stool pour aller voir ce qui se passait dans la rue. Elle l'a fait avec circonspection, l'air de ne pas y toucher, mais la curiosité, le soulagement, aussi, se lisaient sur son visage. La grosse Sophie, la serveuse et la barmaid ont suivi; le Boudoir est donc resté à l'abandon pendant quelques minutes. Les clients présents sont sortis avec nous, croyant peut-être assister à l'une des nombreuses fêtes organisées chaque jour par la Ville de Montréal et la plupart du temps plates comme un long jour de pluie.

Un défilé formé de quatre ou cinq vieilles voitures plus ou moins décaties mais poncées avec soin et décorées de fleurs et de rubans s'approchait du Boudoir avec une lenteur calculée. Un timide klaxon se faisait entendre de temps en temps, une main s'agitait, trop, à la fenêtre de la quatrième voiture pour saluer les rares passants : les curieux se contentaient de se pencher pour essayer de voir à qui appartenait ce long gant blanc plus très propre qui avait l'air de les appeler à son secours. Quand ils avaient compris, ils répondaient aux salutations; trop tard, la voiture était passée. Ça ressemblait un peu à un mariage de pauvres. La musique de fanfare, poussive, éraillée, provenait du premier véhicule où semblait s'entasser trop de monde. Pas de vraie fanfare, pas de vraies majorettes. La reine Elizabeth se faisait annoncer par une musique enregistrée!

Le défilé s'arrêta devant le Boudoir, la musique fut coupée d'un seul coup, au beau milieu d'une phrase musicale. Des têtes s'étaient tournées, quelques personnes se dirigeaient vers les voitures, mais on ne pouvait pas encore appeler ça une foule. Et surtout pas en délire. Ils étaient silencieux, le front plissé, ils se demandaient ce qui se passait. Par contre, ils ne semblaient pas vouloir participer, ni jouer le jeu, peut-être parce qu'ils n'avaient pas encore compris l'absurdité de l'événement et le rôle qu'on aurait voulu leur faire tenir.

Des portières s'ouvrirent et de bien drôles de créatures émergèrent des véhicules.

Ils avaient tous entre cinquante et soixante ans, la plupart d'entre eux gros sinon franchement obèses, et leurs costumes rapaillés n'importe comment, volés dans des coins oubliés de placards de vieilles madames, fabriqués à partir de bouts de n'importe quoi raboudinés n'importe comment, étaient grotesques mais, chose étonnante, tout à fait réussis dans la caricature et la moquerie. On reconnaissait des silhouettes de matantes qu'on avait oubliées, des cousines éloignées aperçues aux premières communions et aux enterrements, des voisines dont on s'était moqués dans notre enfance. On aurait presque pu mettre un nom sur chacun de ces personnages.

Le plus bizarre d'entre eux, et peut-être le plus vieux, était habillé en majorette, une majorette dévastée par la vie, rongée par l'arthrite, la peau pendante et le cheveu rare, mais le pompon de bottine agressif et le bâton de major agile. C'est lui qui faisait le plus de bruit, qui criait le plus fort et qui semblait le plus s'amuser.

Chaque voiture rejetait sur le trottoir son trop-plein de ces êtres improbables, bruyants et rieurs au milieu de l'indifférence générale. Ils forçaient la note, en mettaient des tas, ils voulaient se persuader à tout prix qu'ils avaient du plaisir et souhaitaient que tout le monde participe à leur fête. À l'évidence, personne ne voulait participer à leur fête : on tendait le cou, on haussait les épaules, on dissimulait des fous rires, mais on n'applaudissait pas, on ne criait pas bravo, on n'avait pas du tout envie d'emboîter le pas à cette ridicule farandole parce qu'on n'y avait pas été préparé.

La majorette s'est tout à coup précipitée sur la portière de la quatrième voiture qu'elle ouvrit en esquissant des pirouettes toutes plus burlesques les unes que les autres.

Et la reine Elizabeth fit son apparition.

La première chose qu'on aperçut fut une soucoupe volante décorée de point d'esprit orange brûlé et surmontée d'une boucle de pongé rose corset. Elle se présenta d'abord toute penchée, on aurait dit qu'elle allait s'écraser sur le trottoir, puis se redressa comme si quelqu'un, à l'intérieur, avait trouvé au dernier moment la bonne manette pour la sauver du désastre. C'était une Elizabeth II obèse, boudinée dans un fourreau abondamment fleuri de la même couleur que le chapeau et le visage tellement recouvert de poudre de riz qu'elle ne semblait plus avoir de traits : tout était lisse, blanc, sans aspérités ni caractère. Seules les lèvres, peintes dans un ton de rouge qui faisait plus pute que souveraine, tranchaient en deux parties, comme une blessure récente pas encore guérie, ce visage trop enfariné pour être humain. Quelques siècles plus tôt, on aurait cru que cette femme était vérolée. Les yeux étaient vifs, cependant, et le sourire d'une terrible intelligence. C'était là de toute évidence une Elizabeth II beaucoup plus brillante que l'originale, moins guindée aussi, et surtout, ça se voyait au premier coup d'œil, plus comique. Ce n'était pas l'humour anglais, froid et pince-sans-rire, qui se lisait sur ce visage poudré, c'était le fun noir, débridé, incontrôlable, des pires nuits du Boudoir où rien n'est respecté et où tout est permis. Elle agitait toujours son gant d'un blanc douteux, distribuant ici et là quelques baisers bien ciblés – tous des hommes, tous beaux – et lorsqu'elle parla, ce fut avec un faux accent anglais qui n'était pas sans rappeler celui qu'emprunte volontiers Fine Dumas pour recevoir les clients étrangers :

«Mes chers sioujets, comme je souis contente d'être parmi nous!»

La foule s'intensifiait peu à peu, les curieux se faisaient plus nombreux et moins discrets – la nouvelle avait dû courir sur la *Main* que ça y était, que la Duchesse était enfin arrivée –, et quelques cris d'enthousiasme mêlés d'insultes, plus modestes il est vrai, s'élevaient maintenant devant le Boudoir. On jouait enfin le jeu, on acclamait la reine du Canada ou bien on la conspuait avec bonheur et gaieté selon ses appartenances politiques. On entendit même quelques discrets «Vive le Québec libre!» et quelques modestes «Le Québec aux Québécois!». Elizabeth II se tourna vers Fine Dumas qui ne cachait pas son plaisir de la voir enfin là et lui dit sur un ton mondain des plus fabriqué directement puisé dans l'ère victorienne :

«Lady Dioumass, permettez-môa de vous présenter mon famille royale...»

Surgirent alors des voitures des êtres plus bizarres les uns que les autres et qu'à notre grand étonnement nous n'eûmes aucune difficulté à reconnaître au premier coup d'œil tant leurs silhouettes étaient réussies.

D'abord, une *Queen Mum* complètement soûle, le chapeau de travers, les bas ravalés, la robe, bien sûr fleurie elle aussi, prise dans la craque des fesses comme si elle sortait des toilettes et qu'elle l'avait mal ajustée, un verre de gin vide à la main et une bouteille à moitié pleine dépassant de son sac en plastique transparent jaune serin. (C'était la Vaillancourt dont je n'ai jamais su le prénom, la grande chum de la Duchesse, sa principale complice depuis toujours, trop grosse elle aussi mais de façon différente, toute en mollesse alors que la Duchesse n'est que graisse, nerfs et muscles, et presque aussi drôle que son amie. Elle est déchireuse de tickets dans un cinéma de l'ouest de la ville et se vante d'avoir vu plus de trois cents fois Edwige Feuillère débouler son escalier à la fin de *L'aigle à deux têtes*.) Elle s'étala sur le ciment, perdit son chapeau – un gâteau de fleurs criardes, fausses, et de fruits exotiques, vrais –, se releva avec peine et entra dans le Boudoir sans saluer la propriétaire des lieux. Elle était partout chez elle et le faisait savoir.

La reine crut devoir l'excuser.

«J'espère que vous pardonneray à *mommy*, le gin la garde joune mais tioue oune grande partie de ses niourones... Il faut dire qu'elle bwoit comme un triou et qu'on est obligé de la ramassay tous les soirs sur le plancher de son *sitting room*...»

Ensuite, une étrange princesse Margaret Rose fit son apparition. C'était un tourbillon bleu paon, tout en tulle et tout en gestes, surmonté d'un bibi qui ressemblait à un socle de ciment sur lequel on aurait posé une nichée complète de hiboux blancs, et encore plus titubant que *Queen Mum*. Mais ce membre de la famille royale était plus jovial, plus liant aussi, au point de prodiguer, en plus des salutations de circonstance, des caresses, et très précises, aux plus beaux spécimens de mâles sur lequel il pouvait sauter. Cette princesse Margaret Rose était là pour fêter et personne ne pourrait l'en empêcher, pas même sa sœur, la reine, qui faisait semblant d'avoir honte d'elle en se cachant le visage derrière ses gants pas très propres. Elle aussi, la sœur négligée, la laissée pour compte, a fini par entrer dans le bar, au bras d'un marin français qui n'avait pas trop l'air de savoir ce qui lui arrivait. (J'avais reconnu la Rolande Saint-Germain – de son vrai nom Roland, bien sûr –, une autre amie de la Duchesse qui, si je me souviens bien, travaille au département des costumes de Radio-Canada. En tout cas, le sien était réussi!)

Pour faire oublier l'état dans lequel se trouvaient sa mère et sa sœur, Elizabeth II décida de faire un petit discours à ses sujets rassemblés sur le boulevard Saint-Laurent pour l'accueillir. Elle se tourna vers eux en tenant son sac près de son corps comme une vieillarde qui a peur de se faire voler son argent.

«Exquiousay ma *mother* et ma *sister*, c'est le *jet lag*... Nous sommes t'arrivées t'à l'instant même et nous n'avons pas iou le temps de se rafraîchir le dessours de bras... Vite dans la limousine, vite dans la Montreal, vite dans la Boudwar... Mais si vous voulay vous amiouser, vénay s'avec nous, nous vous avons préparay des nioumeros de music hall pas piquay des vers et laissay-moi vous la dire que vous allay avoir du fun nwar à swar! Ici, ce n'ay pas «Vive le Quebec libre!», mais «Vive le reine et son famille royale!». Et fuck les séparatistes qui, d'apray ce qu'on m'a dit, sont jiouste des tiout nious et des tiout trempes qui sentent le yable et qui se lavent jamay!»

Sur ce, et sous les huées de la foule, elle se retourna, prit Fine Dumas par le bras et l'entraîna à l'intérieur de son propre bar.

J'allais leur emboîter le pas lorsque la porte d'une voiture s'est ouverte pour laisser sortir une espèce de bellâtre raide comme un bâton, tout vêtu de gris, insignifiant et lunatique, qui ne semblait pas très bien comprendre où il se trouvait. Aussitôt extirpé de la limousine, il jeta un vague coup d'œil autour de lui, sans doute à la recherche de sa femme, haussa les épaules et se croisa les mains dans le dos en se penchant un peu par en avant. Le prince consort dans toute son absence de personnalité. Comme personne ne l'applaudissait parce qu'il n'y avait rien à applaudir, il s'est adressé à moi en se courbant comme pour cueillir une fleur.

«Dites-moa, mon enfant, oùsqu'elle ay, ma femme?»

C'était Samarcette, de son vrai nom Serge Morrissette, l'ancien chum de la Duchesse, dont elle avait sans scrupule brisé le cœur quelques années plus tôt et qui lui était quand même resté attaché parce que, disait-il, il ne pouvait pas vivre sans sa drôlerie si unique qu'il ne pourrait jamais trouver ailleurs.

J'adore Samarcette, il est une des seules personnes à qui je permets de dépasser les bornes. Et me traiter d'enfant, comme ça, devant une foule, c'était dépasser les bornes. Il le sait et je pouvais lire une petite lueur de triomphe dans ses yeux qu'il a si beaux. Je me suis contentée de lui pincer une joue, et fort, en lui faisant une grimace avant de le prendre par le bras pour l'attirer dans le Boudoir.

Toujours dans son rôle du prince Philip, il s'est plié en deux pour essayer d'être à ma hauteur. Les gens ont ri, j'ai été humiliée, je lui en ai un peu voulu.

«C'tait vraiment pas nécessaire de m'appeler "ma petite fille", Samarcette...

— Ben oui, c'était nécessaire. Quand t'es en représentation, Céline, dis-toi bien que c'est pas ce que tu ressens en dedans de toi qui est important, mais que les autres rient...

— J'étais pas en représentation...»

Il s'est arrêté net devant le bar où Fine Dumas avait repris sa place comme une reine son trône et m'a posé une main sur l'épaule.

«Depuis que tu travailles ici, t'es toujours en représentation, Céline...»

J'ai repoussé sa main avec un geste brusque.

«T'as beau considérer que chuis en représentation, avise-toi jamais de m'appeler ma petite fille devant les filles du Boudoir, tu le regretterais, et pour très longtemps!»

Si dans le Boudoir l'atmosphère était à la fête, il manquait de monde pour l'étoffer. Les filles avaient quitté le bordel et se promenaient dans le bar en riant avec la Duchesse et ses amies, la grosse Sophie faisait ce qu'elle pouvait pour mettre de l'ambiance en piochant sur son piano droit des chansons rythmées que personne n'écoutait, Greluche servait les drinks compliqués préparés par Mimi-de-Montmartre, mais nous étions entre nous, il n'y avait personne pour rire des pitreries des membres de la fausse famille royale et de son entourage et, surtout, pour dépenser les précieux dollars qui faisaient vivre l'établissement.

La Duchesse s'est dirigée droit sur la patronne qui venait d'allumer une cigarette, une française, de celles qui puent tant et qu'elle réserve pour les grandes occasions parce que, prétend-elle, elles sentent l'exotique.

«Oùsqu'est tout le monde?»

Madame a longuement tiré sur son fume-cigarette.

«Combien d'invitations t'as envoyées?

— Ben... je sais pas... à peu près vingt-cinq... J'pensais que tu t'occuperais du reste...

— C'était ton party, Duchesse. En plus, tu m'as jamais dit que tout ça venait de toi...

— C'tait évident, non?

— C'tait évident, mais c'était pas officiel.

— Ça fait que t'as pas fait de publicité?

— Toute la *Main* est au courant...

— Mais la *Main* a pas les moyens de venir ici. Fallait faire de la publicité ailleurs, à l'Expo, dans l'ouest de la ville...»

Fine Dumas a posé sur son amie un de ces regards glaciaux dont elle a le secret et qui vous pétrifient sur place.

«Aïe! J'ai essayé d'en faire, de la publicité, si tu veux savoir! Mais mes clients viennent pas toutes d'Angleterre, et la reine Elizabeth les intéresse moins que Marilyn Monroe ou Sophia Loren! Si t'avais préparé un party avec un thème, je sais pas, qui tournait autour de Hollywood, Rita Hayworth, Betty Grable, Mamie van Doren, peut-être que j'aurais pu attirer du monde, mais la reine d'Angleterre, franchement! Si t'étais venue me voir, si tu m'avais consultée, peut-être que j'aurais pu faire quelque chose, mais tu m'as jamais rien dit! En ce qui me concerne, tout ça est un party privé, Duchesse! Et ta famille royale a besoin de dépenser, et gros, sinon vous allez retourner faire vos comiques sur le trottoir!»

Tant de mauvaise foi a fait rougir la Duchesse de rage.

«C'est ça! Tu vas faire comme d'habitude! Tu vas me mettre le flop de la soirée sur le dos!»

Madame s'est contentée de hausser les épaules.

«C'est ça qui arrive quand on veut tout faire tout seul... Tu voulais faire ta comique? Devant tes amies, comme d'habitude? Ben vas-y...»

La Duchesse a regardé autour d'elle, l'air désespéré.

«Tu pourrais au moins, je sais pas, couper les prix pour à soir! On pourrait sortir sur le trottoir et annoncer à ceux qui sont devant le Boudoir que ça va coûter moins cher juste pour à soir...»

Fine Dumas, cette fois, s'est dressée comme si on venait de la gifler.

«Couper mes prix! Pour une gang de nobodys pigés directement sur le trottoir! Jamais! J'aime mieux crever les yeux ronds et la bouche ouverte comme un poisson mort!»

La Duchesse lui a aussitôt tourné le dos en remontant ses gants de moins en moins blancs. Elle a bloqué son sac à main sous son bras gauche comme s'il s'agissait d'un réticule et a lancé à la cantonade :

«Samarcette! Rolande! Vaillancourt! Le party est fini! On s'en va!»

Elle s'est dirigée vers eux comme une éleveuse d'oies qui veut rassembler son troupeau :

«Ouche! Ouche! Vite! On s'en va! On le sait quand on est de trop, et la madame veut pas de nous autres...»

La patronne était restée pétrifiée sur place, les yeux ronds, le porte-cigarette coincé entre les dents.

Les protestations s'élevaient d'un peu partout. Les amies de la Duchesse refusaient de s'être déguisées pour rien, les filles du Boudoir prétendaient qu'elles avaient enfin quelque chose de différent à se mettre sous la dent – elles savaient pourtant que ce n'est pas avec ce groupe-là qu'elles pourraient s'enrichir –, même la grosse Sophie y allait de sa propre manifestation de mécontentement en se croisant les bras sur sa vaste poitrine, elle d'habitude plutôt placide devant les conflits qui éclataient souvent dans l'établissement. Plus de musique pour camoufler critiques et remarques acerbes. Les quelques clients présents suivaient tout ça avec grand intérêt, espérant, je suppose, qu'une vraie bataille éclate.

Mais Madame ne disait rien. Elle se contentait de regarder la Duchesse se préparer à partir. Je m'étais moi-même approchée d'elle pour lui suggérer de faire quelque chose, de plier en fait, mais je n'osais pas. Puis je me suis ravisée et je suis allée m'asseoir à la table de Jean-le-Décollé qui faisait de grands yeux affolés devant le désastre imminent. Un conflit de volontés venait de s'amorcer et seules les deux protagonistes y pouvaient quelque chose. Il ne fallait surtout pas s'en mêler. Mais leur grand orgueil, à toutes les deux, était connu et nous savions tous qu'elles crèveraient chacune de son côté avant de céder devant l'autre.

La Duchesse attisait le feu tout en faisant semblant de retirer de la robe de la Vaillancourt des poussières qui ne s'y trouvaient pas :

«Essayez de rendre service à ça, pis vous allez vous rendre compte que ça a un cœur de pierre et la reconnaissance d'un rat d'égout. Ça viendrait manger vos vidanges plutôt que d'avouer que ça a besoin d'aide!»

La Vaillancourt lui répondit tout bas :

«Provoque-la pas, Duchesse! On peut pas s'en aller tu-suite, t'as dit aux limousines de revenir juste après trois heures du matin!

— On n'en a pas besoin, des limousines!

— Ben, qu'est-ce qu'on va faire, sans elles?

— On va rentrer à pied, c'est toute!

— Voyons donc! J'ai pas du tout l'intention de traverser la moitié de la ville déguisé en *Queen Mum*!

— On va remonter la *Main* en procession, ça va être de toute beauté de voir ça!

— En procession! On est juste dix! Onze avec la majorette! Onze personnes, ça fait pas une procession!

— Quand onze folles comme nous autres remontent la *Main*, laisse-moi te dire que c'est pas long qu'y'a une procession qui suit! On mettra la majorette en avant, elle va ouvrir le chemin! Et on ira faire un brin de jasette avec ma nièce Thérèse, au Ben Ash, on sait jamais, ça va peut-être nous rapporter un beau *smoked meat* gratis...»

Puis elle a élevé la voix pour que Madame l'entende :

«Ça peut ben être vide, icitte! Y fait frette comme au pôle Sud! Quoique chus sûre qu'y' a plus d'ambiance au pôle Sud! Au pôle Sud, au moins, ils ont des pingouins en tenue de soirée! Icitte, on a des soirées qui finissent en queue de pingouin!»

La patronne a frappé le marbre du bar une seule fois, assez fort pour faire sursauter tout le monde présent. Elle avait dû en écorcher la surface, mais ne semblait pas s'en soucier :

«O.K.! Ça va faire! C'est pas toi qui s'en vas, Édouard, c'est moi qui te mets à la porte! Et plus vite que ça! Envoye, débarrasse le plancher, j'veux pus jamais te voir au Boudwar!»

La Duchesse a relevé la tête en redressant le buste comme si on venait de la frapper au cœur. Le personnage d'Elizabeth II est vite remonté à la surface et c'est une véritable reine qui s'est dirigée d'un pas royal vers la porte du Boudoir, traînant derrière elle son quatuor d'estafettes et sa pitoyable cour.

«Vous diray à la tenancière de ce triou immonde qu'Elizabeth Windsor, reine d'England et du Canada, est habitouay aux grandes palaces, pas aux bordels du temps de sa grand-mère Victoria! C'est tellement dégioûtant, ici, que je laisseray même pas mes corgis faire leur caca dans un coin!»

Et elle est sortie en chantant *Rule, Britannia!*

Nous nous attendions tous à une crise épouvantable de la part de Fine Dumas, des cris, des insultes, des gestes saccadés et peu contrôlés de marionnette désarticulée, des condamnations, aussi, des diktats définitifs lancés contre la Duchesse et sa bande, la voix vibrante et le doigt pointé, au lieu de quoi un long silence s'est installé dans le Boudoir après leur sortie. La grosse Sophie jouait une valse lente que Madame aime particulièrement, un extrait de *La veuve joyeuse, Heure exquise*; Mimi-de-Montmartre s'était remise à ses citrons – à ce rythme-là, elle en aurait sûrement coupé pour la semaine; Greluche repassait entre les tables pour servir les rares clients qui avaient dû espérer, pendant un court moment, que quelque chose allait enfin se produire; les filles, elles aussi déçues, étaient reparties l'une après l'autre vers leur lieu de travail déserté faute de clientèle. Quant à moi, j'étais tiraillée entre l'envie de parler à Madame, de la désamorcer en fait, parce qu'elle me faisait l'effet d'une bombe à retardement prête à exploser d'une minute à l'autre, et le devoir qui m'attendait derrière la scène, le piton rouge, le pouf, le menu. J'ai fini par me dire une fois de plus que je devrais me mêler de mes affaires, que ce n'était pas mon rôle de tout réparer tout le temps, et j'ai fait signe à Greluche que je retournais chez moi.

Juste comme je passais le rideau de perlouses, j'ai entendu la voix de Fine Dumas, mais une voix toute petite de toute petite fille, presque un souffle, la plainte d'une enfant qui se rend compte qu'elle vient de commettre une grave erreur et qui ne sait pas comment la réparer. Une phrase des plus surprenante dans sa bouche, elle qui n'avoue jamais avoir tort, qui emprunte même la voie de la mauvaise foi et de l'injustice plutôt que de se rendre aux arguments des autres :

«Tant qu'à ça… Pauvre Duchesse. Tout ça, c'est de ma faute.»

Chose étonnante, on n'a jamais entendu reparler de cet incident sur la *Main*. Du moins, de façon officielle. Tout le monde, bien sûr, y est allé de sa version des faits, de leur signification, de l'influence que tout ça pourrait avoir sur les relations entre les membres du trio infernal, mais aucun des trois n'en a jamais refait mention, même pas Jean-le-Décollé qui aurait pourtant pu se réjouir de ce faux pas de la Duchesse, en profiter pour se mettre de l'avant, quêter les grâces de Madame, supplanter une fois pour toutes son adversaire. Savaient-ils qu'ils étaient plus puissants à trois que chacun dans son coin, que leur dépendance les uns des autres était plus importante qu'une chicane qui ne pourrait que mal finir et grever à jamais leurs intérêts, et ont-ils choisi la paix pour éviter une guerre qui les affaiblirait tous? Ils décidèrent d'un commun accord – il y eut peut-être des coups de téléphone dont je n'ai pas eu vent – que la visite de la reine n'avait pas eu lieu et, les premiers jours, quand il en était fait mention devant eux, ils détournaient la tête, surtout Madame, comme si quelque chose de très important se passait ailleurs, et nous avons vite compris le message.

Cette histoire est donc en passe de devenir, à cause même du déni des trois protagonistes et du fait qu'on peut tout inventer puisque rien ne s'est passé, l'une des légendes les plus curieuses et les plus multiformes de la *Main* : certains prétendent, tout en sachant que tout le monde sait que c'est faux, qu'il y eut effusion de sang, ce soir-là, que la Duchesse a fini la nuit à l'hôpital, que Fine Dumas a fait l'une de ses pires crises d'hystérie, que Jean-le-Décollé, le saint homme, a été obligé de séparer la patronne et la fausse reine avant qu'elles ne se tuent, d'autres jurent à qui veut l'entendre que les membres du triumvirat sont à couteaux tirés depuis ce soir-là, que les injures les plus méchantes et les plus basses volent quand ils se réunissent, qu'ils se vouvoient comme s'ils se connaissaient à peine, que leur association se meurt de sa belle mort, que l'atmosphère du Boudoir ne s'en remettra jamais.

J'ai essayé d'en parler à mon colocataire, une fois. Il s'est contenté de me regarder en secouant la tête.

«Certaines choses ont intérêt à rester dans l'ombre, Céline. Comme endormies. Et sais-tu comment on appelle ça? Des munitions cachées. On sait pas quand elles vont pouvoir servir, mais on sait qu'elles sont là, prêtes à être utilisées quand on va en avoir besoin.

— Tu penses qu'un de vous trois va finir par s'en servir?

— Je le pense pas. J'en suis sûr. Pis pas juste un! Chacun de nous trois, écoute ben ça, tu sauras me dire que j'avais raison, chacun de nous trois, j'en suis convaincu, va trouver un moment ou une façon de ressusciter cette soirée-là pour nuire soit aux deux autres, soit à un seul... C'est inévitable, et c'est de bonne guerre. En attendant, tout ça existe pas. Tu peux passer le mot ou non, ça changera rien.»

Je n'ai pas passé le mot. C'était inutile. Et c'est vrai que ça n'aurait rien changé. Quand la *Main* a besoin d'une bonne histoire sur laquelle échafauder des théories fumeuses, quand le cancan vicieux et la supposition malveillante se mettent en marche, quand la fée médisance ou sa sœur, la sorcière calomnie, descend parmi nous, il n'y a plus de place pour le bon sens ou la simple décence : tout est permis et on se permet tout. Volontiers et avec générosité.

Quand la Duchesse est arrivée, trois quarts d'heure après le coup de téléphone de Jean-le-Décollé, le Boudoir était un peu mieux garni : quelques marins américains dans leur beau costume blanc – «*Sea foods! Sea foods!*» avait crié Mimi-de-Montmartre – buvaient des gin tonics en regardant Mae East beugler que non, rien de rien, non, elle ne regrettait rien – cette fois, c'était Édith Piaf qui était géante –, et un groupe de touristes finlandais qui n'avaient jamais vu de travestis de leur vie parce que ça n'existe pas dans leur pays gardaient les yeux ronds devant tout ce qui se passait dans le bar. Les femmes n'en revenaient pas, les hommes en redemandaient. Ce n'était pas avec eux, les Finlandais, que nous ferions de l'argent, nous le savions, mais ça mettait un peu d'ambiance dans la place.

Sans l'avoir vue arriver, j'ai su que la Duchesse était là parce que j'ai entendu la patronne crier à la fin des applaudissements, plutôt maigres, qui s'élevaient pendant qu'Édith Piaf sortait de scène :

«Qu'est-ce que tu fais ici un petit mardi soir, Édouard? Tu vends pas des souliers, toi, demain matin à l'aube?»

Madame appelle la Duchesse par son prénom quand elle lui en veut ou que quelque chose va mal. La Duchesse le sait autant que nous et marche alors sur des œufs.

Comme les chambres n'étaient pas occupées – les filles se mouraient de rencontrer les marins américains et les timides Finlandais, aucun d'entre eux cependant ne s'était encore décidé à venir faire son tour dans l'arrière-boutique, même s'ils lorgnaient vers les toilettes des hommes en se poussant du coude –, je me suis glissée dans le petit corridor qui mène au bar et, encore une fois, j'ai jeté un coup d'œil furtif entre les perlouses de verre. C'était la troisième fois de la soirée et j'avoue que je me sentais un peu ridicule.

Babalu montait sur la scène en envoyant du bout des doigts des baisers aux spectateurs et fut accueillie par une véritable salve d'applaudissements, la première de la soirée. Tout ce qu'elle avait d'un peu ressemblant avec Brigitte Bardot était le petit foulard de tête noué sous le menton, mais le public, bon enfant, avait décidé de jouer le jeu et faisait comme si la ressemblance était frappante.

Tout le monde sait que Brigitte Bardot chante mal, alors l'imiter n'est pas un problème, même pour le plus mauvais des imitateurs. Surtout que notre boîte, je l'ai déjà dit, n'est pas un endroit où le spectacle est particulièrement important. Babalu faisait donc n'importe quoi avec une voix de fausset, se plaçait de profil au micro en cambrant les reins, chantait *La Marseillaise* avec un accent français aussi faux que l'accent anglais de Fine Dumas, et tout le monde était content. Je me suis dit que les marins se décideraient peut-être bientôt – et, qui sait, quelque grand Finlandais blond encouragé par sa femme –, et je m'apprêtais à me retirer dans mon antre en me disant que de toute façon je n'entendrais rien de ce qui se dirait entre Madame et la Duchesse, lorsque j'ai vu cette dernière poser la main sur le bras de la patronne. Fine Dumas n'aime pas qu'on la touche, se raidit au contact d'une main, repousse les baisers dont elle n'est pas l'initiatrice et recule devant une esquisse de caresse. Mais cette fois-là, elle laissa la main de son amie couvrir la sienne sans bouger, elle alla même jusqu'à pencher la tête, comme une repentante ou quelqu'un, frappé par le malheur, dont la souffrance est devenue insupportable.

Je n'ai rien entendu de ce qui se disait entre elles, bien sûr, mais leur langage corporel était des plus évident et, au papillonnement des gestes de Madame, à la tension dans le cou de la Duchesse, à la façon que cette dernière avait, aussi, de bouger les hanches en parlant, comme pour accentuer ses paroles, je devinais le déroulement de la conversation, son évolution, les réticences de la patronne, les efforts de la Duchesse pour se faire plus convaincante, les attaques, les contre-attaques puis, au bout de quelques minutes, après des discussions sans fin, des coups de gueule, des têtes secouées dans tous les sens... la reddition tant attendue. Qui est d'ailleurs venue très soudainement, comme si Madame avait craqué tout d'un coup, se rendant aux arguments de la Duchesse par pure fatigue ou par paresse, parce que résister plus longtemps représentait un trop grand effort pour une femme aussi accablée.

Elle a tout à coup penché la tête par en arrière et lancé un de ces grands rires annonciateurs de bonnes nouvelles ou de sentences définitives qui font trembler la *Main*. La Duchesse avait encore réussi à faire rire Madame!

Les épaules de la Duchesse se sont détendues d'un seul coup, elle a fait le dos rond, a porté une main à son front. J'imaginais la sueur qui coulait, le soupir de soulagement, le cœur qui se remettait à battre.

Je me suis rendu compte que Jean-le-Décollé était à côté de moi. Avait-il assisté à cette nouvelle victoire de la Duchesse? Victoire dont il était d'ailleurs l'instigateur puisqu'il avait lui-même appelé la Duchesse à la rescousse. Je ne savais pas à quel moment il était arrivé, ce qu'il avait vu, ce qu'il avait pu, comme moi, deviner de la conversation qui venait d'avoir lieu. Lorsque je me suis tournée vers lui, il s'est contenté de hausser les épaules en esquissant ce petit sourire de défaite qui nous échappe dans ces moments-là et qui en dit si long sur notre état d'esprit.

«Au moins, on va avoir la paix. Et on va peut-être avoir notre cadeau.»

Les poings sur les hanches, la voix plus aiguë que d'habitude, lui qui se fait un point d'honneur de toujours utiliser un ton viril, surtout quand il est habillé en femme, Jean-le-Décollé semblait au bord de l'hystérie :

«Veux-tu ben me dire ce que tu lui dis pour qu'elle fonde comme ça devant toi quand tu lui parles?»

La Duchesse se redressa sur le piton rouge où elle était venue me rejoindre, secoua la tête pour faire bouger des mèches de cheveux qui n'y étaient pas parce qu'elle n'avait pas pris le temps de se mettre une perruque de femme, agita le bras dans un geste qui rappelait vaguement Bette Davis quand elle est sur le point de dire une vacherie et partit d'un rire de gorge raté qui se termina en toux de gros fumeur. Elle replaça ensuite la petite moumoute noire qu'elle porte tous les jours en pensant que ça fait illusion alors qu'on jurerait que quelqu'un lui a renversé une bouteille complète d'encre de Chine sur la tête ou qu'elle s'est elle-même peint une perruque sur le crâne avec un gros pinceau.

«Y a des secrets, comme ça, mon Ti-Jean, qui doivent rester secrets! Des recettes de famille qui doivent pas quitter les familles!

— Es-tu en train de me dire que c'est de famille?

— On est très convaincants, oui, dans ma famille... C'est un don...

— C'est ben le seul que vous avez...

— Peut-être, mais y est précieux! Regarde Thérèse, ma nièce, qui a été bannie je sais pus combien de fois de la *Main*... Elle finit toujours par rebondir...

— Un bon jour, elle va rebondir sur un mur de briques, celle-là, et elle se relèvera pus... Et on pourra pas dire que ça va nous faire de la peine...»

La Duchesse s'était levée, visiblement inquiète.

«Pourquoi tu dis ça? As-tu entendu que-qu'chose?»

La Duchesse est très susceptible au sujet de sa nièce Thérèse que la *Main* rejette sans cesse depuis des années mais qui trouve toujours une façon de reparaître, fraîche comme une rose, arrogante, pardonnée, allez savoir comment, pour des gaffes que d'autres filles ont payées sinon de leur vie, du moins de leur carrière dans le quartier. On la prétend protégée en haut lieu, elle aussi, on dit que Maurice-la-Piasse et elle sont des amis d'enfance, qu'ils ont été amants, on va même jusqu'à insinuer dans certains cercles qu'elle a commencé à sortir avec Bec-de-Lièvre, la sœur de Maurice, juste pour rentrer dans les bonnes grâces du roi de la *Main*. Et que, une fois de plus, ça a marché puisque Thérèse est revenue semer la zizanie au Ben Ash depuis quelques mois. Qui ne s'en remettra peut-être pas, d'ailleurs, parce que les clients ont commencé à le déserter. À cause d'elle.

«Laisse faire Thérèse pour à soir, Duchesse, on a des chats plus importants à fouetter...»

Ravi de son effet – il avait réussi à désarçonner la Duchesse –, Jean-le-Décollé nous a tourné le dos et est reparti vers l'une des nombreuses chambres inoccupées.

La Duchesse s'est tournée vers moi.

«As-tu entendu quequ'chose, toi, Céline?»

J'ai lissé ma robe verte en regardant le bout de mes souliers. La nouvelle courait en effet depuis quelques jours que Thérèse allait y goûter encore une fois, que ce coup-là Maurice en avait assez et que Bec-de-Lièvre n'y pourrait rien : la guillotine n'était pas loin. Il me fallait donc détourner la conversation, ce n'était pas à moi de parler de ces choses-là avec la Duchesse.

Du temps où j'étais serveuse, j'aimais bien Thérèse qui venait souvent au Sélect pour griller une cigarette au-dessus d'une tasse de café, mais je comprenais qu'on la trouve insupportable. À jeun, c'est la fille la plus formidable du monde, efficace dans son travail, drôle, avec un sens de la repartie presque aussi développé que celui de son oncle Édouard. Mais quand elle a un coup dans le nez, elle devient un monstre sanguinaire et rien ni personne ne trouve grâce à ses yeux. Et elle commet gaffe sur gaffe, plus grave l'une que l'autre, sans scrupules, en se moquant de tout le monde, sûre de toujours sortir gagnante.

Je cherchais donc une façon de dévier la conversation lorsque j'ai aperçu les souliers que portait la Duchesse. D'habitude, elle arbore de très hauts talons aiguilles qui lui donnent une démarche chaloupée à cause de sa corpulence, mais ce soir-là elle avait chaussé de petites babouches de toile beige qui juraient un peu avec son pantalon de chino bleu poudre et sa chemisette de coton rouge sang. Quand on la regardait de la tête aux pieds, elle allait en pâlissant : le noir corbeau de la perruque, le rouge de la chemise, le bleu du pantalon, le beige des souliers. Curieux effet. C'était peut-être en réaction aux célèbres camaïeux de Fine Dumas, qui jamais ne porte plus d'une couleur à la fois et qui m'avait avoué, un jour, que c'était parce qu'elle voulait qu'on sache qu'elle était faite d'une seule pièce... Il était donc évident que la Duchesse était faite de plusieurs pièces superposées. Alors j'ai sauté sur ses chaussures de toile beige pour éloigner la Duchesse des mésaventures de Thérèse.

«Où est-ce que t'as acheté tes babouches, Duchesse?»

Elle est revenue s'asseoir à côté de moi et a étiré les jambes pour bien me montrer ses chaussures.

«C'est ça, des babouches? Je pensais que des babouches ça finissait en pointe, comme les souliers d'Aladdin, dans *Les mille et une nuits.* Sont belles, hein? Et pas chères! Je trouve que ça fait Indrig Bergman. Tu sais qu'Indrig Bergman porte toujours des souliers à talons plats, dans ses films, parce qu'est trop grande pour ses partenaires? Y paraît que c'est toutes des petits bas culs qui me viennent même pas à l'épaule, à Hollywood... T'sais, comment y s'appelle, là, euh... Alan Ladd? Ben, y paraît que c'est quasiment un...»

Elle s'est arrêtée juste avant de prononcer le mot nain, a rougi tel un homard qu'on vient de jeter dans l'eau bouillante. J'ai fait comme si je ne m'étais pas rendu compte de sa gaffe, pas par bonté d'âme, juste parce que je suis habituée à ce qu'on commette ce genre de bévues devant moi. Mais c'était la première fois que ça arrivait à la Duchesse et je ne lui en ai pas tenu rigueur.

Greta-la-Vieille, qui passait par là et qui l'avait entendue, s'est arrêtée devant nous.

«C'est pas Indrig Bergman, Duchesse, c'est Ingrid Bergman.

— Voyons donc! Si y a quelqu'un qui connaît Hollywood, ici, c'est ben moi! Si je dis In**drig** Bergman, c'est parce que c'est In**drig** Bergman! I-N-**D**-R-I-**G**, **Indrig**! Voyons donc! Comme si je savais pas de quoi je parle! Va donc faire peur au monde sur la scène, toi, au lieu de reprendre les autres!

— Tu vérifieras dans les annonces de journaux...

— Tu crois à tout ce que tu lis là-dedans, toi? Pauvre petite fille! La plupart du temps, ils savent pas ce qu'y écrivent!»

Le cas était réglé, la Duchesse avait raison contre la Terre entière encore une fois. Nous savions que ça ne servirait à rien de continuer à discuter. Ça aussi c'est de famille, j'imagine, cette conviction de toujours avoir raison, de toujours avoir la solution à tout, de ne jamais douter de rien. Je les envie, ces gens-là, les champions de la certitude, moi qui me torture toujours en doutes et en questionnements sans fin et qui, jamais, n'arrive à une conclusion définitive.

Greta-la-Vieille, bonne fille, s'est contentée de hausser les épaules en soupirant d'exaspération.

«Au moins, moi, chuis capable de monter sur une scène!»

La Duchesse a fait celle qui n'avait pas entendu, mais moi je savais que le coup avait porté.

Depuis que madame Petrie lui a dit au Théâtre National, il y a vingt ans, qu'elle n'avait aucun talent pour monter sur une scène, qu'elle n'était qu'une comique de salon, qu'il était illusoire d'imaginer qu'elle pourrait un jour gagner sa vie autrement qu'en vendant des chaussures, la Duchesse a développé une véritable phobie des planches. Placez-la au milieu d'une scène, micro en main, dans le feu d'un projecteur, et elle fige comme un Bambi devant les phares d'une voiture. Elle perd toute contenance, bafouille, bavoche, n'arrive pas à sortir quoi que ce soit de drôle. S'il lui arrive d'essayer de chanter, elle se rend encore plus ridicule, oubliant les mots ou les confondant, et, surtout, incapable de suivre le rythme. Enfin, bref, elle fait tout pour donner raison à madame Petrie même si elle n'aimerait rien mieux que de prouver à la vieille actrice de music hall qu'elle a eu tort.

Si on expliquait à Juliette Petrie le dommage qu'elle a fait à la Duchesse, elle ne le croirait pas. Je ne sais même pas si elle se souvient encore de ce pauvre balourd qui s'était confié à elle un soir de grand désespoir et qu'elle avait écrasé comme une mouche sans même s'en rendre compte.

Mais lancez la Duchesse dans un party bien garni de beaux hommes, fournissez-la, et généreusement, en boisson forte, surtout le rye, poison de sa famille, installez-la, bien entourée, sur une chaise droite ou dans un profond fauteuil, elle n'est pas regardante, et elle s'anime, s'agite, devient l'âme de cette fête, son essence. Elle aborde tout le monde, raconte des histoires, sans doute inventées parce que trop absurdes, au sujet de ses voyages à travers la planète, en particulier sa visite éclair à Paris, en 1947, mais qui font la joie des invités. Elle vous imite toutes les stars américaines et françaises des années trente et quarante, de Ginger Rogers à Annette Poivre, de Rosalind Russell à Gaby Morlay, en passant par Sazu Pitts et, évidemment, sa préférée, Edwige Feuillère, dans *La duchesse de Langeais*, bien sûr, c'est là qu'elle a pigé son nom, mais aussi dans *L'aigle à deux têtes*, à cause de la scène de l'escalier, à la fin. (Parfois elle prétend comme son amie la Vaillancourt que c'est Edwige elle-même qui déboule l'escalier, parfois elle dit que c'est Jean Marais, selon les besoins du moment, je suppose.) Elle chante *Mon p'tit tra-la-la* sans se soucier si sa voix ressemble ou non à celle de Suzy Delair et danse *It's too Darn Hot* en contrefaisant à la perfection les tics d'Ann Miller. Un obèse qui danse les claquettes, faut voir ça! Elle met de la vie là où l'ennui régnait, elle fait chanter des gens jusque-là sans voix et arrive à faire danser des éléphants.

Et c'est ce qu'elle a réussi encore une fois ce soir-là.

Lorsqu'elle est retournée dans la partie bar du Boudoir – je l'ai suivie parce que je sentais que quelque chose de grandiose allait se produire et je ne voulais rien manquer –, la morosité régnait toujours, même si Madame avait changé d'humeur. Les *sea foods* et les Finlandais ne se décidaient pas à traverser de mon côté mais, heureusement pour la caisse, buvaient comme des trous. La grosse

Sophie était épuisée à force de piocher sur son piano droit. Les «artistes» en avaient assez de se démener pour rien. On avait soudain l'impression que ce n'était plus un bordel mais n'importe quel bar de travestis cheap de n'importe quelle ville de n'importe quel pays. (Sauf la Finlande, bien sûr, où, je l'ai écrit plus haut, les travestis n'existent pas. Mais les touristes finlandais en avaient déjà assez de rire de nos deux fausses Brigitte Bardot et de nos imitateurs de Marilyn Monroe et semblaient sur le point de quitter les lieux.)

La Duchesse a vite pris la situation en main.

Elle a une fois de plus replacé sa moumoute noire tout en faisant un clin d'œil en direction de Fine Dumas qui fumait au bout de son bar en essayant de produire des ronds avec sa boucane comme si de rien n'était alors qu'elle comptait les dollars qui n'entraient pas dans sa caisse, et s'est dirigée droit sur la table des marins américains. Qui ont ouvert de grands yeux ronds en apercevant cette espèce de gros personnage mi-homme mi-femme qui débarquait au milieu d'eux comme s'ils avaient élevé les cochons ensemble, là-bas, quelque part au Kansas ou au Dakota du Nord.

Pour épier ce qui allait arriver, je suis restée près de Madame qui, à mon grand étonnement, ne m'a pas reproché de ne plus être à mon poste.

La Duchesse a tiré une chaise, s'est assise en pliant la jambe en femme du monde qui oublie que ça ne se fait pas et a dit, à la cantonade :

«Hello, boys, my name is Cyd Charisse, what's yours? And which one of you is Gene Kelly?»

Il y eut un court silence avant le grand éclat de rire général. Mais ce fut un très long court silence! J'ai regardé Madame qui mordait son fume-cigarette, prête à tout pour sauver son bar au cas où une bataille éclaterait, intervenir, menacer, flatter sans vergogne et, s'il le fallait, aller jusqu'à appeler la police, même si elle savait que ça lui coûterait cher en drinks de toutes sortes et pots-de-vin bien replets.

Les marins se regardèrent, étonnés du front de beu de la Duchesse, puis prirent le parti de la trouver drôle – après tout, ils savaient très bien dans quel genre d'établissement ils se trouvaient – et éclatèrent de rire en se tapant sur les cuisses et en se poussant du coude. La tension retomba aussitôt, les verres claquèrent sur le faux marbre de la table, la Duchesse renversa la tête par en arrière comme une véritable courtisane qui est arrivée à ses fins et j'entendis très distinctement Madame lancer un soupir de soulagement.

Plutôt que de leur refaire son imitation de la reine d'Angleterre, cependant – ils étaient Américains et Elizabeth II restait le dernier de leurs soucis, – la Duchesse se lança dans un numéro que je n'avais jamais vu, peut-être improvisé sur place, peut-être peaufiné au fond de son lit pendant de longues nuits d'insomnie, mais génial, une espèce de résumé de toutes les imitations qu'elle peut faire en anglais, passant d'une célébrité à l'autre sans prendre la peine de respirer, ne laissant aucune chance à qui que ce soit de placer un seul mot, drôle à mourir, son anglais mélodieux tout à coup et presque savant, comme si elle était née loin au sud de la frontière canadienne. Elle se pliait en deux sur sa chaise pour imiter Joan Crawford apercevant le rat dans son assiette à soupe, se redressait, illuminée, dans sa Gloria Swanson descendant l'escalier de sa maison de Beverly Hills pour dire, les yeux fous, les épaules raides : «*I'm ready for my close up, Mister de Mille…*», elle se mettait la bouche en trou de cul de poule pour roucouler, à la Mae West : «*When I'm good, I'm good, but when I'm bad, I'm better!*»

Les Finlandais s'étaient approchés de la table des Américains, deux Japonais prenaient des photos, les quelques femmes présentes riaient encore plus fort que les hommes, c'était le pandémonium, le succès enfin, la joie.

Mais il fallait convaincre ces gens-là de sauter le pas, de faire plus que lorgner vers la partie bordel du Boudoir, d'oser pousser le rideau de perlouses pour aller goûter aux délices perverses de Greta-la-Vieille, de Greta-la-Jeune, de Nicole Odeon, de Babalu, et même de Jean-le-Décollé dont j'apercevais la face épanouie – l'appât du gain gomme bien des rivalités – derrière le piano de la grosse Sophie. Quant à Mae East, la pauvre, elle allait sécher sur place à cause de sa maladie honteuse.

Sur ces entrefaites, un autobus de touristes français débarqua au Boudoir. Et les choses furent encore retardées.

Aussitôt qu'elle les vit entrer, râleurs – qu'est-ce que c'était que ce car pourri trop climatisé conduit par un plouc à l'accent à couper au couteau! – bruyants – alors, a-reuh, a-reuh, a-reuh! –, trop sûrs d'eux-mêmes – ils ne m'en passeront pas une, monsieur, pas une! –, revenus de tout – j'en ai vu, des travestis, à Paris, et c'est pas demain la veille que j'en verrai de semblables, croyez-moi! –, la Duchesse s'est littéralement jetée sur eux en criant: «Le dessert, les filles! Des pâtisseries françaises!» Ils n'ont pas eu le temps de se rendre compte de ce qui leur arrivait qu'un gros monsieur bizarrement accoutré et coiffé d'une invraisemblable moumoute noir corbeau les prenait en charge comme s'ils étaient les invités d'honneur d'un banquet chic à l'Élysée et lui leur maître d'hôtel particulier. Ai-je besoin d'ajouter que la Duchesse avait changé d'accent le temps de le dire et que c'est désormais Edwige Feuillère elle-même, mais devenue obèse et déguisée en homme, qui leur adressait la parole? La Duchesse est la seule personne que je connaisse qui peut parler plus vite qu'un Français, plus fort et de façon plus arrogante.

Ils n'ont pas eu le temps de protester qu'ils étaient installés à quatre tables de huit personnes et qu'autant de bouteilles de champagne avaient été commandées. La Duchesse n'écoutait pas ce qu'ils disaient, au contraire elle leur coupait sans cesse la parole, elle multipliait les œillades coquines et les jeux de mots à double sens, appelant les femmes Germaine et les hommes Fernand, elle voltigeait d'une table à l'autre, elle distribuait des tapes amicales et des baisers sur des fronts dégarnis, enfin, bref, elle les avait enroulés autour de son petit doigt en moins de cinq minutes. La croyant Française – quoique provinciale sans toutefois situer l'accent en question – et engagée pour eux seuls, ils ne pouvaient pas se permettre d'être insolents avec elle et se laissaient mener par le bout du nez en prenant leur trou, se sentant en plus obligés de rire à des farces vieilles comme le monde et de boire du champagne qu'ils n'avaient pas prévu à leur budget. Quand tout son monde fut bien assis, les bouteilles débouchées et le toast levé à l'amitié entre les Français et leurs cousins québécois, elle revint tout d'un coup, et à leur grand étonnement, à son accent montréalais le plus cru et leur fit l'un des plus beaux discours de toute sa carrière de baratineuse :

«Tout le monde est ben installé, là? Germaine? Fernand? Bon, ben, à c't'heure, laissez-moé vous dire une affaire : vous êtes pas icitte pour critiquer, vous êtes pas icitte pour dire que vous comprenez pas c'qu'on vous dit, vous êtes pas icitte pour bayer aux corneilles en trouvant toute plate pis toute mauvais, vous êtes icitte pour avoir du fun, pis si vous vous laissez faire, un peu, vous allez en avoir! Le fun, c'est notre spécialité, au Boudoir! Pis nos spécialités sont diversifiées et fort intéressantes! Ça fait que slaquez, un peu, détendez-vous le grand nerf par oùsque le fun passe, flirtez avec les marins américains pis les beaux grands Finlandais, visitez notre célèbre arrière-boutique dont vous avez dû entendre parler, sinon vous seriez pas icitte, buvez, chantez, dansez, la facture va être salée, mais ça va valoir la peine! Comme à Paris! Au fait, mon nom est Alexandrine de Navarreins, duchesse de Langeais, chus vulgaire comme douze mais drôle comme quinze, c'est moé qui va s'occuper de vous autres à soir, pis si vous me faites confiance, vous allez avoir le *time* de votre vie! Dénouez la cravate, tombez la veste, détachez le corset, le show va commencer! Je vous préviens qu'y est *cheap*, que les artistes font dur pis qu'y sont sans talent, mais c'est voulu! O.K., là? C'est voulu! Ça fait que j'en voye pas un critiquer! Brigitte Bardot a l'air de sortir d'une poubelle, Mae West a grossi de cinquante livres, Marilyn Monroe est anémique, mais c'est ça qui est drôle! Ça fait que riez! Pis venez pas me dire que vous avez déjà vu des travestis comme ceux-là, c'est pas vrai! Ceux-là sont laids voulu, pis à votre service, après! À ton service, Fernand. Pis à ton service, aussi, si tu veux, Germaine! Pis laissez-moé vous dire que le talent qu'y ont pas sur la scène, y l'ont en coulisse!»

Personne n'avait osé prononcer un seul mot pendant sa longue diatribe. Ils la regardaient, les yeux ronds, une étincelle de peur au fond des prunelles, impressionnés.

Puis elle a levé le doigt vers le plafond et a lancé un dernier avertissement :

«Pis que j'en voye pas un seul prétendre qu'y a pas compris ce que je viens de dire!»

Elle s'est penchée vers une dame d'un certain âge, corpulente et même massive :

«Avez-vous toute compris, Germaine?»

La dame prit le parti de rire et acquiesça.

«Dites-le, que vous avez toute compris!»

La Germaine en question s'exécuta et avec une certaine grâce, je dois l'avouer :

«Bien sûr que j'ai tout compris! J'ai une cousine qui vient du Perche!»

La Duchesse lui pinça gentiment la joue.

«On doit être parents, parce que mon ancêtre aussi était Percheron! Bonne soirée, Germaine!»

Elle s'est alors tournée vers les Américains qu'elle avait quittés de si cavalière façon et leur dit en prenant une pose suggestive :

«The show is about to begin, boys! But I'm at your disposal, if ever you need moi! I do everything! Twice!»

Elle s'est assise à égale distance entre les Américains et les Français et a levé les bras en criant à Sophie :

«À toi, ma belle Sophie! Que la fête commence!»

Le reste de la soirée fut un véritable triomphe. On acclama à tout rompre des choses innommables, imitations ratées, tours de chant d'une pauvreté affligeante, sketches sans rythme et sans fin parce que les artistes ne savaient pas comment les conclure, mais tout ça livré avec une telle sincérité, une telle bonne humeur et une telle bonhomie que ça en devenait irrésistible. Ceux qui ne parlaient pas français faisaient semblant de comprendre et les Français oubliaient de critiquer l'accent. La fête, fouettée par une Duchesse déchaînée, se trouvait d'ailleurs dans la salle autant que sur la scène. La Duchesse était partout à la fois : elle encourageait Germaine et Fernand à chanter *Le petit Chaperon rouge* avec Mae East qui avait oublié sa maladie vénérienne pendant un petit quart d'heure pour nous livrer, précisément en l'honneur des Français, sa version de ce qu'elle se souvenait des disques de Jacques Élian et son orchestre, dont sa mère avait raffolé dans les années quarante ; elle chantait elle-même *Singing in the Rain* à la table des Américains, grimpant au poteau central du Boudoir comme s'il s'était agi du lampadaire de Gene Kelly ; elle courait arracher des quartiers de citron des mains de Mimi-de-Montmartre pour se refaire une salive ; elle encourageait Greluche à servir plus vite pour que les clients boivent plus vite ; elle allait porter des bières à la grosse Sophie qui les méritait bien ; elle tapotait le genou de Fine Dumas quand elle passait près d'elle; elle murmurait des choses à l'oreille des Finlandais en leur montrant le rideau de perles de verre qui menait à la toilette des hommes et, surtout, derrière...

Lorsque les hommes commencèrent à lorgner sérieusement en direction de mon antre, je suis retournée à mon poste en boitillant au cas où Madame me surveillerait. Je n'avais encore jamais vu le Boudoir aussi animé et la patronne aussi heureuse. La recette allait dépasser nos espérances et nous aurions peut-être notre maudit cadeau!

Grâce à la Duchesse!

J'ai retiré la boîte de cinq livres de chocolats Lowney's cachée sous le piton rouge, je l'ai placée à côté de moi sur le velours usé et j'ai posé la main dessus avant de faire venir Mae East qui sortait de scène, épuisée mais souriante. Et détendue pour la première fois de la journée.

«Tu sais quoi faire, Mae?

— Ben oui! J'te vois faire tous les soirs! J'accueille les clients...

— Non, laisse faire l'accueil... J'vas m'en occuper...

— Mais t'as dit à Madame...

— Laisse faire ce que j'ai dit à Madame... J'vas m'occuper de l'accueil moi-même, si ça te dérange pas trop, chuis habituée au baratin, je sais comment leur parler, ça fait des mois que je le fais. Toi, tu vas te contenter de donner le menu aux clients, d'aller les reconduire aux chambres quand ils vont avoir fini de le consulter... et me les ramener quand ils vont avoir fini leur business.»

Je pianotais sur la couverture de la boîte de carton.

«J'pense même que j'vas augmenter les tarifs, à soir, ils ont trop de fun!»

Le premier client s'amenait. Un des Finlandais, plus brave que les autres, mais quand même rouge de confusion. Mae East se précipita vers lui, lui tendit le menu en minaudant. Comme la plupart des hommes qui se présentent chez moi, il parut d'abord surpris, mais comprit vite qu'il devait faire son choix sur papier, que les denrées que nous avions à lui offrir étaient les mêmes que celles qu'il venait de voir sur la scène et se mit à feuilleter la carte avec une certaine nervosité.

«Tu lui as donné le menu en anglais, au moins? Qu'il comprenne bien les spécialités de chacune?

— Ben oui, chuis pas idiote! Il faut qu'il comprenne vite que même si on fait dur, on est efficaces!»

D'autres se joignirent bientôt à lui, puis d'autres encore. Les Américains, quelques Japonais et même une vedette de la télévision québécoise que nous fûmes tous étonnés de voir là et à qui Jean-le-Décollé se fit un plaisir de faire tout ce qu'il demandait. Et même d'en remettre. Les Français furent les derniers à se décider. Ils considéraient peut-être qu'une visite chez moi représentait une atteinte à leur légendaire virilité… Après tout, toutes ces femmes étaient des hommes, non? Une fois bien soûls, cependant, et encouragés par Germaine qui ne détestait peut-être pas humilier un peu son homme, ils se pointaient devant le piton rouge, feuilletaient le menu, faisaient parfois la grimace, mais finissaient toujours par suivre Mae East en direction des chambres. Non seulement c'étaient des hommes qu'ils allaient voir, mais ce n'étaient même pas de belles femmes, alors rien de tout ça ne comptait ni pour Germaine, qui ne pouvait quand même pas se montrer jalouse, ni pour Fernand qui, après tout, n'était là que pour expérimenter…

Les chambres furent donc bientôt engorgées. Surtout avec une fille en moins! Et Dieu sait si Mae East est dure au travail! Et dévouée!

Un va-et-vient incessant se fit dans le bordel, une queue se formait le long du corridor qui menait de chez moi aux toilettes des hommes, ça chantait, ça trinquait, ça buvait à la santé de l'amitié entre les peuples et ça ressortait des chambres allégé, ravi, rarement honteux. Mais parfois. Ceux-là, ceux qu'on appelle les grincheux parce qu'ils nous en veulent à nous de l'incartade qu'ils viennent de commettre et veulent nous la faire payer, nous nous en méfions : ils sont souvent de mauvais payeurs et ont toujours le pourboire chiche. Mais ils furent peu nombreux, ce soir-là, l'atmosphère n'étant pas à la critique et à l'auto-analyse, mais au gros fun noir et à la beuverie.

Un Français sortit même de la chambre de Babalu en hurlant :

«C'était le meilleur pompier de ma vie! Il faudrait que vous donniez des cours à ma femme!»

La fête était à son apogée, les chambres occupées, le Boudoir en liesse, la Duchesse plus hystérique que jamais – je l'entendais jusque chez moi beugler *Frou-frou* ou bien S*ome of these Days* avec sa voix de stentor –, lorsque Fine Dumas s'est présentée au bordel. Avec son front plissé garni de sueurs et ses rides autour des yeux, elle nous donnait sans le savoir un aperçu de la vieille femme qu'elle serait bientôt.

«Céline! Céline! La place va *buster* si ça continue comme ça!»

J'étais en train d'aménager l'intérieur de ma boîte de chocolats qui débordait d'argent, plaçant les billets par ordre de valeur : les cinq, les dix, les vingt, plusieurs cent. La maison n'accepte pas les billets de un et de deux dollars; rien, ici, ne coûte moins de cinq dollars. Et, j'en ai déjà fait mention, tout se paye comptant.

J'ai fait un grand sourire à la patronne.

«J'pense que ça va être une des plus grosses soirées depuis l'ouverture, Madame! Pour un mardi soir, c'est incroyable!»

Elle s'est assise à côté de moi en s'éventant avec la main.

«On fournit pus. Va falloir que tu remettes Mae East sur le plancher.»

Au même moment, celle-ci me tendait un billet de cent que venait de lui refiler un des Américains. Elle a figé au milieu de son geste.

«Mais Madame, Céline peut pas se déplacer...»

La patronne continuait de s'éventer, mais avec un des menus tourné à la page qui chantait les mérites de Greta-la-Vieille.

«Ben oui, elle peut se déplacer! Est venue regarder le show avec nous autres, tout à l'heure! Et elle boitait pas tant que ça!»

J'ai fait signe à Mae East de s'éloigner et j'ai refermé la boîte de carton avec une certaine brusquerie.

«J'peux me déplacer, Madame, c'est vrai, même si ça me fait mal, mais je peux pas me barouetter d'un bord et de l'autre comme je le fais d'habitude... J'aurais peur d'aggraver ma foulure...»

Fine Dumas a posé sa main sur mon genou droit, geste absolument étonnant de sa part.

«Fais ça pour moi, Céline. Essaye de bouger le moins possible, mais remets Mae East sur le plancher! Faut que ça aille plus vite, ça a pas de bon sens, on fournit pus! Si ça continue comme ça, on pourra pas accommoder tout le monde! Une fille sur six en moins, c'est beaucoup! Essaye de tout diriger d'ici, bouge le moins possible, chuis sûre que c'est faisable!»

Elle s'est levée comme une jeune fille qu'on vient d'inviter à danser – elle n'était plus fatiguée, tout à coup – et s'est dirigée vers la porte en contournant les clients, et deux clientes, les premières de la soirée, qui attendaient leur tour. Elle s'est tournée juste avant de sortir :

«Immédiatement, Céline! Pas de discussion!»

Puis elle a disparu en laissant derrière elle un effluve épicé, mélange de son *Chanel N° 5* qui lui avait encore tourné sur la peau et de sueur.

Nous nous regardions, Mae East et moi, catastrophées.

Je ne pouvais quand même pas laisser Mae East répandre la gonorrhée parmi les touristes de l'Expo, même si les ancêtres des Français avaient refilé la petite vérole, la grippe et le scorbut aux premiers habitants de mon pays! Il fallait que je trouve une solution, et vite! Et c'est Nicole Odeon qui me l'a suggérée sans s'en rendre compte. Elle se dirigeait vers la scène pour assurer sa partie du spectacle entre deux galipettes. Exaspérée d'être dérangée en plein gagne-pain, elle m'a lancé en passant devant moi :

«Te peux-tu, toi? Moi, j'me peux pus! J'irais me cacher dans le fond d'une chambre, c'est pas mêlant! »

J'ai aussitôt rappelé Mae East auprès de moi. Elle était pâle et se tordait les mains de nervosité.

«J'peux pas travailler comme ça, Céline, ça a pas de bon sens! J'vas donner la gonorrhée à la moitié des visiteurs de l'Expo! La pénicilline que m'a donnée le docteur a même pas commencé à faire son effet, j'pense! J'ai l'entrejambe en feu, la gorge sèche, les jambes molles! On va avoir des plaintes pas plus tard que demain matin! On va se faire fermer pas plus tard que demain soir! Et je peux pas me fier aux capotes parce qu'après tout, je me laisse visiter autant que je visite...»

J'ai tendu un menu à une Française qui gloussait comme une dinde à qui on donne sa moulée. Elle l'a ouvert, l'a parcouru en riant.

«Je ne peux tout simplement pas croire que je suis en train de faire ça! Je veux la même, euh.. le même, euh... la même personne que mon mari... C'est la maigrichonne, là... vous savez... celle qui chantait *Les parapluies de Cherbourg*, tout à l'heure... Elle fait, semble-t-il, des pompiers à faire pâlir la plus habile des professionnelles parisiennes... Vous croyez qu'elle accepterait de me donner des conseils? Elle a un drôle de nom... Baba Cool?

— Babalu est occupée, mais si vous voulez l'attendre, madame...»

J'ai fait signe à Mae de s'asseoir à côté de moi pendant que la cliente s'éloignait en rougissant.

«Écoute-moi bien, et discute pas, on n'a pas le temps… Tu vas disparaître pour le reste de la nuit… Il reste juste quequ's'heures de travail, de toute façon…

— Disparaître? Comment ça, disparaître!

— J't'ai dit de pas discuter! Il faut que Madame pense que tu travailles… La meilleure façon est que tu te caches dans quequ'coin jusqu'à la fermeture du Boudoir… C'est pas compliqué!

— Mais toutes les chambres sont occupées, Céline…

— Va lire des magazines dans les toilettes, je sais pas, mais disparais! Si Madame revient, il faut qu'elle pense que t'es en train de travailler un touriste! J'vas m'arranger avec les autres filles, j'vas faire des fausses déclarations dans mon *ledger*, j'vas dire que t'as fait sept ou huit clients dans le peu de temps qui te restait… et quand viendra ton tour d'aller chanter, j'irai te prévenir…»

Elle me regardait avec de grands yeux de Bambi devant le cadavre de sa mère.

«T'es sûre que ça peut marcher?

— Qu'est-ce que tu veux qu'on fasse d'autre?

— Et demain?

— Laisse faire demain! Pense à tu-suite! Et pour tu-suite, disparais avant que Madame revienne!»

Elle a jeté un regard affolé dans la salle d'attente du bordel.

«C'est pas ici que tu vas trouver, Mae… Tiens, va fumer dans le hangar…

— Je fume pus…

— Mae, tu m'énerves!

— C'est plein d'araignées dans le hangar!

— Qu'est-ce que t'aimes mieux, Mae, des araignées dans le hangar ou des bleus dans le visage!»

J'étais exaspérée et, je l'avoue, à ce moment-là, je crois que je l'aurais peut-être frappée, moi qui n'ai jamais frappé qui que ce soit de toute ma vie. Elle l'a compris et s'est éloignée sans ajouter un mot.

155

Greta-la-Jeune m'a dit le lendemain qu'elle l'avait entendue hurler à plusieurs reprises dans le hangar…

Quelques heures plus tard, Fine Dumas, au comble de la joie, comptait la recette de la soirée sans même vérifier le *ledger*.

« Vous allez voir, Madame, toutes les entrées sont là...

— J'te fais confiance, Céline, je sais que tu me volerais pas une cenne noire... Ça te coûterait trop cher si tu te faisais prendre... »

Mae East était revenue du hangar en sacrant comme un charretier et sale comme un vendeur de charbon, mais, pour le moment, elle se taisait en regardant la patronne empiler les billets de banque sur le tissu usé du piton rouge. Madame nous avait rassemblés dans mon salon aussitôt le Boudoir fermé pour, cette fois-là c'était vrai, disait-elle, nous révéler la bonne nouvelle annoncée depuis le début de la soirée. Elle se faisait cependant encore attendre, se servait d'une liasse de billets de cent dollars pour s'éventer, riait en brassant la boîte de chocolats : une petite fille impatiente qui veut deviner combien d'argent elle a dans son cochon de plâtre.

Nous étions tous épuisés et nous voulions qu'elle en finisse une fois pour toutes. La grosse Sophie éclusait une dernière bière dans un coin pendant que Mimi-de-Montmartre enlevait les nombreuses couches de cutex qu'elle avait sur les ongles. Ça sentait tellement fort le *remover* que j'en avais les larmes aux yeux. Greluche, les bras croisés, fumait une de ses cigarettes qui puent. Moi, j'attendais patiemment que Madame me dise de bien fermer toutes les portes et toutes les fenêtres avant de quitter. Quant aux filles, elles se regardaient en fronçant les sourcils. Tout ce qui les intéressait pour le moment, c'était un bain chaud, un pyjama et leur lit, vide. Pas un cadeau de Fine Dumas!

La Duchesse était restée parmi nous en disant qu'elle prendrait congé le lendemain matin :

«Mademoiselle Desrosiers, ma patronne, est ben compréhensive... S'il m'arrive de trop fêter, la semaine, comme à soir, j'ai juste à l'appeler à l'heure de l'ouverture du magasin... J'vas l'appeler, vers dix heures, pour lui dire que j'vas rentrer après le dîner... D'abord que les propriétaires le savent pas... De toute façon, le mercredi, c'est des essayeuses, pas des acheteuses... Tout le monde sait qu'on achète pas des souliers le mercredi!»

Madame achevait de fourrer les billets de banque dans le grand sac de toile brute qui avait l'air de rien et qui contenait chaque nuit la recette complète de la soirée. Si les petits voleurs à la tire de la *Main* l'avaient su! Mais ils n'auraient jamais osé toucher à la redoutable Fine Dumas, la femme la plus protégée et la plus respectée de tout le quartier chaud de Montréal...

«J'ai le grand plaisir de vous apprendre qu'on a fait aujourd'hui la plus grosse soirée qui était pas un soir de week-end...»

Faibles applaudissements. Ce n'était pas une nouvelle, nous nous en doutions tous. Après tout, c'était nous qui avions abattu tout le travail!

Elle sortit un petit paquet de billets qu'elle avait caché sous une de ses cuisses.

«La soirée a ben mal commencé, au Boudwar, mais, heureusement, elle s'est très ben terminée... Alors j'ai décidé, pour me faire pardonner ma colère et pour vous récompenser d'avoir si bien travaillé, de vous donner un petit bonus... C'est pas grand-chose, mais c'est de bon cœur...»

Elle nous a tendu à chacun, même à la Duchesse, un billet de vingt que, allez savoir pourquoi, elle pliait en quatre avant de le déposer dans le creux de notre main. Une maman avec ses enfants? Une madame qui a envoyé un voisin faire une course? Une dame riche qui fait l'aumône?

«Vous voyez que chuis pas si chienne que ça quand chuis contente...»

Greluche a toussé dans son poing.

«Et je te dois des excuses, ma Greluche. J't'ai crié après sans raison, j'espère que tu vas me le pardonner.»

Fine Dumas qui présentait ses excuses à quelqu'un! Le ciel nous était-il tombé sur la tête? Entrions-nous dans une ère nouvelle? Nous nous sommes tous regardés en nous demandant ce qui pouvait bien se passer. Allait-elle nous apprendre qu'elle avait le cancer, qu'elle allait disparaître quelques mois pour subir des traitements de chimio, que le Boudoir devrait se passer d'elle pour un long bout de temps? Ça, ce serait tout un cadeau!

Elle a redressé le dos comme lorsqu'elle a quelque chose d'important à nous dire et nous avons tous tendu l'oreille. Ça y était. Enfin. Le chat allait sortir du sac. En temps ordinaire, nous nous serions méfiés, nous attendant à quelque niaiserie sans grand éclat dont elle aurait exagéré l'importance, alors que là, après le bonus et les excuses, tout semblait possible... Nous allions peut-être avoir un vrai cadeau!

«Pour faire une histoire courte... Je sais qu'il est tard et que vous voulez aller vous coucher. Moi aussi, vous en faites pas... Écoutez... Dans une dizaine de jours, le 3 août exactement, j'vas avoir soixante ans, et au lieu d'en faire un drame, j'ai décidé de fêter ça... Non, non, non, protestez pas, je sais que je les fais pas, mais, que voulez-vous, je les ai!»

Je n'ai pas osé souligner à Madame que personne n'avait protesté. Parce qu'à quatre heures du matin passés, même dans l'éclairage flatteur rose pâle de mon salon d'attente, ses soixante ans, elle les faisait malgré l'air coquin de petite fille qu'elle essayait de prendre pour s'attirer des compliments.

«Et pour fêter ça, j'vous ai préparé toute une surprise! Tout le monde va fêter mes soixante ans… parce que je ferme le Boudwar pour vingt-quatre heures et que le 3 août prochain, je vous emmène toute la gang visiter l'Expo! Toute une journée de congé à se promener à l'île Notre-Dame et à la Ronde!»

Un tonnerre d'applaudissements est monté dans le Boudoir. Personne d'entre nous n'avait encore rien vu de l'Exposition universelle parce que, comme Fine Dumas nous en avait prévenus en avril, à l'ouverture de l'établissement, nous travaillions tous les soirs jusqu'aux petites heures du matin, surtout les fins de semaine, et que nous étions trop fatigués le jour pour aller nous promener en plein soleil au milieu des touristes et des odeurs de patates frites.

Frémissante du plaisir de nous apprendre la nouvelle, Madame continuait :

«Comme on va être onze, j'ai loué un petit autobus qui va nous prendre à midi tapant ici pour nous emmener directement à la Ronde. En fin d'après-midi, après la visite de la Ronde et, si ça nous intéresse, des pavillons thématiques à l'île Notre-Dame, on va aller voir *Katimavik*, le spectacle avec Dominique Michel pis Denyse Filiatrault, à la Place des Nations! Il paraît que c'est ben drôle. Et le soir, on va aller manger, sur mon bras, dans un bon restaurant… En plus, j'ai vu dans le journal que le 3 août prochain, ils vont fêter la journée de la Jamaïque, à l'Expo, ça fait qu'on va aller fêter mes soixante ans au rythme du calypso en mangeant des brochettes d'ananas!»

Même si nous savons tous que Madame n'aime pas les effusions, plusieurs d'entre nous, y compris moi, se sont quand même permis de l'embrasser…

et elle s'est laissé faire! La perspective d'une journée de congé consacrée à la visite de l'Expo redonnait de l'énergie à nos corps qui, cinq minutes plus tôt, n'en avaient plus et, soudain, l'idée d'aller nous coucher nous semblait ridicule malgré l'énorme soirée qui s'achevait. Nous avons même un peu exagéré sur les remerciements, nous rappelant la scène de culpabilité que Madame avait commencé à nous jouer, plus tôt, le besoin qu'elle avait eu de nous faire payer le cadeau avant de nous le donner. Si le seul prix à payer était des compliments sur sa bonne mine malgré son âge et des remerciements pour sa trop grande générosité, allons-y gaiement! Et que je me jette aux pieds de Madame, et que je lui tripote le genou, et que je lui dise qu'elle est la plus belle, la plus fine... Elle se rengorgeait, elle faisait des mines de gamine comblée, elle jouait les fausses humbles, distribuait de petites tapes amicales et même quelques baisers mais, bien sûr, du bout des lèvres, en bonne patronne qui se respecte et qui ne veut pas se montrer trop familière avec le personnel.

Nous avons donc décidé de prendre un dernier verre.

À la santé de Fine Dumas.

Qui l'eût cru quelques heures plus tôt?

Madame nous avait demandé, à la Duchesse et à moi, de rester auprès d'elle sur le piton rouge pendant que les autres se dispersaient à travers le Boudoir. Nous sirotions une dernière bière, les yeux mi-clos. Elles avaient allongé les jambes sur le tapis, j'avais appuyé les miennes sur la boîte de chocolats Lowney's désormais vide.

De temps en temps, je jetais un regard interrogateur en direction de la Duchesse qui me le rendait en fronçant les sourcils. Si Madame nous avait demandé de rester auprès d'elle, c'est qu'elle avait quelque chose derrière la tête... Jean-le-Décollé, encore une fois jaloux, le pauvre, avait bien essayé de venir nous rejoindre, mais Madame l'avait renvoyé d'un revers de la main et il s'était éloigné, honteux et tête basse. Était-ce la fin du triumvirat? Le début d'un autre? Et pourquoi?

Sa bière terminée, Fine Dumas a échappé un petit rot qui nous a fait sourire, la Duchesse et moi. Elle se laissait vraiment aller! Elle a bâillé un peu, s'est frotté les yeux, a fait le geste de se lever, s'est ravisée, puis a regardé en direction de la Duchesse comme si une idée venait de lui traverser l'esprit alors qu'il était évident qu'elle préparait son coup depuis un bon bout de temps. Nous la connaissons depuis assez longtemps, surtout la Duchesse, pour ne pas nous laisser leurrer par ses feintes si peu subtiles et ses ruses d'enfant de quatre ans.

«J'aurais quequ'chose à t'offrir, Duchesse…»

C'est drôle, j'ai tout de suite su ce qui allait suivre. À cause de la soirée qui s'achevait, bien sûr, mais aussi parce que c'était dans l'ordre des choses, dans le droit fil de ce que nous venions de vivre. C'est la réaction de la Duchesse, en fin de compte, qui me surprit le plus…

«J'te regardais travailler, à soir… Tu ferais une hôtesse parfaite, Duchesse… C'est pour ça que j'ai demandé à Céline de rester avec nous autres. J'veux qu'elle entende c'que j'ai à t'offrir…»

La Duchesse aussi avait compris parce qu'elle est devenue écarlate, tout d'un coup, comme si on lui avait échappé une cannette de teinture d'iode sur la tête.

«J'aimerais que tu sois le pendant de Céline, mais dans le bar. Je sais pas pourquoi j'avais jamais pensé que le bar avait besoin d'une hôtesse… je suppose que je pensais que ma présence suffisait… Quand quelqu'un d'important se présente, vous vous souvenez de Maurice Chevalier, de Guilda, de l'autre, là, c'est quoi son nom, y paraît qu'est ben connue…

— Carol Channing…

— Ouan, elle, ça reste à prouver, ça, qu'est connue… En tout cas, quand quelqu'un d'important se présente, je joue le rôle de l'hôtesse, mais je pense pas que c'est suffisant… Et en te regardant travailler, à soir, ma belle Duchesse, j'me disais que tu serais parfaite…

— Tu veux que je vienne travailler ici…

— Ouan.

— Que je laisse mon métier…

— C'est pas un métier, Duchesse, c'est une job…

— Que je refasse tous les soirs ce que j'ai fait à soir…

— Ouan…

— Pour combien de temps?

— Comment ça, pour combien de temps?

— Qu'est-ce qui va arriver, après l'Expo?»

163

Madame a accusé le coup en portant la main à son collier de fausses perles du même pervenche que sa robe.

«J'comprends pas ce que tu veux dire...

— Ben oui, tu comprends... Quand l'Expo va finir, penses-tu que le Boudoir va rester ouvert?

— Certainement! Le Boudwar est là pour rester!

— Voyons donc! Ce qui fait vivre le Boudoir, tu le sais très bien, c'est les touristes riches! Quand y aura pus de touristes riches à Montréal, quand Montréal va redevenir la petite ville de province qu'elle a toujours été, qu'est-ce que tu vas faire? Couper tes prix pour les nobodys de la *Main*? Je te connais trop pour penser ça! Non, non, non, quand l'Expo va être finie, le Boudoir va fermer, tu vas te retrouver le bec à l'eau, les filles vont retourner dans la rue, Céline va retourner au Sélect ou dans un autre restaurant qui va vouloir d'elle, et moi j'vas me retrouver gros Jean comme devant, sans job à cinquante ans passé!»

Comme tous les gens qui cultivent depuis toujours la mauvaise foi, Fine Dumas a réagi en faisant dévier la conversation. Plutôt que de répondre aux arguments de la Duchesse, elle est passée à l'attaque.

«Si tu manques d'envergure, Duchesse, dis-le tu-suite, et j'vas retirer mon offre! J'ai pas envie de me retrouver avec un chiant en culottes, un pissou qui peut me laisser tomber n'importe quand parce que ça lui tente pus de travailler! Je t'offre une façon de t'échapper une fois pour toutes de ta petite vie insignifiante, j't'offre d'entrer dans les ligues majeures, de faire tous les soirs de ta vie ce que t'aimes le plus au monde, faire rire les autres, ça fait que réponds oui ou réponds non, mais laisse faire l'avenir! On vit pas pour l'avenir, Duchesse, on vit pour avoir du fun là, tu-suite, maintenant!»

Elle s'est penchée sur elle et lui a murmuré à l'oreille, mais quand même assez fort pour que je l'entende :

« Ton maudit voyage au Mexique, là, que tu rêves de faire depuis toujours… Acapulco… Le Pacifique… Les couchers de soleil… Les drinks exotiques… Les Mexicains basanés… Tu pourrais te payer tout ça, enfin, avec l'argent que tu pourrais faire d'ici la fin de l'Expo… »

La Duchesse ne s'est pas laissé démonter. Ça m'étonnait, moi aussi, qu'elle ne saute pas sur l'occasion comme je l'avais moi-même fait quelques mois plus tôt en me disant au diable l'avenir, profitons-en pendant que ça passe… Surtout après la conversation salutaire que j'avais eue avec elle, la veille de mon départ du Sélect, et que je raconterai peut-être plus loin…

Je fais beaucoup d'argent, au Boudoir, je suis en train de me ramasser un beau petit pécule et le reste ne m'intéresse pas… Je fais comme tous ceux qui travaillent ici, comme sans doute tous ceux qui travaillent à l'Expo, en fait, je mets le reste de mes activités entre parenthèses pour profiter de l'occasion que j'ai de faire du cash…

La Duchesse a mis fin à la conversation d'une seule phrase.

« J'ai cinquante-cinq ans, Joséphine, Céline en a vingt-deux. »

La patronne s'est redressée sur le piton rouge, puis a glissé ses pieds dans ses chaussures qu'elle avait retirées en recevant sa bière.

« C'est un non définitif? T'es capable de laisser passer une occasion pareille? T'es plus niaiseuse que je pensais, Duchesse… »

Madame allait s'éloigner le plus dignement possible lorsque la Duchesse a semblé se raviser. Elle a étiré le bras pour toucher la hanche de Fine Dumas. Celle-ci, qui devait s'y attendre, s'est immobilisée juste devant moi. J'étais toujours assise, les pattes allongées sur le piton rouge

crevassé, bière à la main. Elle m'a fait un clin d'œil.
Un petit sourire de triomphe se dessinait déjà sur
son visage. La Duchesse ne pouvait pas le voir,
bien sûr. Fine Dumas était donc encore une fois
sûre de gagner... Comment fait-elle pour toujours
nous manipuler sans qu'on s'en rende compte,
pour nous mener là où elle veut nous mener, pour
gagner quand on s'y attend le moins, pour sortir
victorieuse des grandes comme des petites discussions, des grands comme des petits conflits? C'est
vrai que ses deux spécialités, la manipulation et la
culpabilité, sont difficiles à contrer, mais elle, elle a
réussi à les élever au statut de grand art et s'en sert
comme une virtuose : deux instruments de musique
dont elle est devenue une experte chevronnée et dont
elle joue comme personne au monde, sans peur et
sans vergogne.

La Duchesse s'est un peu gourmée avant de
parler.

«Y a une chose que je peux faire, Joséphine...
C'est sûr que j'ai aimé ce que j'ai eu à faire, à soir, c'est
sûr que j'aimerais ça pouvoir le refaire... Si j'étais
plus jeune, je sauterais la clôture, comme Céline
l'a fait l'année passée... Mais y faut pas trop m'en
demander... Tu sais que chus une grosse parleuse
et une petite faiseuse... Mais écoute... Ton offre
me touche, ton offre est ben tentante... J'peux te
donner mes fins de semaine, si tu veux... Comme
je travaille pus le samedi, depuis quequ's'années, je
pourrais te donner mes vendredis et mes samedis
soirs qui sont de toute façon les plus occupés, ici,
au Boudoir...»

Fine Dumas lissait sa jupe comme pour la
défroisser, sans donner à la Duchesse quelque
indice que ce soit qu'elle l'écoutait. Je me suis dit :
Ça y est, c'est la Duchesse qui va finir par la supplier
de lui donner du travail... Et c'est presque ce qui
s'est produit. Fine Dumas savait que la Duchesse
avait des problèmes avec le silence et que si elle
ne disait rien, l'autre voudrait le combler, par pure

panique, et resterait ainsi en position de faiblesse, sur la défensive. Elle n'a donc pas répondu et la Duchesse s'est sentie obligée de continuer, ne serait-ce que pour mettre fin au silence qui pesait entre nous trois.

«Faire ça tout le temps, je pourrais pas. D'abord, c'est épuisant, et je viendrais à manquer d'inspiration… Mais je sais que chuis capable de le faire deux fois par semaine pour te rendre service… Je fais ça toutes les fins de semaine depuis vingt-cinq ans avec mes amis, de toute façon. Écoute… Si tu veux… Si tu veux, j'vas t'être là vendredi soir, habillée, pomponnée, drôle comme douze… Et j'vas leur faire cracher tout l'argent qu'ils vont avoir dans les poches! À soir, c'était rien à côté de ce que chus capable de faire, Joséphine! R'garde-moi ben aller!»

Fine Dumas s'est alors tournée vers elle, un grand sourire aux lèvres.

«O.K. *Welcome aboard*, Duchesse! Le Boudwar va t'attendre, et moi aussi, vendredi soir prochaine…»

Une poignée de main, une tape sur l'épaule, et le pacte était scellé. Il n'avait pas été question de salaire ou de rémunération, mais la Duchesse savait qu'elle serait bien traitée. Si la patronne a bien des défauts, elle n'est pas *cheap* avec son personnel et surtout pas avec ses amis.

L'incident était clos. Fine Dumas sortit de son sac ces gants longs beaucoup trop chauds pour la saison, qu'elle enfile chaque fois avec une lenteur calculée, ostensiblement, en femme du monde qui se fout de la température et des qu'en-dira-t-on. Cette paire de gants représente pour elle le comble du chic, de l'autorité et du bon goût, et elle la porterait au fin fond de la jungle comme au sommet de l'Himalaya.

«Bon, ben, c'est ben beau tout ça, mais y faudrait aller dormir! Bonne nuit, les filles… Céline, oublie pas d'éteindre toutes les lumières…»

Mais la Duchesse, elle, n'avait pas terminé. Elle a toussé dans son poing, s'est encore raclé la gorge avant de parler.

«J'peux-tu te demander quequ'chose, Joséphine?»

Cette dernière a froncé les sourcils en coinçant son sac sous son bras gauche.

«Un service? Déjà?

— Non, c'est pas un service. Pas vraiment...

— Vas-y, crache, on verra ben...

— J'aimerais ça aller fêter ta fête avec vous autres, la semaine prochaine... Après toute, j'vas faire partie de ton staff à partir de vendredi...»

Madame partit de ce beau grand rire perlé qu'elle garde d'habitude pour les clients les plus riches à qui elle veut faire cracher tout ce qu'ils possèdent.

«Si t'avais pas accepté de venir travailler pour moi, Duchesse, me l'aurais-tu demandé pareil?

— Ben sûr. Je voudrais pas manquer ça pour tout l'or au monde...»

Elle lui a tapoté la joue avant de lui tourner le dos pour se diriger, impériale, vers la sortie.

«Tu sais ben que t'étais invitée, de toute façon...»

Jean-le-Décollé nous attendait au bar.

Dire qu'il était piteux serait un euphémisme : il était dévasté. C'était la première fois, du moins je le supposais, que Fine Dumas et la Duchesse se réunissaient sans lui, et il devait penser qu'on venait de l'exclure à tout jamais du triumvirat qu'il formait avec elles depuis tant d'années pour le remplacer par moi, la petite nouvelle qui avait réussi, à force de manigances et de combines de toutes sortes, à le supplanter dans leur estime. *All About Eve* adapté au milieu des guidounes de Montréal. Il me connaissait pourtant mieux que ça, mais, la paranoïa aidant, il avait dû se sentir écarté, s'imaginer désormais tout seul dans son coin comme un rat banni à tout jamais de sa communauté de rongeurs, sans famille et sans appartenance, lui qui avait déjà connu le rejet d'un autre genre de communauté.

Il me fusillait du regard pendant que nous nous dirigions toutes les trois vers le bar. J'eus même la vision furtive d'un grand travesti flétri et abîmé, rendu fou par la jalousie, qui sortait une arme blanche de son sac pour frapper une pauvre naine sans défense jusqu'à ce qu'elle en crève, un couteau exotique et dentelé à manche recourbé comme on en voit dans les films d'action qui se passent aux Indes ou en Afrique du Nord et qui ont l'air de faire plus de dégâts, en tout cas plus douloureux si on se fie aux contorsions des acteurs, que les poignards ordinaires... Mais je me suis trouvée ridicule et je lui ai fait un geste d'amitié en m'arrêtant à côté de lui. J'ai même posé une main sur son genou qu'il avait à la hauteur de mon menton.

Fine Dumas avait tout vu, bien sûr, et ne cachait pas sa satisfaction d'être encore une fois en contrôle de la situation. À elle d'apprendre la nouvelle à Jean-le-Décollé, de montrer qui était le boss et qui allait le rester.

«La Duchesse va venir travailler avec nous autres au Boudwar les fins de semaine, Jean. Elle va faire le pendant de Céline, mais dans le bar. C'est pour ça que je voulais leur parler à tou'es deux dans le particulier. Elles vont faire la même job, la Duchesse dans le bar et Céline dans le bordel. C'est une idée qui m'est venue tout d'un coup, à soir, pendant que je la regardais faire son numéro, et j'me demande pourquoi j'y ai pas pensé avant. A' va faire une bonne hôtesse...»

Jean-le-Décollé parut immensément soulagé et me fit le cadeau d'un sourire figé. Mais il n'avait pas dit son dernier mot.

«Mais qui est-ce qui va faire tes commissions à travers la *Main*, Joséphine? T'étais contente de l'avoir à portée de la main justement parce qu'elle pouvait se déplacer n'importe quand n'importe où... Si elle est hôtesse, elle va être enfermée ici-dedans avec nous autres...»

La patronne tira sur ses gants qui ne pouvaient pourtant pas monter plus haut, cachant déjà ses coudes et les chairs molles de ses dessous de bras qu'elle avait trop généreux à son goût.

«Laisse faire ça, Jean. La Duchesse va encore plus être à portée de la main en étant sur place... J'vas faire moins de coups de téléphone, c'est toute. Et quand le Boudwar va t'être vide, j'vas l'occuper, notre Duchesse, fais-moi confiance. De toute façon, ma décision est prise... Notre trio va se retrouver ici toutes les fins de semaine, pis on va avoir du fun, tu vas voir...»

Jean-le-Décollé prit le parti de se taire sans toutefois paraître très convaincu. Et me fit comprendre en me prenant par l'épaule qu'il était désolé de tout ce qui lui était passé par la tête pendant notre réunion. Il savait qu'il n'avait pas besoin de s'expliquer, que j'avais deviné son inquiétude et compris son désarroi.

La Duchesse, pour sa part, était déjà perdue dans ses rêves. Elle se promenait sans doute sur une plage d'Acapulco en petite tenue, entourée d'hommes tous plus virils et plus poilus les uns que les autres, un drink trois couleurs à la main, quelque chose qui s'appelait Margarita, ou Pink Lady, ou tout autre nom qui évoquait des couleurs pastel et des couches superposées d'alcools sucrés. L'eau du Pacifique était presque bouillante en plein mois de janvier, le coucher du soleil vous tuait à bout portant tellement il était beau et la nuit sentait des fleurs dont on n'aurait jamais soupçonné l'existence. La Duchesse nous rebattait les oreilles avec Acapulco depuis des années, elle allait peut-être enfin réaliser son rêve à la fin de l'Expo, à la fin de la Grande Illusion, quand nous nous retrouverions tous au chômage...

Mae East et Nicole Odeon nous attendaient rue Saint-Laurent, impatientes et nerveuses. Elles voulaient tout savoir, elles ont tout su. Et se sont réjouies pour la Duchesse comme pour le Boudoir. La Duchesse nous a demandé la permission de venir nous reconduire à l'appartement parce qu'elle n'avait pas envie d'aller se coucher après une soirée pareille. Nous lui avons même offert de dormir sur le sofa du salon, ce qu'elle s'est empressée d'accepter de tout cœur.

Cinq drôles de silhouettes ont alors entamé au petit jour le court trajet vers la place Jacques-Cartier : un gros homme jovial et disert qui décrivait avec force détails des nuits invraisemblables mais magnifiques dans un endroit improbable parce que trop paradisiaque, trois travestis épuisés qui tanguaient sur leurs talons hauts en faisant semblant d'écouter ses divagations tout en souhaitant qu'il se taise et une naine qui tirait un peu de la patte.

En préparant un lit pour la Duchesse, trop surex-
citée et trop beurrée pour qu'on la renvoie
coucher chez elle, j'ai retrouvé les journaux que
j'avais laissés épars sur la table du salon en quittant l'appartement. J'avais eu raison, ce matin-là
– on aurait tout aussi bien pu dire il y avait des
siècles tant il s'était passé de choses depuis –, de
penser que ma révolte serait de courte durée, que
je laisserais les aléas de la vie quotidienne l'enterrer dans un recoin de ma mémoire, que les deux
nouvelles, aussi importantes soient-elles, le général
de Gaulle avec ses bras en V et les pauvres Noirs
de Détroit rendus violents par l'injustice et l'hypocrisie, reprendraient, parce que je n'y pouvais
rien, parce que ce n'était pas mon rôle, une importance secondaire derrière les problèmes pourtant si
superficiels du Boudoir et de ceux qui y travaillent.
Je ne suis pas impuissante, au Boudoir, je peux
agir, être efficace, j'en avais fait la preuve pendant
toute la journée. Mais, hélas, ce que je lis dans
les journaux restera dans les journaux. Quoi que
j'en pense. Et quoi que je souhaite y changer. Je
peux m'insurger, pointer du doigt ceux que je crois
coupables de tous les maux de la Terre, accuser,
fulminer, je reste désarmée et inutile. Une simple
lectrice concernée.

Je me suis assise au bord du sofa que je venais
d'ouvrir pour y installer des draps propres. La
Duchesse prenait sa douche. Je pouvais l'entendre

qui chantait un air d'opéra où il était question du fond d'un temple saint et d'une Vierge qui apparaît... Elle réussissait, juste aux inflexions de sa voix, à faire d'un texte tout à fait innocent une chanson à double sens qui ferait rougir un corps de garde. Et d'une grande drôlerie. Sa vie se résumait à ça : se moquer de tout, absolument tout ce qui se présentait à elle, retourner la réalité comme un gant et la refaire à sa façon, en l'embellissant ou en s'en moquant.

Et moi, ma vie, à quoi se résumait-elle ? À m'insurger devant ce que je lisais dans les journaux en sachant que je ne pourrais jamais rien y changer et collecter de l'argent comptant de visiteurs étrangers qui venaient se détendre dans les bras de fausses femmes pas trop belles et chacune à sa façon hystériques ?

Je ne m'étais pas préoccupée de mon avenir, jusque-là, je le laissais – trop – entre les mains du hasard, me disant que j'étais jeune, que j'avais le temps d'y penser, que je ne savais pas encore au juste ce que je voulais faire dans la vie, que rien, surtout, ne pressait... Mais là, assise au bout du sofa du salon de l'appartement de la place Jacques-Cartier, une inquiétude, plus, une angoisse m'a serré le cœur, un étau de glace qui se refermait devant ce que j'étais en train de faire de ma vie. Je ne croyais pas être promise à un grand destin, ce n'est pas ce que je veux dire, mais, je m'en rendais peut-être compte un peu tard, je ne croyais pas non plus être faite pour demeurer très longtemps hôtesse dans un bordel de la *Main*. J'avais peu d'éducation, une scolarité des plus primaires, ma seule passion jusqu'ici avait été les livres que je dévorais depuis mon enfance et que j'essayais d'imiter dans des écrits ridicules qui me faisaient du bien mais que je n'aurais jamais osé montrer à qui que ce soit tellement j'étais convaincue qu'ils étaient mauvais. Alors, quoi ? Quoi ? Retourner au Sélect ? Rester au Boudoir en laissant le destin, comme d'habitude, décider à ma place ?

Je me suis surprise à lisser *La Presse* de la main.

Sauter dans la bagarre? Me ranger du côté de ceux qui criaient «Vive le Québec libre!»? La naine séparatiste? Pour essayer de changer le monde? Mais qui voudrait de moi? À cause de mon physique, je savais que de toute façon je resterais en marge des marginaux que sont encore les séparatistes... Qui, après tout, ne voudraient peut-être pas d'une vulgaire hôtesse de bordel dans leurs rangs... Mais je ne voulais pas non plus devenir une passionaria sans être convaincue, juste pour trouver un sens à ma vie...

Et quand la Duchesse est revenue au salon, drapée dans deux serviettes de bain qui lui donnaient l'air d'un personnage de Gauguin, quelque grosse vahiné plutôt rougeaude qui se serait trop poncée, je me suis rendu compte, tout d'un coup – une tonne de briques qui vous tombe dessus sans crier gare –, que pour le moment, en tout cas, je ne pouvais pas imaginer la vie sans elles, mes amies de la *Main*, les folles finies qui m'avaient sortie du Sélect presque de force et que j'aimais de toute mon âme. On commet des gaffes par amour, tout le monde le sait, mais on peut aussi commettre des gaffes par amitié, et je me suis dit ce matin-là que si c'était une gaffe que de rester au Boudoir au milieu d'êtres devenus si chers à mon cœur depuis un an, c'en était une maudite belle et que je ne la regretterais jamais. Advienne que pourra. À Dieu vat. *Que sera, sera.*

La Duchesse s'est assise à côté de moi sur le sofa.

Elle a pris un journal, a regardé la première page.

«As-tu vu ça? Y a eu des émeutes raciales, à Détroit, et c'est le général de Gaulle qu'ils mettent en première page! Aucun sens de l'Histoire!»

Les légendes du Boudoir

III - COMMENT L'INTELLIGENCE VIENT AUX HOMMES

Ce récit ne fait pas à vrai dire partie des légendes du Boudoir, mais comme la Duchesse travaille désormais avec nous deux soirs par semaine, qu'elle appartient maintenant et d'une façon officielle à l'univers du bordel de Fine Dumas, je n'ai pas de scrupules à l'insérer ici. C'est une histoire d'amour fou, d'amour-propre, d'amitié désintéressée et de confiance en l'autre, l'une des plus belles que je connaisse. Quand Jean-le-Décollé me l'a racontée, il avait les larmes aux yeux.

Tout ça s'est passé longtemps avant que le Boudoir existe, à l'époque où Madame tenait encore un bordel respectable, rue Sanguinet, où Jean-le-Décollé était un prostitué néophyte défroqué depuis peu et qu'on avait vite mandaté à la tête des travestis qui sillonnaient la *Main* parce qu'il était plus intelligent que les autres, où la Duchesse commençait à peine à fréquenter la *Main* avec une certaine assiduité, ayant épuisé depuis des lustres, du moins le prétendait-elle, tout ce qu'il y avait à écumer sur le Plateau-Mont-Royal.

Un bon jour, la nouvelle courut qu'un nouveau serin venait de faire son apparition sur la *Main*, un ti-cul d'une beauté foudroyante, mince, le teint pâle, les yeux verts, un sourire à faire damner, débarqué à la gare du Provincial Transport quelques jours plus tôt en provenance d'une quelconque petite ville éloignée, Sept-Îles ou Dolbeau ou Rimouski,

179

personne ne s'entendait là-dessus parce que déjà le téléphone arabe avait commencé à brouiller les cartes. Il prétendait chercher du travail, mais ceux qui l'avaient rencontré et déjà percé à jour parce qu'il cachait mal son jeu disaient de lui qu'il n'était pas du genre à travailler pour gagner sa vie, un parasite comme tant d'autres, plus dangereux, cependant, parce que plus beau que la plupart d'entre eux et, surtout, plus décidé et plus ambitieux. Son regard était louche, ses intentions aussi. Un de plus. Chez lui, par contre, couvait une violence facile à deviner à la façon qu'il avait de serrer les mâchoires à la moindre critique, de serrer les poings au fond de ses poches à la moindre contradiction. Il arrivait encore à se contrôler, mais pour combien de temps?

On s'en méfia tout de suite et à juste titre, parce que les victimes des deux sexes commencèrent bientôt à tomber : des pauvres filles à la recherche d'un peu de chaleur humaine après des années de maisons closes ou de trottoirs hostiles qu'on retrouvait en larmes à la porte du French Casino ou anéanties à un arrêt d'autobus, des pauvres gars paumés qui croyaient avoir trouvé l'amour de leur vie en se noyant dans un regard vert pourtant dénué de toute franchise et qui aboutissaient, plus seuls que jamais, devant une bière tiède dans le fond d'une taverne enfumée. Des proies faciles, des victimes presque consentantes.

Les plus vieux, ceux qui avaient de l'expérience et appris à ne pas se laisser aller aux sentiments dans ce monde régi par l'amour payé comptant, s'en sortirent mieux : ils le regardèrent d'abord agir en haussant les épaules, s'amusant parfois de sa grande naïveté de gars trop beau qui se croit tout permis et frappé d'immunité, consolant du mieux qu'ils pouvaient les âmes brisées, essayant de recoller des morceaux de vies en lambeaux. Ils commencèrent à le juger dangereux le jour où un travesti, pourtant aguerri, se suicida et qu'on lui en imputa la responsabilité. Des larmes, des pleurs, oui, bon, c'était toujours acceptable, on braille un bon coup et on se relève en se mouchant, mais une vraie victime, un cadavre trouvé pendu dans une chambre d'hôtel borgne, c'était impardonnable. On le prit donc en grippe et on planifiait son bannissement lorsque Maurice, le roi de la *Main*, devinant chez lui une graine de pure méchanceté, commença à s'intéresser à lui en lui confiant de petits travaux crapuleux qui demandaient une âme froide et sans scrupules.

On ne marche pas dans les plates-bandes de Maurice-la-Piasse si on veut survivre sur la *Main*, tout le monde sait ça, alors on se contenta de lui demander de parler à son nouveau protégé, d'installer un mors à son poulain. Ce qu'il fit de bonne grâce parce qu'il voulait se l'attacher de façon définitive et que les histoires d'amour qui finissent mal l'ont toujours embêté.

Et les victimes sentimentales du chien sale aux yeux verts, comme on l'avait surnommé, cessèrent sur la *Main*. On ignorait encore qu'il sévissait désormais ailleurs. Mais les coups scabreux, les trafics nébuleux et les disparitions suspectes se multiplièrent, et on sut tout de suite qui en était responsable.

Le petit nouveau était là depuis quelques mois à peine qu'il commençait déjà à se creuser une niche assez importante; on le prétendait même dans certains milieux appelé à un grand avenir. Mais on ne savait toujours pas son nom parce qu'il refusait de le dire à qui que ce soit. Même à Maurice qui se contentait de l'appeler ti-cul.

Et c'est Maurice lui-même, en fin de compte, à cause de son petit gabarit, de sa raideur, de sa dureté, de son côté fouille-merde, qui lui trouva celui de Tooth Pick.

En très peu de temps il était devenu le cure-dents de Maurice et le resta.

À cette époque, la Duchesse et Jean-le-Décollé ne se connaissaient pas depuis longtemps. La Duchesse était descendue un bon soir de la rue Mont-Royal en bonne voisine et parce qu'elle était en froid avec la presque totalité de ses amis qu'elle charriait trop et qui avaient fini par se tanner et le lui dire. En fait, elle était un peu en exil et venait tâter le terrain d'un nouveau secteur à ratisser. Sa nièce Thérèse lui rabâchait les vertus de la *Main* depuis des années, mais elle n'avait encore jamais osé sauter le pas, préférant rester duchesse sur le Plateau Mont-Royal que risquer de devenir une nobody sur la rue Saint-Laurent et avoir à tout recommencer à zéro. Là, cependant, abandonnée de tous, c'est du moins ainsi qu'elle se percevait, elle n'avait pas d'autre choix que d'essayer de se trouver un nouvel endroit où planter sa croix, comme aurait dit sa mère Victoire, morte depuis vingt ans et qui lui manquait encore.

Pour faire chic et pour impressionner la *Main*, elle s'était déguisée le premier soir en Germaine Giroux dans *Madame Sans-Gêne* – ce qui n'était pas loin de la faire ressembler à Fine Dumas, mais ça, la Duchesse ne pouvait pas le savoir – et se présenta en toute simplicité à Jean-le-Décollé après l'avoir jaugé dans son travail pendant quelques minutes et décidé qu'il était assez vieux et parais-sait assez sérieux pour être le chef, du moins le responsable, des travestis qui sillonnaient la rue Saint-Laurent.

La prenant pour une nouvelle recrue qui s'ima-ginait faire carrière à son âge – il avait vu pire et avait vite appris à couper ce genre de vocation à la racine, avant qu'elle ne devienne sérieuse et embêtante pour tout le monde –, l'ancien frère enseignant l'emmena au Sélect pour lui faire la morale au-dessus d'un café bien chaud. À son grand étonnement, il la trouva drôle, sympathique, cultivée surtout, à côté des Babalu et des Greta dont il était entouré et qui l'exaspéraient souvent par leur manque de culture générale et leur absence de curiosité. Il se rendit compte qu'il avait déjà entendu parler d'elle et qu'on disait que c'était le travesti amateur le plus drôle de Montréal, qu'elle ne prenait rien au sérieux et se moquait de tout. Il comprit vite aussi qu'elle n'avait pas du tout l'intention de joindre les rangs des guidounes de la *Main*, qu'elle était là par pur plaisir, pour faire changement, pour s'aérer un peu les esprits. Lui-même en avait bien besoin et lui en sut gré. Ils passèrent une partie de la nuit à échanger leurs histoires tristes, leurs histoires drôles, leurs passions et leurs allergies. Qui, toutes, ils n'en revenaient pas, se ressemblaient comme des siamois.

Ils se retrouvèrent donc assez souvent, toujours au Sélect, jamais pendant le travail de Jean-le-Décollé, autour de leur sens de l'humour, de leurs goûts, de leurs aversions qui, à leur grand étonnement, se complétaient presque toujours. Ils rirent des mêmes personnages, se pâmèrent sur les mêmes sujets, découvrirent qu'ils avaient lu la même chose à peu près en même temps, vu les mêmes spectacles, haï les mêmes films, aimé les mêmes acteurs, et ce ne fut pas long que Jean-le-Décollé présenta sa nouvelle amie à Fine Dumas qui, elle aussi, tomba sous le charme de ce gros bébé si drôle qui trouvait réponse à tout et arrivait à faire rire au milieu des moments les plus sombres.

Ainsi naquit le triumvirat le plus influent de la *Main* après la gang à Maurice et pas pour les mêmes raisons : celles du trio d'amis n'étaient jamais financières ni pour s'assurer un quelconque pouvoir; elles se résumaient la plupart du temps en cancans ridicules, en conflits fomentés pour désarmer des ennemis souvent imaginaires ou dont on avait exagéré l'importance, en médisances vicieuses en réponse à d'autres médisances vicieuses, en calomnies ourdies avec délice et presque impossibles à contrer, juste pour le plaisir de la chose.

Mais une autre rencontre allait bientôt avoir lieu, néfaste celle-là, de celles qu'on ne souhaite pas à son pire ennemi, et qui allait transformer la vie de la Duchesse et, presque, la tuer.

C'est à peu près à ce moment-là que Tooth Pick découvrit les possibilités du *Montreal Swimming Club*. Qui, par malheur, était l'un des endroits de chasse favoris de la Duchesse pendant l'été.

Sous le tablier du pont Jacques-Cartier, au pied du pilier central, juste au bout de l'île Sainte-Hélène, donc en plein milieu du fleuve Saint-Laurent, là où se trouve maintenant la Ronde qu'on a créée de toutes pièces pour permettre aux visiteurs de l'Expo de venir lancer de petits cris d'effroi dans des manèges débiles au cœur des remugles sucrés de la barbe à papa, la ville de Montréal avait autrefois aménagé une aire de repos pompeusement baptisée *Montreal Swimming Club* par ceux qui la fréquentaient et vite devenue, pendant les mois d'été, un repaire de messieurs de tous âges, de tous modèles et de toutes fonctions qui venaient là se rencontrer en catimini et faire des choses inavouables dans un décor enchanteur, parmi les bouillonnements jaunâtres de l'eau et les résidus, longue coulée brune et nauséabonde, du système d'égouts de la ville. Des choses immondes passaient sous le nez des braves qui se risquaient dans l'eau du fleuve – un écriteau stipulait pourtant : *Défense de se baigner – No swimming –*, et on entendait parfois un cri d'effroi s'élever et quelqu'un gagnait la rive à toute vitesse parce que quelque chose qui n'était pas vivant et qui n'était pas non plus un poisson mort venait de le frôler.

Tooth Pick dénicha cet endroit lucratif dès le premier été qu'il passa à Montréal. Il disparaissait de la *Main* deux ou trois après-midi par semaine et revenait quelques heures plus tard tout gaillard, le sourire aux lèvres, le regard arrogant et les poches pleines. Il s'était acheté un maillot de bain rouge

cerise facile à repérer sur le vert du gazon et décimait les rangs de ces messieurs avec une régularité
d'horloge suisse. Ils étaient tous fous de lui et les
têtes tombaient les unes après les autres. Ils en
redemandaient? Tooth Pick en remettait. En exigeant le gros prix, bien entendu. Les jours où il
ne s'y rendait pas, le *Montreal Swimming Club* se
vidait plus vite et même, parfois, ne se remplissait pas puisqu'on pouvait voir du haut du pont
Jacques-Cartier si le maillot rutilant de Tooth Pick,
tellement prometteur, s'y baladait ou non.

La Duchesse avait entendu parler de Tooth
Pick, bien sûr, il avait été le centre de toutes les
conversations pendant son premier hiver à Montréal,
mais ne l'avait jamais rencontré parce qu'elle
évitait le plus possible l'entourage de Maurice.
Déjà, à l'époque, le roi de la *Main* commençait
à en vouloir à Thérèse, la nièce de la Duchesse,
qui multipliait sans vergogne, quand elle avait bu,
les gaffes et les mauvais coups, et la Duchesse ne
tenait ni à la disculper ni à la condamner aux yeux
de Maurice.

La rencontre, qui se fit dans la salle des douches
du *Montreal Swimming Club*, fut foudroyante. Pour
la Duchesse, bien sûr, parce que Tooth Pick, de
son côté, avait tout de suite jaugé ce gros homme
si gauche lorsqu'il se retrouvait en petite tenue,
alors que rien ne pouvait l'arrêter quand il était
habillé. Surtout en femme. Il avait tout de suite
reconnu la Duchesse parce que tout le monde l'appelait par son nom, même au *Montreal Swimming
Club*. Pas le travesti qui pensa, avec la grande
naïveté de ceux qui se croient revenus de tout et
qui baissent leur garde sans s'en rendre compte,
avoir rencontré l'amour de sa vie. Le beau jeune
homme avait dit qu'il s'appelait Réginald – ce seul
nom, déjà, était suspect; à peu près personne, au
Québec, ne s'appelle Réginald! –, qu'il arrivait tout
juste de province, qu'il n'avait pas beaucoup d'argent, qu'il se cherchait, qu'il ne savait pas encore

de quel côté il penchait le plus et qu'il se fiait à la Duchesse pour le guider. Tout ça avec des gestes pleins de promesses et des attouchements affriolants.

La Duchesse était pourtant prévenue contre ce genre de choses, endurcie et plutôt ironique devant ces petits morveux à peine débarqués dans la grande ville qui mentent si mal tout en se croyant crédibles pour la simple raison qu'ils sont beaux, et qui peuvent vous tordre le cœur sans même l'ombre d'une quelconque culpabilité, pour le plaisir de la chose et par simple spéculation.

Si la même aventure était arrivée à l'une de ses connaissances, la Vaillancourt par exemple, ou la Saint-Germain, la Duchesse aurait tout de suite compris, jugé, réglé le cas; elle aurait tiré l'oreille du coupable et donné des coups de pied au cul de la victime en l'agonissant d'injures. Choisit-elle de croire Réginald, comme elle le prétend aujourd'hui en levant les yeux au ciel quand elle nous raconte l'incident, ou fut-elle fauchée sans s'y attendre par un coup de foudre irrésistible même si elle aurait dû se douter qu'un jeune dieu comme ce faux Réginald ne tombe pas amoureux d'une vieille sacoche comme elle? Ce qui importe, c'est de savoir que Tooth Pick abusa d'elle sans hésitation, lui coûta le temps de le dire le peu de fortune qu'elle avait amassé en vendant ses chaussures depuis tant d'années, la foula aux pieds et l'aurait laissée se rendre au bout de son sang sans même lui tendre la main si Jean-le-Décollé, affolé, scandalisé, et presque trop tard, ne s'en était pas mêlé lorsqu'il comprit enfin qui était Réginald, le fameux grand amour de la Duchesse, et ce qu'il pouvait représenter de dangereux pour elle.

La Duchesse fit bien sûr la sourde oreille aux arguments que pouvait lui avancer Jean-le-Décollé au sujet de Tooth Pick. Même lorsqu'elle sut qui il était. Qu'il l'avait trompée. Et qu'il riait sans doute d'elle aux quatre coins de la *Main* en décrivant leurs pitoyables exploits sexuels et en divulguant à qui voulait l'entendre l'insuffisance de ses attributs. Elle s'était déjà trop avancée dans les eaux troubles de l'amour fou qu'elle croyait enfin débarqué dans sa vie, elle qui jusque-là n'avait vécu qu'une histoire plutôt quelconque, sans vraie passion, avec Samarcette, le danseur en patins à roulettes du Théâtre National, pour se rendre sans discuter aux raisonnements pourtant clairs, bien articulés et surtout trop terre-à-terre de son grand ami. Accepter l'évidence ne se trouve pas parmi ses qualités dominantes, c'est le moins qu'on puisse dire, et elle se ferma comme une huître dès les premières tentatives de son ami pour la ramener à la raison. Elle préférait accuser Jean-le-Décollé de jalousie alors qu'il ne montrait qu'un amical dévouement, rêver de transformer Tooth Pick, de le guérir, d'en faire un saint, convaincue, disait-elle, que son amour pouvait lui être salutaire, lui indiquer le droit chemin, le soustraire à ses mauvais penchants, rêvant sans doute d'être enfin digne des grandes figures de la littérature qu'elle admirait tant parce qu'elles savaient, elles, être malheureuses avec panache : la duchesse de Langeais, la vraie, celle de Balzac, ou Marguerite Gauthier qui mourait au bout de sa toux en tachant des mouchoirs du blanc le plus pur possible pour qu'on voie bien les souillures carmin du fin fond du Théâtre Saint-Denis quand Edwige Feuillère venait en tournée au Québec.

Un jour où il était au bord de perdre patience devant la mauvaise foi aveugle et l'autosatisfaction masochiste de la Duchesse, Jean-le-Décollé lui avait dit :

«Tu parles de la duchesse de Langeais, tu parles de Marguerite Gauthier, tu parles de Phèdre qui tombe en amour avec le plus jeune fils de son nouveau mari et qui en meurt... Ça veut dire que tu te prépares à souffrir, ça, Duchesse, que tu le sais que tout ça va mal finir, que ton histoire avec *Réginald* a pas d'avenir, que t'es pas du tout convaincue que tu peux le sauver... C'est lui que t'aimes, ou c'est l'idée d'être en amour pour pouvoir ensuite souffrir à ton goût?»

Pour toute réponse, il reçut une gifle sur la joue gauche, la seule que la Duchesse ait jamais donnée à qui que ce soit de toute sa vie. Et cette accusation qu'il avait faite plus à brûle-pourpoint que par sincérité, il la regretta quelques semaines plus tard, quand éclata le dénouement dramatique de cette histoire.

Un soir qu'il mangeait en paix un *smoked meat* jumbo au Ben Ash entre deux clients, Jean-le-Décollé eut l'idée saugrenue d'appeler Thérèse à sa table, pensant qu'elle pourrait l'aider à sortir la Duchesse de son marasme. Après tout, c'était son oncle, elle le connaissait mieux que quiconque dans le quartier, elle saurait peut-être quoi faire avec lui...

Thérèse était une fois de plus sur le point de perdre son emploi sur la *Main* parce que le matin même, à l'heure du ménage, le laveur de plancher l'avait trouvée soûle derrière le comptoir du restaurant. Elle avait passé la nuit dans la réserve de vin cheap du Ben Ash après avoir insisté, on aurait dû se méfier, pour fermer l'établissement. C'était une buveuse solitaire qui préférait se terrer pour boire. Elle avait été malade un peu partout sur le plancher de terrazzo et s'était endormie au pied de la caisse, incapable d'appeler un taxi et trop orgueilleuse pour remonter la *Main* dans l'état où elle se trouvait. Quand Ben, le patron, avait eu fini de la couvrir d'injures comme ça lui arrivait de plus en plus souvent, elle avait disparu une partie de la journée et était revenue travailler vers six heures comme si de rien n'était, pimpante, gentille, drôle et même, il fallait avoir du front, un peu plus flirt avec lui que de coutume.

Ces dernières années, Thérèse faisait sans cesse la navette entre la *Main*, où elle se trouvait heureuse au milieu des pimps, des prostituées et des petits bandits de toutes sortes, quand ça allait bien, et, quand ça allait mal, le Plateau-Mont-Royal où elle se morfondait parmi la clientèle trop près de ce qu'elle avait connu, enfant, sur la rue Fabre, et les serveuses dévouées à outrance qu'elle trouvait matantes et sans ambition. Et pas de son monde. Son monde, proclamait-elle, c'était l'odeur de la boisson qui couvre tout, même celle des patates frites, pas la senteur de cannelle qui se dégage des tartes aux pommes. Son monde, c'était les serveuses un peu baveuses qui font peur aux clients, pas celles, trop fines, du Sélect par exemple, qui se laissent monter dessus et finissent par perdre le contrôle. Mais Thérèse perdait souvent le contrôle. Pas à cause des clients. À cause de l'alcool qu'elle supportait mal et qui la rendait folle.

Sa grande chance était que Ben avait un sérieux faible pour elle – il faut dire qu'à trente-six ans, c'était encore une beauté qui pouvait faire baver les hommes, même si elle en était revenue depuis longtemps, des hommes – et qu'il acceptait toujours de la reprendre après ce qu'elle appelait ses quelques mois de punition dans l'enfer de son passé. Lorsqu'elle était en forme, Thérèse s'avérait une waitress sans pareille, plus rapide que n'importe qui et plus efficace qu'un escadron de filles plus jeunes qu'elle.

Elle s'était donc plantée à côté de la table de Jean-le-Décollé qui achevait son sandwich en se léchant les doigts dégoulinants de graisse de bœuf.

«Tu veux me parler?»

Le travesti avait montré la banquette de cuirette piquée de brûlures de cigarettes en face de la sienne. Thérèse avait déplié son carnet comme s'il allait lui commander quelque chose.

«Tu le sais que j'ai pas le droit de m'asseoir avec les clients.

« — J'veux pas flirter avec toi, Thérèse, franchement! Tu sais à qui t'as affaire! J'veux juste te demander un petit service...

— Ben, j'ai encore moins de raisons de m'asseoir... Même si je me demande quelle sorte de service tu peux me demander... As-tu de la misère avec tes clients? Veux-tu des conseils pour en venir à bout?

— Le jour où je pourrai pus venir à bout d'un client, ma petite fille, ça va être à cause de l'âge, pis y aura pus de solution, même toi tu pourras pas m'aider... Non, c'est au sujet de la Duchesse que je voulais te voir... J'voudrais que tu lui parles. »

Thérèse avait haussé les épaules et amorcé un mouvement de recul.

« Parle-moi pas d'elle. J'veux rien savoir d'elle, la grosse tout-trempe!

— C'est ton oncle, Thérèse.

— C'est peut-être mon oncle, mais il a jamais rien fait pour moi, je vois pas pourquoi je l'aiderais à c't'heure qu'il est dans le trouble!

— Ah, tu le savais...

— La *Main* au grand complet parle rien que de ça depuis des semaines! Si mon oncle est pas assez intelligent pour lire dans le jeu de c'te petit trou de cul là, c'est pas moi qui vas lui ouvrir les yeux certain!

— Pourquoi pas?

— Vous dites, tout le monde, que chus folle, Jean. L'avez-vous regardé aller, lui? Ou elle? Ça fait trente-cinq ans que je la regarde faire la folle, j'en ai assez vu... J'la voyais faire la folle quand j'étais enfant et que ma grand-mère la couvait trop, et elle a pas changé depuis trente ans! Je dirais même qu'elle a juste empiré! Grossi, ça oui, et empiré!

— T'as pourtant toujours l'air ben contente de la voir arriver quand elle vient te voir ici...

— Chuis contente de voir n'importe qui quand chuis paquetée... Et quand elle vient me voir ici, comme tu dis, c'est souvent pour me demander à manger...

— Est capable de se payer un *smoked meat*, Thérèse, exagère pas !

— J'ai pas dit qu'est-tait pas capable de s'en payer, j'ai dit qu'elle m'en quêtait, des *smoked meats*, c'est pas pareil ! Est ben généreuse avec ses serins, mais j'te dis que quand vient le temps de payer une facture de restaurant...

— Mais elle risque gros, tu le sais, dans cette histoire-là... »

Thérèse s'était appuyée des deux mains sur la table et avait regardé Jean-le-Décollé droit dans les yeux.

«Tant qu'à moi, elle peut ben crever ! Je lèverai pas le petit doigt pour l'aider.

— Tu penses pas ce que tu dis, Thérèse. Tu la laisserais certainement pas crever, elle fait trop pitié... »

Thérèse avait replacé sa coiffe de waitress bleu et blanc qui avait glissé sur le côté gauche de sa tête.

«Je souhaite pas qu'elle crève, c'est vrai. Mais c'est vrai, aussi, que je ferai rien pour l'aider. De toute façon, elle m'écouterait pas. Et si elle fait pitié, c'est parce qu'elle veut faire pitié. On est toutes pareils, dans la famille : quand elle va se retrouver dans le fond du fond, elle va se relever, vous allez voir, c'est une survivante comme moi, elle a vécu plus d'affaires que toutes nous autres ensemble et elle s'en est toujours sortie... Quand on a fini de faire pitié, nous autres, on fonce et rien peut nous arrêter ! Si t'es venu me voir, c'est parce que vous avez tout essayé et que ça a pas marché. Penses-tu que je le sais pas ?

— On a peur qu'elle s'en sorte pas, c'te fois-là, Thérèse...

— Pour Tooth Pick ? Pour un insignifiant pareil ? Ben, qu'elle crève, si elle est pas plus intelligente que ça ! »

Et elle s'était dirigée vers la table d'à côté où les trois clients, perdus dans leur conversation enfumée, ne l'avaient pas appelée.

Jean-le-Décollé s'était mis à l'observer à la dérobée tout en sirotant son café à toutes petites gorgées.

Elle avait le même profil que la Duchesse. En moins bouffi, bien sûr. Quelque chose dans le front buté, les pommettes rondes, le regard souvent un peu fou, les cheveux plantés haut, aussi, la façon de redresser les épaules avant de répondre, et le fameux rictus annonciateur d'horreurs sans nom quand elle avait trouvé la bonne formulation, marquait d'une façon indélébile sa parenté avec le travesti, le même sang qui transporte les mêmes tares, les mêmes gènes qui transmettent la même folie.

Sur ces entrefaites, et au moment où Jean-le-Décollé allait se lever de table, s'était présenté Hosanna, un travesti de la Plaza Saint-Hubert, coiffeur de son métier, qu'on considérait déjà comme l'héritier de la Duchesse dans certains milieux du nord de la ville. Pas sur la *Main*, cependant, où Hosanna était encore moins connu que la Duchesse parce qu'il n'avait pas eu l'occasion de faire ses vrais débuts. Mais au Palace, sur la rue Mont-Royal, près des abattoirs de la rue Frontenac, refuge de tous les laissés-pour-compte et de tous les paumés du Plateau et d'ailleurs, la Duchesse se laissait parfois aller à appeler Hosanna «ma fille», et il n'en fallait pas plus pour qu'on considère cette dernière comme sa remplaçante quand viendrait pour elle le temps de se retirer. Mais ce n'était pas demain la veille, comme se plaisait à le dire la Duchesse, et Hosanna devait se préparer à de longues années d'attente…

Quoique…

Hosanna était un petit paquet de nerfs tout en angles, en coudes pointus et en os saillants. Elle semblait toujours au bord de craquer, on avait l'impression qu'un coup de vent pourrait l'emporter ou une grande pluie la faire fondre, mais elle avait une force de résistance peu commune qu'auraient pu lui envier des créatures de la nuit en apparence plus fortes et mieux bâties et qu'elle pouvait accoter dans tous les concours d'endurance imaginables. Elle passait des nuits complètes à boire sans broncher, elle fumait quatre paquets de cigarettes par jour sans qu'on l'ait jamais entendue tousser, elle portait pendant des heures des costumes presque plus pesants qu'elle sans produire la moindre goutte de sueur. Elle était bitch, elle était ambitieuse et elle se taillait un chemin dans la vie à grands coups de machette bien placés. Et de coups de gueule bien tournés.

Mais elle adorait la Duchesse, son mentor, à qui elle épargnait la plupart du temps ses sarcasmes, et cette dernière, qui faisait semblant de ne pas s'apercevoir de ses manigances, le lui rendait bien.

Sans lui en demander la permission, Hosanna s'était assise en face de Jean-le-Décollé dans un mélange de dentelle froufroutante et de parfum bon marché.

«C'est toi, Jean-le-Décollé?»

Celui-ci avait déposé sa tasse de café sans se presser et avait fait bouger ses cheveux, qu'il portait ce soir-là sur les épaules, un peu comme Madeleine Robinson quand on la contrarie et qu'elle prépare une repartie lapidaire, femme du monde jusqu'au bout des ongles malgré son inquiétude... Deux drôles de moineaux se faisaient face, se jaugeaient, le plus vieux, fatigué et fané, jouait le calme et la supériorité, le jeune, plus frais mais déjà abîmé, impatient de se faire entendre, au bord de l'impertinence.

Jean-le-Décollé arqua les sourcils avant de répondre. Joan Crawford, cette fois. Insultée qu'on la dérange sans s'être annoncé.

«Qui me demande?»

Mais Hosanna ne s'en était pas laissé imposer.

«J'te cherche depuis une demi-heure. Une géante d'à peu près huit pieds m'a dit que je te trouverais ici...

— La grande Paula-de-Joliette...

— Écoute, on n'a pas le temps de se perdre en présentations, là... Chuis Hosanna, t'as peut-être déjà entendu parler de moi par la Duchesse... En tout cas, c'est à cause d'elle que chuis ici et chuis pressée... Elle m'a téléphoné, après-midi, elle m'a dit qu'elle voulait me voir et je l'ai trouvée dans un état épouvantable... Je l'avais jamais vue comme ça...

— Oui, oui, oui, on sait toutes ça, elle a une grande peine d'amour...

— Coupe-moi pas la parole, j'te dis qu'on n'a pas beaucoup de temps... Tooth Pick lui a donné une volée, hier soir...»

Jean-le-Décollé s'était redressé, le poing levé, prêt à l'attaque, plus du tout femme du monde.

«Quoi? Ah, le tabarnac! Où est-ce qu'il est, lui, le petit morpion, que j'y règle son compte!»

Pendant ce temps-là, Hosanna avait fini d'une seule gorgée la tasse de café qui se trouvait entre eux. S'il lui brûla la bouche – Jean-le-Décollé prenait toujours son café après le repas et bien chaud –, elle n'en laissa rien paraître. Mais elle avait les yeux ronds en avalant.

«Ça a l'air qu'il a vu rouge quand elle lui a dit qu'elle avait pus d'argent... Elle a les deux yeux au beurre noir, des bleus partout, son bras droit bouge à peine... Elle m'a fait une crise, tu peux pas imaginer... Elle parlait de mort, d'héritage, elle délirait quasiment... Et j'y ai arraché ça des mains de peine et de misère...»

Hosanna avait déposé sur la table d'arborite étoilée une petite fiole de pilules que Jean-le-Décollé avait tout de suite reconnue.

«C'est ses pilules pour dormir... Elle en a pris combien? As-tu appelé l'ambulance?

— Elle a pas eu le temps d'en prendre... Mais je savais pus quoi faire, et j'ai pensé à toi... Elle me dit toujours que tu sais comment y parler...

— Est-tait où? Chez eux?

— Oui. J'ai couru de la rue Dorion à ici, j'ai même pas pensé prendre un taxi... Il faut faire quequ'chose, j'te dis, je l'ai jamais vue comme ça! Je sais qu'est ben dramatique, des fois, mais c'te fois-là, ç'a l'air vrai... J'ai l'impression qu'elle veut vraiment mourir!»

Thérèse, qu'ils n'avaient pas vue revenir, s'était appuyée contre la table.

«Y faut aller la voir. Tu-suite.»

Jean-le-Décollé l'avait apostrophée en quittant la banquette de plastique façon cuir.

«Y me semblait que tu voulais rien savoir d'elle, toi?»

Thérèse détachait son tablier.

«Ce qu'on dit et c'qu'on pense, c'est pas toujours pareil... La Duchesse, est folle, mais c'est mon oncle! C'est toi-même qui le disais, tout à l'heure... On peut pas la laisser comme ça, elle serait capable de faire une folie... Envoyez, grouillez, je paye le taxi...»

La minuscule maison toute délabrée s'élevait au milieu de la côte, entre la rue Sherbrooke et la rue Ontario, encadrée d'autres comme elle, ses jumelles non pas dans la vraie misère, il y avait pire plus à l'est de la ville, mais dans une pauvreté certaine. Elles semblaient se soutenir, s'épauler. Pas de balcon. La porte donnait sur le trottoir. L'été, la Duchesse devait sortir sa chaise sur le trottoir pour prendre l'air. L'hiver, les lendemains de tempête, la neige atteignait parfois le milieu de la porte peinte en vert forêt et on pouvait voir le pauvre Édouard s'échiner sur sa pelle en bois.

Hosanna avait laissé cette porte entrouverte en partant pour ne pas avoir à sonner à son retour.

Thérèse avait regardé autour d'elle en débarquant du taxi.

«Moi aussi, j'ai habité cette rue-là, un temps. Y a pas si longtemps, d'ailleurs... On peut pas dire que ça a été la plus belle période de ma vie...»

Puis elle avait secoué la tête en haussant les épaules.

«Comme si ma vie avait eu des belles périodes depuis l'école des Saints-Anges...»

Dès l'entrée, on était assailli par les vestiges de générations de parfums bon marché achetés au petit bonheur la chance dans des sous-sols de grands magasins ou à la pharmacie, toujours sucrés et capiteux, un trop important bouquet de violettes, de roses et de jasmin qui prenait à la gorge comme un début de rhume. Aucune odeur de cuisine, par contre, on aurait dit que cet appartement n'était pas habité par un obèse mais par quelqu'un que la nourriture n'intéressait pas. La Duchesse mangeait au restaurant. Depuis des années. Des choses qui ne coûtent pas cher, qui s'avalent vite et qui font engraisser.

Ils trouvèrent la Duchesse prostrée dans son lit, tournée contre le mur, la couverture remontée jusqu'aux oreilles même s'il faisait une chaleur d'enfer dans la pièce. Elle les apostropha aussitôt qu'ils mirent le pied dans la chambre.

«C'est toi que j'avais appelée, Hosanna, pas une armée! Quand j'aurai besoin de l'Armée du Salut, j'deviendrai protestante!»

Ils s'agenouillèrent tous les trois à côté du lit d'où émanait une senteur de grosse personne qui a été malade et qui n'a pas eu le temps de faire sa toilette.

«Vous êtes combien? Douze?»

Jean-le-Décollé ne put s'empêcher d'esquisser un sourire. Son sens de l'humour était intact, tout n'était pas perdu.

«On est trois, Duchesse. Hosanna, Thérèse et moi.»

En reconnaissant la voix de Jean-le-Décollé, la Duchesse s'était retournée dans son lit. Elle faisait pitié à voir. La partie droite de son visage avait doublé de volume, ses yeux étaient enflés et bleus et un drôle de sifflement sortait de sa bouche quand elle parlait.

«En plus, il a fendu mon dentier, l'écœurant! J'ai le clavier qui me clapote dans la bouche et qui me tombe sur la langue quand je parle!»

Ils restèrent tous quatre silencieux pendant un court moment. Ils la dévisageaient, elle évitait leur regard. De temps en temps, elle se mouchait dans un kleenex usagé roulé en boule au creux de sa main et c'est elle, comme toujours, qui mit fin au silence.

«Ben oui, je le sais que je fais dur. Je sais aussi ce que vous êtes venus me dire. Gaspillez pas votre salive pour rien. Vous le savez que quand chuis pas parlable, y a rien à faire... Ben chuis pas parlable, aujourd'hui. J'ai couru après? Ben oui. Je mérite ce qui m'est arrivé? Ben oui.»

Jean-le-Décollé glissa sa main sur celle de la Duchesse.

«Personne mérite une affaire de même, Duchesse...»

La Duchesse retira sa main dans un geste brusque. Une lueur méchante luisait au fond du seul œil qui ouvrait encore, petite fente toute bouffie et rouge de sang.

«Pas de compassion, Jean! Pas de condescendance non plus! Pas de sermon sur la montagne! S'il vous plaît! On est trop intelligents, tous les quatre!»

Jean-le-Décollé fut sur ses pieds en moins de deux secondes :

«C'est ben là que tu te trompes! Excuse-moi de te le dire comme ça, là, mais dans cette histoire-là, t'as été tout sauf intelligente, grosse niaiseuse! C'est de ça que t'as le plus manqué, d'intelligence! T'es-tu regardée dans un miroir? C'est-tu un visage

197

de femme intelligente, ça? Hein? Ben non! C'est le visage d'une nouvelle guidoune qui est trop jeune pour écouter les conseils des autres! C'est le visage d'une novice épaisse et imprudente, et naïve, pas celui d'une professionnelle avertie qui a tout vu et qui a tout vécu!»

La Duchesse, indignée, s'était redressée dans son lit.

«C'est ben ça l'affaire! Je l'avais pas encore vécu, ça!

— Quoi, ça? Quoi, ça!

— L'amour, calvaire! C'est ça que vous comprenez pas! Vous pouvez rire de moi tant que vous voulez, vous pouvez me traiter de tous les noms possibles, vous pouvez me rayer de la liste de vos amis, ça changera rien! Je l'aime, ce gars-là, et vous pourrez jamais me faire dire le contraire!»

Jean-le-Décollé s'assit à côté d'elle sur le matelas trop mou où il n'aurait jamais pu dormir à cause d'un problème de dos qui lui faisait rechercher les lits durs. Il lui reprit la main qu'elle avait retirée.

«T'oublies juste une chose, Duchesse. L'amour doit jamais être plus fort que l'orgueil. Jamais.»

Ils se regardèrent, la Duchesse et Jean-le-Décollé assis dans le lit défait, les deux autres toujours agenouillés parmi les vestiges du déguisement que le travesti avait porté la veille, une robe jaune serin, quelle ironie, des accessoires rouge sang, des souliers noirs, tout ça éparpillé n'importe comment sur la descente de lit en minou rose. Ils se comprirent sans avoir à se parler, ils purent lire dans le regard des autres ce que cette phrase venait de déclencher de délicat et de secret, des histoires jamais avouées et qu'on s'arrange pour oublier soi-même tant elles sont laides et nous ont fait souffrir, des compromis dégradants, des lâchetés indignes, des visages adorés désormais haïs, des corps vénérés qui avaient procuré autant de peine que de joie. Au bout de quelques secondes, ils pleuraient tous les quatre. Sans honte. Sur leur orgueil si souvent bafoué. Thérèse avait appuyé son front sur le bord du lit, elle donnait l'impression de prier; Hosanna était restée assise sur ses talons, immobile, le visage ravagé de larmes et de morve.

Un long moment passa avant que quelqu'un, encore la Duchesse, brise cette communion de douleur collective que personne n'avait pu prévoir.

«J'pense que chus pas tu-seule à avoir manqué d'intelligence et d'orgueil dans ma vie, hein?»

Ils se mouchèrent sans rien dire, essuyèrent les larmes qui coulaient de leurs joues à leur menton. Hosanna se remit du rouge à lèvres avant de dire, tout en continuant de se regarder dans le petit miroir de son compact :

«J'me suis jamais rendue jusqu'aux pilules, moi, par exemple…»

Thérèse la poussa du coude.

«As-tu essayé la boisson? Ça prend plus de temps, c'est moins violent, et personne d'autre que toi s'en rend compte.»

La Duchesse la regarda comme un enfant qu'on est sur le point de réprimander.

«Tu penses?»

Jean-le-Décollé prit la Duchesse par l'épaule, l'attira contre lui.

«Tu te le dois à toi-même, Duchesse, d'envoyer chier ce gars-là… Même si tu penses que tu vas en mourir… Ça s'appelle le respect de soi-même. Ton problème, c'est que tu t'aimes pas assez. Y faudrait que t'apprennes à t'aimer plus que n'importe quoi et que n'importe qui d'autre. Plus que ta réputation. Plus que les sarcasmes que tu vas entendre parce que t'as fait une folle de toi et que c'est normal que tu le payes cher. Arrache-le comme une dent pourrie, le maudit Tooth Pick, ça va faire mal, mais ça va être moins pire que de crever en le regardant rire de toi en pleine face… Place ton orgueil un peu plus haut que le trou de ton cul, Duchesse…»

Thérèse posa les deux mains sur les genoux de son oncle.

«On est là pour vous aider.

— Toi, t'es là pour m'aider? Tu fais toujours toute pour me rabaisser.

— C'est parce que vous faites toujours toute pour qu'on vous rabaisse, mon oncle Édouard!

— C'est un défaut de famille.

— Je le sais, j'en fais partie.

— Et j'ai pas besoin de la pitié de personne!»

Jean-le-Décollé repoussa la Duchesse avec une grande douceur, comme s'il avait déposé un énorme ours en peluche sur un lit propre qu'il venait de changer.

«J'vas finir mon sermon sur la montagne, puisque c'est comme ça que tu le vois, en te disant la chose la plus quétaine de tout ce que je t'ai dit jusqu'ici : c'est pas de la pitié, Duchesse, qu'on appelle ça, c'est de l'amitié. Et tu sais très bien que l'amitié c'est jamais bien loin de l'amour.»

La Duchesse remit sur son front la débarbouillette mouillée qu'elle venait de retrouver entre ses draps et qui n'avait pas trop séché.

«Qu'est-ce qu'y faudrait que je fasse, là? Que j'éclate en sanglots comme une grosse pâte molle en vous remerciant de l'édifiante leçon que vous venez de me donner? Que je prenne ma pilule comme une grande fille en promettant de faire plus attention la prochaine fois? Que je jure sur ce que j'ai de plus sacré, ma collection de vieilles perruques de Germaine Giroux, que j'ai compris, que je me laisserai pus prendre, que j'ai enfin aperçu la lumière au fond de l'obscurité, que je suis une ressuscitée de l'amour, la miraculée de la rue Dorion, la thaumaturge du *Montreal Swimming Club*, celle qui saignait dans les eaux usées du fleuve Saint-Laurent jusqu'à ce qu'elle comprenne enfin l'importance de l'orgueil et du respect de soi-même?»

La voyant plus en forme et heureux du retour de sa légendaire mauvaise foi, les trois autres se levèrent en même temps sans rien ajouter et se préparèrent à partir. Jean-le-Décollé ouvrit la fenêtre de la chambre qui donnait sur le jardin le plus pitoyable de Montréal, un ramassis de mauvaises herbes, de croquias et de vieilles pousses de pissenlits séchées, la litière des matous du quartier et le lieu privilégié de leurs rendez-vous nocturnes. La Duchesse n'y mettait jamais les pieds parce que, disait-elle, elle avait peur des créatures innommables qui l'habitaient et qui lui en voulaient parce qu'elle refusait de les nourrir.

«On va te laisser dormir...

— Je dormirai pas.

— Ben oui, tu vas dormir, si tu prends juste une pilule au lieu de vingt-cinq.»

Chose étonnante entre toutes, ils crurent voir un sourire se dessiner dans les ecchymoses de son visage.

Il ne fut plus jamais question de Tooth Pick entre eux.

La Duchesse ne confia jamais à personne à quel point elle avait souffert pendant les quelques semaines où elle avait disparu de la circulation, mais la *Main* au grand complet, ainsi que le Plateau-Mont-Royal et une grande partie de la Plaza Saint-Hubert, comprirent sa douleur et la respectèrent.

Ce fut Carmen, cependant, la chanteuse western du Coconut Inn dont on commençait à dire le plus grand bien, qui porta le coup de grâce à Tooth Pick qu'elle détestait à cause de son arrogance et de ses trop nombreuses et trop faciles victimes. Un soir où elle venait de terminer une chanson country américaine dont elle avait elle-même fait la traduction, elle s'était tournée vers la table du *ring side* où Tooth Pick trônait en galante compagnie et avait dit, un sourire angélique aux lèvres :

«Y paraît qu'y a un cure-dent, ces temps-ci, qui se promène sur la *Main* en voulant se faire passer pour un bat de baseball. Pourtant, j'me suis laissé dire que ce qu'il a entre les jambes aurait pas de quoi rendre fier un p'tit gars de quatre ans!»

C'était trop vrai pour ne pas l'humilier et trop faux pour ne pas l'insulter. Tooth Pick était orgueilleux de ses attributs qui avaient fait tant de ravages sans être ni énormes ni aussi petits que l'avait prétendu Carmen, et il lui en voulut à mort. Il essaya même de lui faire perdre son emploi, n'y réussit pas parce que Maurice, qui était aussi le patron du Coconut Inn, devinait chez Carmen de grandes possibilités, et jura de se venger. Mais il ne parla plus jamais de la Duchesse.

Quant à cette dernière, le soir où elle osa remettre les pieds sur la *Main*, elle se contenta de dire à la cantonade, en se plantant bien droite au coin de la rue Sainte-Catherine et de la rue Saint-Laurent :

«Vous allez toutes être contentes d'apprendre que j'me suis fait greffer une intelligence!»

(Je viens de me rendre compte, en me relisant, qu'avec deux des trois légendes du Boudoir, la première et la troisième, j'ai écrit mes premiers textes de fiction. Je suis désormais capable de broder autour d'une histoire qui m'a été racontée, de la mettre à ma main, d'en donner ma version personnelle, d'en faire quelque chose qui m'appartient en propre, qui porte ma marque, et j'en suis très fière, moi qui jusqu'ici me suis contentée de coucher sur le papier des problèmes qui étaient toujours les miens ou qui tournaient autour de ma petite personne. Qui sait, j'en viendrai peut-être un jour à essayer d'écrire un «vrai roman»!)

Deuxième partie

LA MAISON TELLIER

La Duchesse s'est intégrée avec une grande facilité à la vie du Boudoir. Elle en fut l'animatrice efficace et dévouée pendant les deux fins de semaines qui précédèrent l'anniversaire de Fine Dumas, mais une animatrice qui restait dans la salle, qui ne montait jamais sur scène et qui n'utilisait pas de micro. Entre deux numéros, surtout si le précédent avait été catastrophique, elle faisait rire les clients avec des reparties presque toujours étonnantes, improvisait des monologues de sa façon, passait d'une table à l'autre pour encourager à boire les Polonais, les Brésiliens, les Ivoiriens, tout en leur faisant l'éloge, et pas d'une façon discrète, de mon royaume qu'elle disait digne des contes des *Mille et une nuits*. Elle prétendait être la Shéhérazade des pauvres et disait de moi, en riant, que j'étais celle des riches. Parce que je tenais les cordons de la bourse. Ils étaient donc au courant de mon existence avant de traverser chez moi, ce qui facilitait beaucoup les choses.

Elle me laissait cependant le soin d'expliquer le menu.

Quant à Mae East, elle a vite récupéré, mais seulement après une deuxième visite au docteur Martin, la première dose de pénicilline n'ayant pas été suffisante pour la guérir de son mal vénérien. J'ai donc dû étirer un peu ma fausse foulure et exagérer ma claudication plus longtemps que prévu. La patronne, occupée à faire des civilités dans le bar et à compter dans sa tête l'argent qu'elle faisait, n'y vit que du feu et ne s'aperçut de rien. Ou choisit de le faire, on ne sait jamais avec elle.

Le soir où Mae East a repris le travail, j'ai laissé échapper un grand soupir de soulagement parce que j'en avais assez de jouer les malades devant Madame, de la tromper surtout, pour rendre service à un travesti imprudent qui, j'en avais bien peur, restait aussi étourdi qu'avant sa maladie. Allez savoir pourquoi, les capotes sont mal vues au Boudoir, les filles les détestent autant que les clients et je continue à en acheter pour rien, pour la forme, je suppose, pour la bonne conscience. Elles traînent pendant des mois dans l'armoire de la salle de bains et je finis par les jeter de peur qu'elles ne s'éventent et ne deviennent de toute façon inefficaces.

Pendant ces quelque dix jours précédant la fête de Madame, la grande question était de savoir si les filles du Boudoir se présenteraient à l'Expo habillées en hommes ou en femmes. Étant les trois seuls spécimens de sexe féminin, Fine Dumas, la grosse Sophie et moi avions suivi les discussions avec beaucoup de plaisir, parfois même avec étonnement devant le sérieux de certains débats. Le poulailler s'énervait chaque fois que le problème était soulevé, le ton montait, les susceptibilités étaient mises à rude épreuve : celles qui voulaient se déguiser en garçons prétendaient qu'elles risquaient de faire rire d'elles si elles arrivaient là en travestis ou même, qui sait, de se faire attaquer et de nous mettre en danger, nous les vraies femmes ; les autres, comme Babalu et Nicole, affirmaient qu'elles étaient encore plus efféminées, et donc plus vulnérables, en mâles qu'en femelles. Pour Nicole, la seule idée de passer toute une journée, et de plus en public, sans se maquiller et sans talons hauts était un cauchemar inconcevable. Ça ne s'était pas produit depuis trop longtemps pour ne pas lui faire peur. Elle était à la fois butée et passionnée :

«Me voyez-vous d'ici? Habillée en bûcheron avec les baguettes en l'air? Le cul trop serré dans le seul jean que j'ai? Épilée? La queue de cheval sur l'épaule? La petite démarche gondolante? En gars, j'ai l'air d'un fif; en fille, j'ai un peu plus l'air d'un être humain… J'me suis fait assez taper dessus quand j'étais à l'école pour m'enlever toute envie d'essayer d'avoir l'air d'un gars! Quand chuis en fille, je peux me défendre, y a rien qui me fait peur; pas quand chuis en gars. Quand chuis en gars, chuis un pissou, rien d'autre. Je trouve qu'on risque plus de passer inaperçues si on arrive là en filles, un point c'est tout.»

Quelqu'un avait lancé :

«On va pas là pour passer inaperçues!»

Ce à quoi Jean-le-Décollé avait répondu :

«On va pas là non plus pour courir après le trouble!»

Alors Greta-la-Vieille, dans sa grande sagesse, avait déclaré :

«C'est pas en filles qu'on s'habille, de toute façon, c'est en guidounes!»

Nicole avait aussitôt rétorqué :

«Tu penses quand même pas que c'est en gars que tu te déguiserais! C'est en vieux fif! Et c'est aussi en vieux fif que tu finirais la journée : les yeux au beurre noir et la gueule enflée!»

Elles n'avaient pas réussi à s'entendre. Madame avait refusé de trancher comme elle l'aurait fait d'un problème du Boudoir, prétextant que c'était un jour de fête et qu'un jour de fête on fait ce qu'on veut, les discussions sans fin avaient continué, le ton avait souvent monté et nous sommes arrivées au matin du grand jour sans savoir ce qui nous attendait.

Et un petit miracle se produisit.

Elles visèrent entre les deux.

Celles qui s'étaient mises en femmes parce que c'était ainsi qu'elles se trouvaient le plus à leur aise avaient opté, au contraire des costumes souvent ridicules dont elles s'affublaient sur la scène du Boudoir pour faire rire les clients avant de les plumer, pour des tenues de ville presque discrètes, ce qui ne veut quand même pas dire trop sobres ni trop modestes : Marilyn Monroe, oui, mais dans un rôle de secrétaire; Bette Davis, oui, mais dans *Now Voyager*, pas dans *What Ever Happenned to Baby Jane*... Seule l'éternelle Brigitte Bardot de Babalu était quelque peu outrancière avec sa robe à crinoline des années cinquante, rose pâle à minuscules fleurs blanches en point d'esprit, ses gants de fil au bouton de nacre attaché sur le poignet, son maudit petit mouchoir noué sous le menton et son rouge à lèvres blanc.

Chose étonnante après toutes les discussions auxquelles j'avais assisté, on aurait juré qu'elles s'étaient concertées tant leurs déguisements allaient dans le même sens! Celles qui avaient voulu s'habiller en hommes avaient abdiqué sans faire trop de concessions, elles portaient le pantalon, comme Greta-la-Jeune, à la façon de Marlene Dietrich, disons, quand elle joue les femmes d'affaires délurées; les autres triomphaient dans ce que je pourrais appeler une certaine discrétion vestimentaire, sans donner dans le music-hall. Mes trois colocataires avaient eu le temps de se parler sans que j'en aie conscience, mais les autres? Avaient-elles essayé de se surprendre tout en ayant la même idée?

En sortant de leurs chambres, vers onze heures et demie, Jean-le-Décollé, Nicole Odeon et Mae East avaient bien ri de leurs accoutrements qui se voulaient discrets. Les railleries avaient fusé, on s'était traitées de secrétaires plus que particulières, de femmes de ménage prétentieuses et, insulte suprême, de femmes de docteur.

Mae East avait lancé :

«Laissez-moi vous dire que la femme de docteur a pas l'intention de finir la journée sans se faire examiner le pedigree!»

Arrivées devant le Boudoir où un minibus flambant neuf nous attendait, nous avions retrouvé les autres, toutes plus femmes de docteur les unes que les autres, sauf Babalu, bien sûr, qui jouait les ingénues comme d'habitude. Quatre d'entre elles étaient en pantalon : Greta-la-Jeune, Jean-le-Décollé, Mimi-de-Montmartre et Greluche.

La Duchesse de Langeais, perruque rousse de Germaine Giroux plantée bien droit et deux-pièces en coton gris perle accompagné de bijoux et d'accessoires rouge sang, avait déclaré entre deux rires :

« Aujourd'hui, c'est les vraies femmes qui ont l'air de trois guidounes ! »

Ce qui n'était pas tout à fait exact, mais assez pour nous attirer des moqueries et des sifflets appréciateurs. La grosse Sophie était rose de plaisir et de confusion. C'était sans doute la première fois de sa vie qu'on lui manquait de respect avec autant d'affection et ça la flattait. Moi, je trouvais que je faisais plutôt pitié avec la robe coquille d'œuf que j'avais trouvée au sous-sol de chez Dupuis Frères, dans le département des fillettes, et qui ne sentait pas du tout la prostituée mais plutôt la poupée mal fagotée. Quant à la patronne, boudinée dans son camaïeu blanc des grandes occasions, corsetée jusqu'aux yeux malgré la chaleur et parfumée à outrance, elle jouait les douairières une minute, les guidounes à la retraite la suivante, avec un évident plaisir : elle était la reine de la journée et entendait bien jouer son rôle jusqu'au bout.

Pour sa part, Mimi-de-Montmartre avait l'air d'un barman efféminé un lendemain de veille trop arrosée et Greluche avait l'air de Greluche. Mais en pantalon.

La veille, Madame nous avait défendu de lui souhaiter bonne fête en quittant le Boudoir, même s'il était depuis longtemps passé minuit. Elle nous avait aussi demandé d'attendre d'être installés dans le minibus, le lendemain midi, avant de le faire. Et nous avons vite compris pourquoi.

Après les salutations d'usage, les cris de surprise devant les déguisements plus ou moins réussis, les appréciations moqueuses parce que chez les travestis les compliments se font rarement sans raillerie, après les démonstrations de joie devant la journée qui s'annonçait et les promesses de tourbillons insensés à la Ronde («J'veux qu'on me garroche dans les airs! J'veux qu'on me revire à l'envers! Mais pas dans un lit!»), de visites passionnantes des pavillons thématiques à l'île Notre-Dame («Il paraît que c'est celui de la Tchécoslovaquie qui est le plus beau! Mais il faut faire la queue pendant des heures... Et m'as dire comme on dit, des queues j'en ai assez vu pour cette année!»), bref, après un tapage insensé qui contenait tout sauf des souhaits d'anniversaire pour Madame, comme elle l'avait exigé, celle-ci nous a invités à monter dans l'autobus dont le moteur tournait déjà.

«Allez-y, mesdames, montez, montez! Si vous vous dépêchez, vous allez pouvoir me souhaiter bonne fête dans moins de cinq minutes...»

Une caisse de champagne et du caviar de lompes nous attendaient sur la banquette arrière du minibus! Dire que nous avons fait un triomphe à la patronne serait un euphémisme. Quelques bouteilles ont vite été décapitées, des flûtes de plastique se sont levées, des toasts ont été lancés à la santé, au bonheur, à la bonne fortune de l'héroïne du jour qui prenait des airs de fausse humilité préparés à l'avance et livrés avec maestria. Elle allait jusqu'à jouer l'étonnée devant notre enthousiasme et nous allions jusqu'à croire en sa sincérité.

Et lorsqu'elle nous a fait son petit discours – sans doute répété lui aussi et peut-être même devant un miroir –, c'est les yeux baissés, la main sur le cœur et juste assez de rouge aux joues pour suggérer la confusion et l'émotion retenue. Il ne manquait que le sanglot étouffé dans le poing, mais elle n'osa pas aller jusque-là parce qu'elle savait quand même à qui elle s'adressait et où s'arrêter :

«Vous savez à quel point vous êtes toutes importantes pour moi... Je vous ai choisies une par une, comme des fleurs... Et je dois avouer que je me suis pas trompée... Vous êtes plus que mes employées, vous êtes mes amies. Vous êtes plus que mes amies, vous êtes mes sœurs... Je voulais pas passer le cap des soixante ans sans vous autres ou à travers une soirée de travail comme les autres... Alors j'ai décidé de nous payer le party de ma vie. On va s'amuser toute la journée, on va fêter sur mon bras, et ensuite on retournera aux choses sérieuses...»

Cris, sifflements, applaudissements. Même si nous avions tous senti sous les mots flatteurs un avertissement sans équivoque : je vous paye la traite aujourd'hui, mais vous avez besoin de me le rendre demain! C'était dans la logique de son caractère, nous avons décidé d'en rire tout en nous faisant de petits signes de complicité.

Mimi-de-Montmartre a murmuré entre deux gorgées :

«Laissez-moi vous dire qu'elle va nous presser le citron à partir de demain, la vieille maudite!»

Et Greta-la-Vieille avait ajouté :

«Toi, c'est le citron, mais nous autres, c'est d'autre chose!»

J'avais étudié Madame pendant qu'elle parlait, me disant qu'à force de fréquenter les travestis, elle avait fini par leur ressembler. Elle n'était pas, elle jouait à être. Comme la Duchesse dans son costume de Germaine Giroux. Comme Jean-le-Décollé dans son éternel costume de pauvresse. Comme moi dans mon costume d'hôtesse? Mais moi je ne suis pas travestie, je suis déguisée. La différence est-elle aussi grande que je le voudrais?

En moins de temps qu'il ne faut pour le dire, une bonne partie des bouteilles de champagne avaient disparu et le ton dans le minibus monté d'un cran. Et nous n'étions pas encore en route.

Le conducteur, un dénommé monsieur Jodoin, chauffeur d'autobus à la retraite et de toute évidence ravi d'être là, avait déjà commencé à flirter avec les filles sans qu'on puisse deviner s'il savait qu'il ne s'adressait pas à des femmes. Mais la réputation du Boudoir n'était plus à faire, sa popularité auprès des touristes étrangers connue à travers toute l'Expo, monsieur Jodoin était donc sans doute au courant de notre statut de bordel temporaire si particulier. Et il en profitait pour jouer les innocents. Un peu comme nos clients. Surtout que la Duchesse, comme ça lui arrive souvent quand elle veut attirer l'attention, prenait pour s'adresser à lui une grosse voix d'homme qui jurait avec son costume de madame endimanchée :

«Chôffeur! J'ai besoin d'être chôffée!»

Dit avec la voix d'une femme du monde, ç'aurait pu être drôle; lancé par celle d'un débardeur, c'était plutôt insolite.

Le chauffeur riait des idioties qu'on lui disait et distribuait des clins d'œil en attendant le signal de Madame pour lancer son engin dans les rues de Montréal.

Après d'autres effusions qui semblaient ne devoir jamais finir parce que redoublées, exacerbées par le champagne, des *merci, Madame* sans fin et des *on va t'avoir tout un fun* trop enthousiastes pour ne pas contenir un doute caché, Fine Dumas leva enfin sa main gantée de blanc jusqu'au coude et fit à monsieur Jodoin le signal attendu. Le minibus s'ébranla dans un ronronnement de moteur neuf et sous les cris de onze enfants hystériques qui partaient en vacances.

Il y avait plus de monde sur le trottoir, ce jour-là, pour regarder partir le minibus qu'il ne s'en était déplacé, quelques mois plus tôt, pour assister à l'arrivée de la reine d'Angleterre.

La traversée de la ville, d'abord la rue Saint-Laurent vers le nord, puis la rue Ontario en direction de l'est, et enfin à droite dans la rue Papineau vers le pont Jacques-Cartier, s'est faite dans l'allégresse. Le champagne aidant (pas le caviar qui avait été jugé trop salé et que personne à part Madame n'aimait, de toute façon), les commentaires comiques fusaient, pas souvent subtils mais toujours drôles. On ouvrait des fenêtres malgré l'interdiction à cause de l'air climatisé pour saluer les passants, leur crier des niaiseries, leur envoyer des baisers. Des rires pour une fois sincères au contraire de ceux que j'entends la plupart du temps au Boudoir s'élevaient dans le minibus. Monsieur Jodoin avait ouvert la radio et on entonnait en chœur et de tout cœur les succès de l'été. Dont le maudit *Ce soir je serai la plus belle pour aller danser*, bien sûr, que la Duchesse mimait en se contorsionnant dans le couloir au milieu des moqueries et des sifflets. Une grosse Michèle Richard qui aurait mal vieilli. Tout le monde profitait à plein de ce début de courtes vacances, de ces quelques heures de liberté, les ego étaient mis de côté, les rivalités oubliées le temps d'une partie de plaisir, et on se pâmait d'avance sur ce que le reste de la journée nous réservait au milieu du fleuve, en plein cœur de l'Exposition universelle dont on avait entendu dire tant de bien et qu'on allait enfin pouvoir visiter.

La Duchesse avait lancé :

«On va pouvoir tout vérifier ça *de visu,* mes bisous!»

Aussitôt engagés sur le pont Jacques-Cartier, nous avons aperçu, devant nous à gauche, quelques-uns des principaux points d'attraction de la Ronde : le lac des Dauphins où on pouvait voir chaque soir les célèbres *Dancing Waters,* le fameux Gyrotron, un truc énorme, menaçant, qui terrorisait tout le monde depuis des mois et que les plus braves se promettaient bien d'essayer, et un haut mât du haut duquel, semblait-il, c'est du moins ce que prétendait Greta-la-Jeune, on pouvait se lancer en parachute. Mais elle n'en était pas sûre. Elle avait peut-être vu ça annoncé dans un autre parc d'attractions... Nicole Odeon a hurlé au milieu des cris d'excitation et des promesses de *junk food* et de *cheap thrills* :

«Dans ma famille, on peut pas traverser le pont Jacques-Cartier sans chanter une chanson à répondre! Sinon, ça porte malheur!»

Et d'attaquer une chanson à répondre venue du fin fond des âges et du fin fond d'une campagne éloignée et d'une telle vulgarité qu'elle fit froncer le nez à Fine Dumas, qui en avait pourtant entendu d'autres, et hausser les épaules à la Duchesse qui avait peur de se faire voler la vedette par plus vulgaire qu'elle.

Mais Nicole n'avait pas terminé le deuxième couplet que nous tournions déjà à droite pour amorcer notre descente vers l'île Sainte-Hélène où se trouvaient, entre autres choses, la station de métro toute neuve, les pavillons thématiques des deux grandes forces mondiales rivales, les États-Unis et l'Union soviétique, et l'entrée de la Ronde.

J'étais assise à côté de Babalu qui, au contraire de tous les autres, restait tranquille au fond de sa banquette, les mains gantées posées sur ses genoux, le petit mouchoir noué sous le menton, la robe rose froufroutant autour d'elle. Elle avait peu bu, ne se mêlait pas aux effusions et aux éclats de gaieté et jetait de temps en temps un drôle de regard par la fenêtre.

Vers la fin du court voyage, au moment où nous empruntions la bretelle qui mène au centre de l'île Sainte-Hélène, me doutant de ce qui pouvait l'inquiéter, j'avais posé une main sur sa cuisse.

«Qu'est-ce qu'y a, Babalu, t'es pas contente d'aller à l'Expo?»

Question tout à fait inutile et même idiote puisque j'en connaissais très bien la réponse.

Il faut dire que Babalu est un cas. Je n'ai jamais vu un être aussi réglé, aussi contrôlé, aussi prévisible qu'elle. Babalu est un chat qui fait tout, chaque jour, au même moment, qui a organisé une fois pour toutes ses horaires quotidiens en s'y tenant d'une façon maniaque, presque maladive. La rue, à l'époque où le Boudoir n'existait pas encore, faisait son affaire parce qu'elle y avait son bout de trottoir à elle, ses heures, ses clients, sa maison de passes; le bordel l'arrangeait tout autant parce que tout était décidé pour elle et que les seules surprises, comme avant, plutôt rares et souvent pathétiques, se produisaient au lit dans des bras tantôt timides, tantôt trop entreprenants et desquels elle pouvait se détacher avec grande facilité parce que c'était son métier et que même ça était réglé d'avance. Babalu a en plus cette faculté que je ne comprendrai jamais de se couper de tout, de jouer les idiotes – à moins qu'elle le soit vraiment! –, de se vider la tête de toute pensée intelligente pour se réfugier dans une espèce d'état végétatif, une absence, une indifférence à ce qui se passe autour d'elle parfois choquante parce qu'on se dit que personne n'a le droit, comme ça, de ne s'intéresser à rien ni à personne. J'ai déjà parlé du manque de curiosité de mes trois colocataires. Babalu est dix fois pire si la chose est possible. On lui pose une question, on se rend compte qu'elle est partie depuis un bon moment; elle y répond, on regrette de l'avoir posée. Babalu est délicate comme une porcelaine, aussi froide et aussi vide. Mais par sa seule volonté. Ce qui est encore plus dommage.

Elle a repoussé ma main avec une grande douceur et ne m'a pas regardée pour me répondre. Et, pour une fois, dans le droit fil de ma question:

«D'habitude, à cette heure-ci, je mange sur mon balcon.»

C'est tout. Elle n'a rien ajouté d'autre. J'ai pourtant senti cette grande angoisse qui l'étouffait devant son train-train quotidien modifié, la perspective de passer une journée différente des autres.

«Détends-toi, un peu. Laisse-toi aller. Laisse-toi aller à avoir du fun! On va voir des choses qu'on a jamais vues!

— Les choses qu'on a jamais vues me font peur, Céline! J'en veux pas! Je veux mon balcon, je veux mon chat, je veux le Boudoir!»

Des larmes perlaient à ses yeux et se mirent à couler sur ses joues. Pleurer pour un horaire chambardé?

«Pourquoi t'es venue? T'aurais pu rester chez vous...»

Elle a enlevé un gant, s'est gratté le bout du nez, a essuyé ses larmes, s'est mouchée avec un kleenex qu'elle avait tiré de son sac de paille du même rose que sa robe Brigitte Bardot.

«Je pensais être capable. Aujourd'hui, je sais pas pourquoi, je pensais être capable de faire des choses différentes... J'y ai réfléchi une bonne partie de la nuit et j'ai fini par me convaincre...»

Elle a jeté un regard sur les arbres de l'île Sainte-Hélène. Le soleil filtrait à travers les feuilles dont le vert commençait déjà à passer à cause du manque de pluie, des taches jaunes se voyaient sur les pelouses, des vacanciers pique-niquaient, d'autres se promenaient en flirtant avec la moindre silhouette intéressante.

«J'voulais pas désappointer Madame. Mais là j'me rends compte que j'y arriverai pas. J'ai beau vouloir, je sais que j'y arriverai pas. J'vas m'asseoir sur un banc. J'vas vous attendre.

— Toute la journée?

— Fais-toi-s'en pas pour moi… J'vas me mettre à *off*. Chus t'habituée.

— Mais qu'est-ce qu'y vont dire, ceux qui vont passer devant toi? Toute seule, tu pourras pas te défendre! T'as pas assez l'air d'une fille pour passer inaperçue, et t'as pas l'air d'un travesti assez fort pour te défendre! On te retrouvera jamais, Babalu, si tu restes toute seule… En groupe, on risque pas grand-chose, mais tout seul chacun de son côté, on est trop vulnérables!»

Elle a dû se rendre à l'évidence et a lancé un soupir qui m'a fendu le cœur. Elle a resserré son mouchoir sous son menton comme si ça pouvait changer quelque chose : replacer un accessoire pour ramener à la normale ce qui a été changé.

«Reste à côté de moi, si tu veux, j'peux essayer de te protéger.»

Elle a souri entre deux hoquets de pure panique.

«Merci de ton offre, mais laisse faire… J'vas me déplacer à l'ombre de la Duchesse. Elle passe à travers tout, elle…

— Chus petite, mais chus forte, tu sais…

— Ah, excuse-moi, c'est pas ça que je voulais dire… Je le sais que t'es forte, Céline… Mais je connais la Duchesse depuis plus longtemps, c'est quelqu'un de généreux et je peux toujours me réfugier dans sa compagnie si je me sens trop paniquée. J'vas me concentrer sur son dos, et j'vas m'imaginer au Boudoir.»

Monsieur Jodoin venait de crier : «Terminus, tout le monde descend!», les portes du minibus s'ouvraient dans un bruit d'air comprimé, l'excitation redoublait dans les remugles du champagne tiède mal digéré et de l'air conditionné désormais aromatisé aux odeurs d'une dizaine de travestis qui n'avaient pas l'habitude de lésiner sur le parfum et qui avaient été généreux avec leur *Air du temps*, leur *Shalimar* et leur *Tulipe Noire*. Tout ça dominé, bien sûr, par le *Chanel N° 5* de Fine Dumas qui lui avait déjà tourné sur la peau.

Organisatrice hors pair, du moins c'est ainsi qu'elle se voyait, la patronne avait planifié la journée dans ses moindres détails et voulait l'attaquer en lion : par le socio-politique. D'abord les deux grandes puissances mondiales, USA et URSS, incontournables, semblait-il, puis la fameuse traversée du pavillon des États-Unis en minirail dont tout le monde parlait, suivie d'une promenade à travers toute l'île Sainte-Hélène que nous écumerions le plus vite possible : la Belgique, le Japon, la Corée, la Suisse, la Scandinavie, etc., avant de traverser à l'île Notre-Dame pour le reste de l'après-midi. Ensuite seulement viendraient les divertissements. Vers cinq heures, spectacle de Dominique Michel et Denyse Filiatrault au pavillon du Canada et, après un bon souper dans un restaurant de son choix, nous finirions notre tour de l'Expo à la Ronde au milieu des *Dancing Waters*, des manèges stupides qui donnent la nausée et de la musique jamaïcaine puisque qu'on fêtait ce jour-là la Jamaïque, il ne fallait pas l'oublier, avant de se rendre en toute fin de parcours au Jardin des étoiles assister à une des deux représentations quotidiennes de la revue de Muriel Millard dont on disait aussi beaucoup de bien.

Fine Dumas avait posé le plan officiel de l'Expo sur ses genoux aussitôt que le chauffeur avait ouvert la porte de son minibus et nous expliquait tout ça en longues phrases énervées, sans début ni fin, plus inspirées par l'excitation que par la logique. À notre grand désespoir, d'ailleurs, devant l'idée d'avoir à courir comme des folles toute la journée, à faire la queue pendant des heures à la porte des pavillons, à subir des démonstrations oiseuses et sans doute d'un total ennui sur des sujets plus inutiles les uns que les autres avant même de penser à nous amuser pour de bon. Mais le chauffeur, qui fronçait les sourcils depuis le début de son discours, la coupa au beau milieu d'une phrase :

«Excusez-moi, madame Dumas, mais y a une chose que je comprends pas : vous m'avez dit, quand chuis arrivé ce matin, que vous vouliez passer par le pont Jacques-Cartier...

— Ben oui, c'est l'entrée de l'Expo la plus proche de chez nous, non?

— C'est surtout l'entrée de ceux qui veulent aller à la Ronde... Les autres prennent le minirail qui part du côté ouest de l'Expo...

— Je comprends pas...

— Ce que je veux dire c'est que tout ce que je peux faire, ici, c'est de vous déposer à la porte de l'entrée de la Ronde et d'aller stationner mon mini-bus au bord du fleuve Saint-Laurent... Mais à vous entendre parler, ce qui vous intéresse pour tout de suite est à l'autre bout de l'île Sainte-Hélène... Vous allez être obligées de la traverser à pied au complet en plein soleil du mois de juillet si vous voulez commencer par les États-Unis et la Russie. Ça me fait rien, moi, mais vous allez être fatiguées avant même d'entreprendre votre visite!»

Peu habituée à se faire contredire et surtout à être prise en défaut par quelqu'un qu'elle ne connaissait pas une heure plus tôt, Fine Dumas fit une moue de fillette gâtée à qui on vient de refuser un cadeau jugé trop cher. Par contre, le reste du groupe montra un évident soulagement : nous lorgnions déjà tous en direction de l'entrée du parc d'amusement. Même moi, que les manèges de parcs d'attractions n'intéressent pas du tout, je me voyais mal traverser l'île Sainte-Hélène au grand complet en caracolant avec mes souliers neufs avant d'atteindre le premier pavillon... La Ronde était là, pourquoi ne pas en profiter tout de suite?

Nous attendions tous en silence que Madame se rende à l'évidence.

Mais c'est la réponse qu'elle fit alors au chauffeur, manifestation évidente de sa mauvaise foi, qui mit le feu aux poudres :

«Mon Dieu! C'est pas grand, l'île Sainte-Hélène, ça se traverse en un quart d'heure!»

Tollé général.

Tout sortit d'un coup. Les protestations, les marques de mécontentement, les plaintes fusèrent dans le soleil de ce beau début d'après-midi. La porte ouverte, il commençait à faire très chaud dans le minibus et déjà les patiences s'émoussaient. La Duchesse s'était agenouillée sur une banquette et faisait face à la patronne :

«On s'en sacre, Joséphine, des pavillons thématiques! C'est pas des démonstrations sur la fabrication des coqs de clocher en Basse-Bretagne qui nous intéressent, c'est de se faire brasser le pataclan dans des tourbillons de métal en mangeant de la barbe à papa tout en guettant l'entrejambe des gars qui font fonctionner les manèges et la sueur qui leur coule sur le corps! On est en vacances, Jésus-Christ, Joséphine, on est pas à la maudite école!»

Applaudissements nourris, paroles d'encouragement, tapes sur l'épaule. La Duchesse se permit de renchérir :

«C'est ta fête, c'est toi qui décides, c'est vrai, mais tu nous avais promis du fun, pas de l'éducation!»

Jean-le-Décollé était venu s'agenouiller à côté de son amie. On aurait dit un tas de guenilles sales tombé là par hasard. Ses habits d'homme étaient aussi usés que ses costumes de femme, au point où on pouvait se demander où il les dégottait : même l'Armée du Salut vend des vêtements plus neufs que ceux-là...

«La Duchesse a raison, Joséphine. Tu nous as offert une journée de congé, pas un cours sur ce qui se passe dans l'industrie du reste du monde...

On ira visiter tout ça après, si on a encore du temps… Mais en attendant, laisse-nous avoir du fun. Du gros fun. Du gros fun sale. Du gros fun de guidounes qui ont pas eu de congé depuis tellement de temps qu'elles se souviennent même pas de la dernière fois qu'elles sont sorties de la ville!»

Greta-la-Jeune en a rajouté en lui servant le plus éculé de ses clichés, celui qu'elle sort aux clients qu'elle devine influençables pour leur soutirer de l'argent :

«Je sais pas si je vous l'ai déjà dit, Madame, mais chuis jamais sortie de la ville, c'est la première fois que je traverse le pont Jacques-Cartier! De toute ma vie au grand complet!»

Un coup de coude bien placé de Greta-la-Vieille lui a fait lancer un cri de protestation :

«Ben quoi, c'est vrai!»

Greta-la-Vieille l'a attirée vers le fond du mini-bus.

«Viens que je te parle en arrière, toi…»

Et on entendit le début de sa diatribe :

«J'encourage à dire des niaiseries invraisemblables aux clients, Greta, c'est vrai, mais sors-nous pas ça à nous autres…»

Le reste se perdit dans les protestations de Greta-la-Jeune et se termina dans les larmes. Était-il possible que ce soit vrai, après tout? Que Greta-la-Jeune ne nous ait pas menti quand elle prétendait n'être jamais sortie de Monréal? Pauvre petit gars! Quel genre d'enfance avait-il pu connaître? Mais je n'ai pas eu le temps de réfléchir plus loin, Madame s'était levée en faisant son insultée comme lorsqu'elle ne sait plus par quel bout prendre un problème :

«Bon, c'est correct. Faites à votre tête. Vous finissez toujours par faire à votre tête, de toute façon. Faites ce que vous voulez, moi j'vas me contenter de vous suivre avec le cash à la main… Envoye, Fine, paye, paye pour ta gang de sans-cœur qui

222

sont même pas capables d'apprécier ce que tu leur donnes!»

La bonne vieille culpabilité, encore. Efficace d'ailleurs, puisque des regards piteux furent en effet échangés entre les ingrats que nous étions à ses yeux.

Mais monsieur Jodoin a mis fin aux discussions qui auraient pu s'éterniser en criant :

«J'sais pas si vous êtes comme moi, mais si je reste une minute de plus dans cet autobus-là, moi, j'vas me mettre à mijoter dans mon propre jus!»

Alors que nous descendions de l'autobus, j'ai entendu Jean-le-Décollé glisser à l'oreille de la patronne :

«Détends-toi, Joséphine, tout va bien. On a déjà du fun... Essaye pas de tout contrôler, c'est une journée de vacances!»

Et Madame lui a répondu :

«Si quelqu'un essaye pas d'exercer un certain contrôle, ça va mal finir, je le sens!»

La conversation a continué pendant que les filles commençaient à regarder autour d'elles en pointant déjà du doigt ce qu'elles trouvaient drôle.

«Pourquoi ça finirait mal, Joséphine?

— Parce que je vous connais!

— Ça veut dire quoi, ça?

— Ça veut dire que vous êtes toutes des têtes folles! R'garde-les, toute la gang, sont déjà excitées comme des puces et prêtes à se lancer la tête la première dans la première gaffe qui va se présenter!

— On est toutes des adultes, aussi, tu sais!

— Ça, c'est toi qui le dis!

— Pourquoi tu nous fais un cadeau comme celui-là si t'as pas plus confiance en nous autres que ça?»

Madame s'est arrangé le toupet trop roux pour être naturel en tournant une mèche de cheveux avec son index.

«Je commence à me le demander sérieusement.»

223

Jean-le-Décollé lui a donné une tape sur les fesses, geste que je ne lui avais jamais vu poser, et j'ai eu peur de la réaction de Madame. Elle a ri!

«Slaque, Joséphine... Et essaye d'avoir du fun, toi aussi... C'est ta fête...»

Alors Madame a relevé la tête avant de lancer à la cantonade :

«Mesdames, bienvenue à l'Expo!»

Ce qui m'a le plus étonnée aussitôt que nous avons quitté le minibus, c'est que nous passions à peu près inaperçues. Pas tout à fait, tout de même, parce qu'un groupe de femmes piaillantes et énervées attire toujours un peu l'attention, mais les filles du Boudoir avaient si bien réussi leurs déguisements qu'on nous prenait sans doute pour un groupe de touristes venues d'un pays où les génitrices sont un peu hommasses, si ça existe. Comme dans certains films russes où les héroïnes sont filiformes, mais les autres femmes carrées et massives. Après tout, nous étions en pleine Exposition universelle et toutes sortes de gens habillés de toutes sortes de façons déambulaient devant l'entrée de la Ronde lorsque nous nous y sommes présentés; ce n'est pas un groupe de femelles au physique un peu particulier qui allait déranger qui que ce soit.

Une chose que j'avais lue dans le journal, une de ces curiosités de l'Expo qui font partie de toutes les conversations depuis le mois d'avril, a d'ailleurs tout de suite attiré mon attention : les familles d'Américains dont tous les membres sont habillés exactement de la même façon pour ne pas se perdre dans la foule. Juste devant nous sur l'esplanade du minirail, un père, une mère et cinq enfants se promenaient vêtus, tous, d'une chemisette à carreaux rouges et blancs, d'un pantalon de chino beige et d'une casquette de baseball bleue. Même les chaussures, sans toutefois être pareilles, étaient du même brun. Les parents poussaient les enfants devant eux comme des chiens de berger un troupeau de moutons dissipés, les enfants criaient sans cesse «*Daddy*» ou «*Mommy*» en se contorsionnant parce qu'ils voulaient quelque chose ou se plaindre de la fatigue même s'il était trop tôt dans l'après-midi pour être épuisé. Aussitôt passées les barrières du parc d'attractions, ils couraient vers les vendeurs de barbe à papa, les parents comme les enfants, et se fourraient le visage dans le paquet de coton rose en produisant des grognements de satisfaction. Le sucre, plaisir suprême, même à l'entrée d'un parc d'amusement!

Des agents de sécurité essayaient de contrôler la foule plutôt indocile, donnaient des indications à des gens qui ne comprenaient pas un mot de ce qu'ils disaient, dirigeaient ceux qui posaient des questions trop compliquées vers les points de renseignements; il régnait aux portes de la Ronde une atmosphère joyeuse faite autant d'appréhension devant la réputation de certains manèges, par exemple le Gyrotron, que d'excitation ou de peur d'être déçu. On n'était pas là pour parfaire notre éducation comme dans le reste de l'Expo, on était là pour avoir du fun, ce que la Duchesse avait appelé plus tôt le gros fun sale, et on le faisait savoir : on parlait fort, on riait fort, on refusait de faire la queue mais avec bonhomie, on montrait les ballons qui s'échappaient des mains des enfants imprudents ou distraits, on écoutait en faisant la grimace les cris de ceux qui étaient déjà dans les manèges et qu'on enviait tout en les plaignant d'être aussi effrayés.

Venue d'un haut-parleur caché quelque part dans un arbre, la maudite chanson thème de l'Expo drillait son chemin jusqu'à nos oreilles et je savais que j'aurais à l'endurer des dizaines de fois avant que la journée s'achève : «Un jour, un jour, quand tu viendras, nous t'en ferons voir, de grands espââââces...» Et qui la chantait? Michèle Richard!

Pendant que nous nous regroupions devant les tourniquets d'entrée, Nicole Odeon nous montrait une autre famille d'Américains :

«Hé, qu'on a manqué une bonne occasion de faire rire le monde! Nous voyez-vous, toutes habillées pareil comme ça? Jean aurait été le père, Madame la mère, et nous autres les enfants! Hé, qu'on aurait ri!»

Et j'ai commis ma première plaisanterie de la journée, peut-être pour dérider Madame que je sentais encore tendue après la conversation qu'elle venait d'avoir avec Jean-le-Décollé :

«Et moi, j'aurais été la poupée de qui?»

J'avoue que j'ai connu un certain succès. Jean-le-Décollé m'a fait un clin d'œil au milieu du rire général, Mae East m'a donné une légère tape sur l'épaule. C'est d'ailleurs à ce moment-là que j'ai aperçu Babalu qui se tenait dans l'ombre de la Duchesse comme elle me l'avait dit dans le mini-bus.

Nous nous trouvions donc tous devant les tourniquets en étirant le cou pour savoir combien de temps nous aurions à attendre avant d'avoir accès aux délices de la Ronde, lorsque Madame s'est écriée :

«Mon Dieu! Les passeports!»

La Duchesse a posé une main sur son cœur pour dire sur le même ton qu'elle :

«Mon Dieu! On change-tu de pays?»

La patronne avait déjà la tête dans son sac de plastique blanc qu'elle explorait avec grande agitation, comme si elle avait perdu ses clefs ou un précieux bâton de rouge à lèvres.

«Ben non, grosse niaiseuse! Mais y vendent des passeports d'une journée qui nous permettent de payer juste une fois et de circuler librement dans toute l'Expo... Et je vous en ai acheté chacun un... Ah, les v'là!»

Pendant que Madame les distribuait, la Duchesse s'est tournée vers le pilier du pont Jacques-Cartier qui se trouvait pas loin derrière nous et me l'a montré d'un geste du menton.

«C'est là que j'ai rencontré Tooth Pick pour la première fois.»

Ses yeux étaient embués. Malgré ce que Tooth Pick lui avait fait, malgré ce qu'il était devenu, un homme de main sans scrupules, peut-être même un tueur, la Duchesse le regrettait-elle? Mais ne regrettait-elle pas surtout ce qu'il avait été, ce qu'il avait représenté pour elle et qu'elle croyait ne plus jamais connaître? À cause de son âge? À cause de son physique? À cause du cynisme, cette maladie honteuse qui l'empêchait de penser qu'elle pourrait rencontrer à nouveau l'amour?

Mais elle s'est vite reprise en main. Elle a redressé les épaules, a laissé échapper un long soupir et a dit à Babalu qui la regardait avec de grands yeux ronds :

«Si on était il y a deux ans, la Ronde existe-rait pas encore. On serait en plein dans l'eau du fleuve et des beaux étrons flotteraient autour de nous autres!»

La bonne vieille vulgarité, une fois de plus, pour engourdir un moment difficile à passer. Le rire gras de dix personnes, parce que nous avons bien ri, comme cataplasme à une douleur encore vive après tant d'années. La Duchesse avait suivi le conseil de Jean-le-Décollé, elle avait placé son orgueil au-dessus de tout, surtout du trou de son cul, mais elle connaissait encore des moments de faiblesse, ce qui était tout de même une preuve qu'elle était vivante et capable d'émotions.

Le déchireur de tickets (et vérificateur de passe-ports) nous a regardées avec un drôle d'air. Il avait le temps de nous dévisager une à une et ne fut pas long à nous soupçonner d'être autre chose que ce que les vêtements que nous portions voulaient suggérer. Ou bien il faisait partie de la famille, ou bien il aurait aimé en être et n'osait pas, trop jeune encore – il sortait à peine de l'adolescence – pour affronter ses démons. Il était d'ailleurs assez mignon dans sa petite chemisette de coton blanc. Lorsque la dernière du groupe, la grosse Sophie, lui eut tendu son bout de carton, il nous a lancé un joyeux :

«Bonne visite, messieurs-dames!»

Et il a fait un grand sourire à Babalu qui a littéra-lement fondu sous nos yeux, comme une écolière enamourée devant un grand de neuvième qu'elle épie depuis des mois sans oser rêver qu'il lui adres-sera un jour la parole. Bon, me suis-je dit, elle ne voulait pas venir, elle ne voudra plus repartir… Nous l'avons donc tout de suite coupée du danger en nous éloignant vite des tourniquets. Quand elle se tordait le cou, nous lui poussions dans le dos. Il lui a lancé de loin un baiser du bout des doigts, nous avons fait un rempart de nos corps.

Mais au bout de quelques pas à peine, autre bisbille : les plus braves d'entre nous voulaient tout de suite essayer le Gyrotron qui dressait sa silhouette menaçante au bout de l'allée, à notre droite, alors que les autres, plus prudentes ou plus peureuses, optaient plutôt pour une promenade, un tour d'horizon, avant de se lancer dans les manèges, façon de tâter le terrain au lieu de tout de suite faire le grand saut. Comme il n'était pas question de nous séparer, Madame s'étant juré de nous guetter comme une classe de dangereuses délinquantes, nous avons passé au vote après une discussion assez vive où les qualificatifs échangés s'étaient avérés peu flatteurs et surtout pas du tout généreux. C'est Madame, bien sûr, qui servait d'arbitre. Les intrépides ont gagné à six contre cinq et notre groupe s'est dirigé en jacassant – les protestations étaient aussi fortes que les cris d'enthousiasme – vers le monstre de métal.

Madame secouait la tête.

«Vous allez être malades et la journée va s'arrêter là!»

Jean-le-Décollé l'a prise par la taille. Ils formaient un bien drôle de couple : une grande échalote d'homme vêtu de haillons informes et une petite grosse massive, baleinée et parfumée.

«T'embarques pas avec nous autres, Joséphine?»

Madame l'a repoussé en haussant les épaules :

«J'ai-tu voté pour? Non! Ben j'y vas pas!»

La Duchesse les suivait en riant.

«Habillée comme ça, Joséphine, tu ressembles à une Irlandaise qu'on voyait tous les dimanches sur la rue Mont-Royal, dans les années cinquante. Elle assistait à la messe à l'église anglaise de la rue de Lorimier et ensuite elle se promenait, la tête haute, sans jamais saluer personne. Les hommes la trouvaient ben ragoûtante. Mon frère Gabriel parlait souvent d'elle et ma belle-sœur Nana aimait pas trop ça. L'été, elle était toujours habillée en blanc et ses cheveux étaient roux comme les tiens. Une à côté de l'autre, vous auriez l'air d'une grande et d'une petite jumelles! Elle aurait à peu près ton âge… J'me demande si elle parlait français… On l'a jamais su…»

La patronne s'est tournée vers elle :

«Écoute donc, Duchesse, es-tu venue ici pour t'étendre sur tes souvenirs et nous fatiguer avec les années cinquante? C'est ça que t'appelles du gros fun sale? Qu'est-ce que ça doit être quand tu t'ennuies, pauvre toi!»

Le Gyrotron se dressait devant nous. Et nous pouvions entendre les cris de terreur qui s'en échappaient. Celles qui ne voulaient pas y goûter se sont installées sur des bancs pendant que les autres faisaient la queue après avoir acheté leurs billets. Bien sûr payés par Madame qui avait quelque peu sursauté devant le prix.

«Payer ce prix-là pour avoir peur! Et faire la queue pendant une demi-heure! J'vas m'installer un Gyrotron au Boudoir, y a de l'argent à faire avec ça!»

Ce à quoi Greta-la-Vieille avait répondu du tac au tac :

«Vous en avez six, des Gyrotron, au Boudoir, Madame, et vous savez pas les apprécier!»

Et Mae East d'ajouter :

«On fait peut-être peur, nous autres aussi, mais on brasse autant que c'te machine-là!»

Madame a accusé le coup en esquissant un petit sourire de doute qui a eu l'heur d'insulter toutes les guidounes présentes.

Nous, les braves – oui, j'en étais –, regardions passer les malheureux qui venaient de sortir de l'énorme machine : certains souriaient, mais d'un drôle de sourire, celui qu'on emprunte pour ne pas perdre la face, d'autres étaient verts. De peur et de nausée. Et tous titubaient comme s'ils avaient été soûls. J'étais tout à coup moins convaincue d'avoir envie d'entrer là-dedans, mais mon billet était acheté, la queue avançait assez vite et je ne voulais pas passer pour une peureuse. Je me suis d'ailleurs demandé pourquoi je ne sortais pas du rang. Pourquoi je n'offrais pas le billet à un passant. Pourquoi je m'entêtais à faire une chose qui ne m'attirait pas. Et je me suis rendu compte que ce n'était pas juste par orgueil. La perspective du danger qui m'attendait, de l'idée du danger plutôt, parce qu'il ne serait que dans ma tête, le Gyrotron n'était après tout qu'un manège, la pensée de me laisser entraîner dans un univers dont je ne savais rien et qu'on disait terrorisant m'excitaient assez, et je suppose que c'était là le but même de l'existence de ce divertissement : vendre un faux danger à prix d'or à des gens qui joueraient le jeu tout en se sachant en sécurité.

Quelques-uns de ceux qui venaient d'expérimenter la chose s'arrêtaient près de nous et nous conjuraient de ne pas entrer là-dedans, que c'était une perte de temps, d'autres nous disaient que c'était formidable et qu'ils y retourneraient.

Qui croire?

Ici, je dois faire un aveu : je n'ai jamais aimé les manèges, ni tout ce qui monte, descend, tourne ou brasse. Enfant, au parc Lafontaine où m'amenait ma mère quand il n'y avait pas trop de monde, j'évitais les balançoires pourtant très populaires auprès des petites filles, les *see-saws*, les échelles, enfin bref tout ce qui bougeait, pour me réfugier dans un livre, au pied d'un orme, ou dans le carré de sable qui sentait le pipi de chat. Ma mère me disait :

«Franchement! On aurait pu rester sur le balcon, ç'aurait fait pareil!»

C'était faux. Le balcon de notre appartement, c'était le bruit, la chaleur, l'odeur des tuyaux d'échappement des voitures; là, sous les arbres du parc Lafontaine, dans leur ombre mouvante, les jambes allongées dans une tache de soleil, les livres me semblaient plus vivants, plus perméables en quelque sorte, je pouvais me glisser avec plus de facilité dans le monde de Berthe Bernage ou celui de Trilby, et ce que j'apercevais quand je levais les yeux était beau plutôt que chaotique et, surtout, reposant. Un peu de bucolique fait toujours du bien dans la vie des enfants des villes, même s'ils ne savent pas l'exprimer.

Tout ça pour dire que si j'acceptais de faire la queue devant cette menaçante double montagne de métal dont les deux parties étaient reliées par une passerelle mécanique, c'était en fin de compte plus pour accompagner mes amies que par goût du danger comme je l'avais d'abord pensé.

On nous promettait un voyage dans l'espace et une chute au centre de la Terre, rien de moins. Bien sûr, mes compagnes, en bonnes guidounes, c'était prévisible, prétendaient expérimenter ces deux sensations tous les soirs et même plusieurs fois, mais je savais que c'était de l'esbroufe pour faire passer leur appréhension devant ce qui les attendait et je les laissais dire.

Quand nous n'étions pas en mouvement et que les visiteurs de l'Expo avaient le temps de nous observer de plus près parce que nous étions moins sur nos gardes, ils ne nous regardaient pas de la même façon. Je ne peux pas dire qu'ils devinaient tout de suite ce que nous étions – voilà que je m'inclus dans mon groupe de travestis, maintenant! –, mais lorsqu'ils le devinaient, au son d'une voix trop basse – la Duchesse, toujours –, à un mollet très peu féminin ou un geste trop brusque, ils se poussaient du coude, se parlaient à l'oreille, certains éclataient de rire. Je ne sais pas s'ils croyaient que nous faisions partie des festivités de l'Expo, que nous étions payées par la Ville de Montréal, comme des mascottes de clubs de sports, pour faire les clowns dans les files d'attente de la Ronde, mais toujours est-il, et à mon grand étonnement, que je ne ressentais chez eux aucune hostilité, aucun rejet, juste un grand amusement devant ces drôles d'hommes qui osaient se présenter en public attifés de cette façon. L'Expo serait-elle vraiment en train de déclencher une certaine ouverture d'esprit chez les Montréalais? Mais combien de ces gens, autour de nous, étaient de Montréal? Et si je nous imaginais au coin de Sainte-Catherine et de Peel, le tableau qui se présentait à mes yeux était bien différent : ils seraient sans doute moins tolérants là qu'ici. Des clowns à la Ronde, oui ; des travestis dans la rue, dans la vie de tous les jours, c'était une autre paire de manches ! Les hommes de main de Maurice dont la tâche consistait, avant l'Expo, à protéger les travestis étaient bien payés pour le savoir.

Nous avons fini par nous serrer les coudes et former un cercle compact ; nous tournions le dos à tout le monde pour regarder à l'intérieur du cercle et parler entre nous, nous attirions ainsi moins l'attention. À un moment donné, la grosse Sophie, qui nous avait plus tôt avoué sa passion pour les manèges, s'est penchée vers moi pour me demander :

« Penses-tu qu'ils nous prennent pour des travestis nous autres aussi ? »

J'ai répondu par l'affirmative et elle est partie d'un beau grand rire qui a fait bouger tout son corps.

« Dire qu'y a un an je l'aurais mal pris ! »

Au bout d'une demi-heure, nous sommes enfin arrivées devant la plus petite des deux pyramides où se faisaient l'embarquement et le débarquement. Ça n'avait rien d'égyptien, c'était rouge sang pour faire « horreur », c'était laid, et ça ressemblait plus à un moulin à café qu'à un manège de parc d'attractions. Certains de ceux qui en sortaient étaient verts, comme je l'ai écrit plus haut, mais d'autres, par contre, semblaient blasés. Un grand adolescent boutonneux, en particulier, est passé près de nous en bâillant pour bien montrer sa déception. Il a ensuite mis ses mains en porte-voix et a crié à tous ceux qui formaient la queue :

« C'est plate pour mourir ! Ils l'ont ralenti parce que c'était trop dangereux ! Ce qui fait que là, ça l'est pas assez ! On dirait qu'on fait un tour d'escalier mécanique chez Eaton ! »

Une femme qui tenait un mouchoir devant sa bouche lui a donné une claque derrière la tête :

«Écoutez-le pas et rentrez pas là-dedans! C'est une laveuse automatique sans eau! Je sais pus ce qui est en haut et ce qui est en bas! J'ai failli vomir tout ce que j'avais mangé à matin!»

Au même moment, un grand chœur de cris d'horreur nous est parvenu des profondeurs du Gyrotron et l'adolescent boutonneux a haussé les épaules.

«Croyez pas ça! C'est des cris enregistrés! Ça criait jamais tant que ça quand j'étais dedans!»

Encore une fois, qui croire?

Je dois avouer que ma curiosité commençait à s'éveiller. Je me laisserais aller au voyage astral et à la chute dans les entrailles de la Terre, on verrait bien...

Avant de nous lancer à l'aventure, on nous attachait dans une nacelle un peu sinistre qui ressemblait à un cercueil sans couvercle pouvant contenir quatre personnes, deux sur la banquette avant, deux sur la banquette arrière. Vu ma petite taille, je me suis bien sûr retrouvée sur celle du devant en compagnie de Sophie, tout excitée, qui ne cachait pas son enthousiasme :

«Petite fille quand j'allais au parc Belmont, oui, oui, oui, j'ai déjà été petite, commencez pas avec ça, je faisais les montagnes russes des dizaines de fois de suite... J'me tannais jamais, j'aurais pu passer la journée dedans! Le cœur me serrait dans la poitrine, j'avais l'impression que j'allais mourir et j'adorais ça! Et les *peanuts*! Es-tu déjà montée dans les *peanuts*, au parc Belmont, Céline?»

Je n'osais pas lui répondre que je n'étais même jamais allée au parc Belmont, j'avais trop peur qu'on croie que je faisais partie du cabinet des curiosités...

Rivées à nos sièges par des barres de métal quelque peu rébarbatives, nous sortions donc de la petite pyramide rouge pour nous diriger dans un bruit de ferraille vers la grande lorsque Jean-le Décollé, assis derrière avec la Duchesse, a émis mon arrêt de mort sans le savoir :

«Il paraît qu'y fait ben noir, là-dedans, qu'on dirait vraiment qu'on grimpe dans le ciel, qu'on se dirige vers les étoiles à la vitesse de la lumière...»

On ne m'avait pas dit que tout ça se déroulerait dans le noir! J'aurais dû y penser, la grande pyramide n'avait pas de fenêtres, mais j'avais été trop occupée, comme d'habitude, à surveiller ce qui se passait autour de moi, à faire le petit chien de garde, à jouer les hôtesses, même au cœur d'un parc d'attractions, pour m'arrêter à penser à ce qui m'attendait là-dedans. Je m'étais lancée dans le Gyrotron sans réfléchir, je voulais faire la brave, alors que j'aurais pu en ce moment même être en train de manger une crème glacée en compagnie de Madame et des autres qui avaient été trop intelligentes pour se laisser convaincre de risquer leur vie suspendues entre ciel et terre à la vitesse de la lumière...

J'ai peur dans le noir! Je ne peux pas supporter le noir! La nuit, j'ai besoin d'une veilleuse, et je n'ouvre jamais un placard ni même une armoire de cuisine sans ressentir un serrement de cœur! J'exagère un peu, bien sûr, mais c'est vrai que j'ai toujours eu peur de l'obscurité et que j'essaie le plus possible de ne jamais m'y retrouver... Alors j'ai vu venir l'ouverture de la grande pyramide, grande bouche prête à m'avaler toute crue, avec une terreur comme je n'en avais pas ressenti depuis longtemps. Je n'étais pas encore entrée dans la maudite machine que j'étais déjà morte de frayeur!

Fermer les yeux? À quoi bon, mon corps sentirait les soubresauts, les bonds, les secouages, et mon imagination ferait le reste. J'ai donc gardé les yeux ouverts après avoir prévenu ma compagne dans l'adversité qu'il était possible que je lui griffe un bras au cours des cinq minutes qui suivraient, ou que je lui grimpe après comme un petit singe son cocotier. Elle s'est contentée de rire en disant qu'il n'y avait pas de danger que le manège déraille parce qu'elle était trop grosse et que son poids allait garder la nacelle sur ses rails. Je lui ai avoué que ce n'était pas de ça que j'avais peur, mais de l'obscurité. Elle a ri encore plus fort.

«T'as peur dans le noir? Ben, tiens-toi après moi, je fais peur aux monstres!»

J'ai en fin de compte peu de souvenirs précis des cinq minutes qui ont suivi. Je revois des images floues, je revis des sensations terribles mais vagues, et rien n'est très clair : tout ce que je sais c'est que j'ai été brassée, retournée, secouée, ballottée, que je risquais à tout moment d'être éjectée à l'extérieur de la nacelle pour ensuite me retrouver écrasée sur les rails ou écrapoutie contre une poutre de métal, que je suis montée à toute vitesse en tournoyant dans un ciel noir piqué de millions d'étoiles qui pleuvaient autour de moi comme une douche de paillettes, que ma chute dans les profondeurs de la Terre, au cœur d'un volcan en pleine éruption, m'a fait produire des sons dont je ne me serais jamais crue capable, noyée dans une vapeur que je soupçonnais d'être mortelle, que le monstre qui nous attendait au centre du cataclysme, une espèce de crabe géant aux yeux de feu et aux énormes pinces dont j'aurais ri en toute autre occasion tant il était grotesque, a failli me faire mouiller ma petite culotte parce que je ne l'attendais pas et que j'ai cru qu'il allait me couper en morceaux, et qu'à la sortie mes ongles étaient plantés dans le bras gauche de Sophie qui n'osait pas me repousser par respect pour ma terreur, légitime ou non, en tout cas impressionnante.

Je n'avais pas juste peur, j'étais terrorisée au point où je ne savais plus où j'étais, qui j'étais et ce qui m'arrivait. J'étais plongée dans un état second absolument effrayant où n'existait plus rien d'autre que l'épouvante à l'état pur. Parce qu'il faisait noir, oui, mais aussi parce que tout allait trop vite, que je n'avais aucun contrôle sur mon environnement. Je n'étais même pas libre de me détacher pour me lancer dans le vide! Moi qui essaie toujours de garder le contrôle, je m'étais laissé plonger dans un chaos sur lequel je n'avais aucune emprise et c'est surtout ça, je crois, qui me déstabilisait le plus.

Pendant que nous nous dirigions vers la petite pyramide rouge où se déroulerait le débarquement, Sophie, après avoir retiré mes ongles de son bras, m'a dit avec une pointe d'envie dans la voix :

«T'es donc ben chanceuse d'avoir eu peur comme ça! J'ai eu du fun, moi, mais jamais comme toi!»

Je lui aurais volontiers cédé ma place. Le cœur me débattait encore dans la poitrine comme une montre déréglée, j'essuyais mes larmes avec un kleenex déjà trempé, j'essayais en vain de contrôler le tremblement de mes mains. Je voulais sortir de là, bannir ce souvenir de ma mémoire, penser à autre chose, quitter la Ronde et ses maléfices. Et la visite de l'Expo commençait à peine!

La Duchesse a glissé la tête entre nous :

«J'pense que j'ai laissé mon dentier dans les étoiles, juste avant de tomber dans le volcan!»

Elle a vu dans quel état je me trouvais, que je n'avais pas du tout le goût de rire, et s'est retirée en faisant de grands yeux à Jean-le-Décollé qui s'est contenté de dire à mi-voix :

«En plus, il paraît qu'ils ont été obligés de ralentir le Gyrotron au bout de quelques semaines parce que c'était trop épeurant! Imagine ce que ça devait être!»

Mes trois compagnons de nacelle étaient donc d'accord pour dire qu'ils venaient de passer cinq minutes éprouvantes mais quand même formidables au cœur d'une sensation plus près de l'excitation que de la peur, et des plus enivrantes. À les entendre parler, ils étaient même prêts à recommencer n'importe quand l'expérience. J'avais juste envie de les envoyer chier.

Quand nous nous sommes retrouvés sur le trottoir, devant le manège, au milieu de celles qui avaient eu la sagesse de rester au sol, j'étais parmi ceux, verts et tremblants, qui vouaient le Gyrotron aux gémonies. J'étais à ce point secouée que je n'arrivais même pas à répondre aux questions qu'on me posait. Madame me regardait avec un drôle d'air.

«Es-tu correcte, Céline?»

Tout ce que je suis arrivée à faire, c'est dire sur le même ton qu'elle avait utilisé plus tôt avec Jean-le-Décollé :

«J'ai-tu l'air correcte? Non? Ben, je le suis pas!»

La Duchesse, le visage rouge brique, s'essuyait le cou avec un kleenex.

«J'vous dis que j'ai la Duchesse à terre! Mais j'ai adoré ça!»

J'ai été étonnée de trouver monsieur Jodoin parmi mes compagnes du Boudoir. En réponse au coup de menton que j'ai lancé dans sa direction, Madame m'a expliqué à voix basse qu'il n'avait pas le goût de nous attendre une partie de la journée en lisant son journal au bord du fleuve, qu'il avait déjà visité l'Expo plusieurs fois avec d'autres groupes et qu'il pourrait sans doute nous être utile. Elle disait ça avec un air gourmand et j'ai tout de suite deviné à quel genre d'utilité elle faisait allusion. C'est vrai que le monsieur Jodoin en question était un assez bel homme. Et il semblait trouver Madame de son goût parce qu'il la couvait de regards de convoitise qu'il n'essayait même pas de déguiser. Je me suis dit qu'il ferait en effet un intéressant cadeau-surprise de fin de party pour les soixante ans de notre bien-aimée patronne. À condition toutefois qu'il ne pense pas qu'il avait affaire à un homme déguisé en femme – sait-on jamais – et qu'il ne se retrouve pas avec une bien drôle de surprise en ne trouvant pas l'objet de ses convoitises!

Mae East, qui avait été jumelée avec Greluche dans la nacelle devant la nôtre et que je me souvenais avoir entendue hurler encore plus fort que moi au moment où nous avions plongé dans le volcan en irruption, racontait le Gyrotron aux deux Greta et à Mimi-de-Montmartre avec beaucoup de fougue et conclut en se frappant le front du plat de la main :

«La lave revolait, y avait de la boucane partout, c'est ben simple, j'ai pensé que la gonorrhée allait me revenir!»

Chose étonnante, nous avions faim! Il faut dire que nous n'avions rien mangé depuis l'insignifiante imitation de caviar qui avait accompagné le champagne dans le minibus. (Il s'est avéré que celles qui ne nous avaient pas suivies dans le manège nous avaient attendues sagement, sans crème glacée comme je l'avais d'abord pensé.) Nous sommes donc parties à la recherche d'autre chose que de la barbe à papa : un stand à hot-dogs ou un petit restaurant de *junk food* où nous pourrions nous bourrer de beau gras sans aucune valeur nutritive. Nous avons pris la direction du Carrefour international situé à l'autre bout de la Ronde, juste en face du Jardin des étoiles où se produit deux fois chaque soir notre bien-aimée Muriel Millard que Greta-la-Vieille imite si mal, costumes à paillettes et plumes au cul, en chantant son grand succès *Dans nos vieilles maisons*. Monsieur Jodoin nous avait dit que nous trouverions là des spécialités d'un peu partout dans le monde, ce à quoi la Duchesse avait répondu en lui faisant un clin d'œil goguenard :

«Comme au Boudoir?»

Et c'est au moment précis où nous tournions à droite pour nous diriger vers le Carrefour international que nous avons découvert l'absence de Babalu.

Madame, qui tenait monsieur Jodoin par le bras, a tout à coup allongé le cou pour demander à la cantonade, l'air de rien mais un brin de nervosité dans la voix :

«Quelqu'un a-tu vu Babalu?»

Pas de robe Brigitte Bardot rose nananne en vue.

Drame.

Onze têtes se sont tournées dans toutes les directions, des mains ont été portées à des cœurs, des voix jusque-là féminines ont descendu d'une octave. Greta-la-Vieille, déjà sans aucun doute la plus grande personne présente à ce moment-là sur le site de l'Expo, s'est juchée sur le bout des pieds pour crier :

«Babalu! Bonyeu, oùsque t'es? Babalu! Babalu!»

Notre affolement si peu discret a commencé à faire se tourner des têtes dans notre direction. Des promeneurs s'arrêtaient pour nous observer de plus près, croyant peut-être assister à un spectacle donné deux fois par heure, douze heures par jour, dans l'allée centrale de la Ronde, par une troupe de clowns de rue. Deux familles d'Américains, hilares, nous montraient du doigt et des Japonais prenaient des photos.

Le spectacle en question devait en effet être assez amusant : un groupe d'hommes habillés en femmes courait partout en criant le titre d'une chanson cubaine, accompagné d'une naine – homme? femme? – qui faisait tout pour se faire oublier et d'un chauffeur d'autobus, casquette à la main, qui dessinait dans l'air des grands gestes désespérés comme s'il avait chassé un essaim de guêpes.

Fine Dumas s'est soudain rendu compte que nous attirions un peu trop l'attention et a rappelé ses troupes à l'ordre :

«Mesdames! S'il vous plaît! Un peu de discrétion! On a l'air d'un poulailler visité par une meute de chiens enragés!»

C'est alors que monsieur Jodoin, en toute candeur, a demandé à Madame :

«Babalu, c'est-tu celle qui est habillée en Brigitte Bardot, ça? La belle petite robe rose avec le petit mouchoir attaché sur le menton? Si c'est elle, je l'ai croisée en m'en venant vous rejoindre... Elle était en train de parler avec un des déchireurs de tickets, à l'entrée...»

Il n'avait pas fini sa dernière phrase que sept fausses femmes hystériques et trois vraies partaient en courant en direction de l'entrée de la Ronde pendant que celle qui semblait être le chef du groupe, un camaïeu de blanc couronné d'une tête rousse, lui lançait sur un ton de reproche :

«Vous auriez pas pu me le dire avant qu'on attire l'attention de la Ronde au grand complet, non!»

On les a retrouvés en grande conversation devant le tourniquet. Le jeune homme avait les oreilles du même rose que la robe de Babalu qui, elle, avait détaché son mouchoir Brigitte Bardot pour le tortiller entre ses doigts en minaudant. Aussitôt qu'elle les a aperçus, Madame a paru soulagée.

«Au moins, ils ont pas encore fait de folies…»

Je me demandais bien ce qu'elle entendait par folie, elle était propriétaire d'un bordel et Babalu était l'une de ses filles! Mais je n'ai pas eu le temps de lui poser la question, elle était déjà sur eux, les baguettes en l'air :

«Babalu! Es-tu après virer folle! J'ai dit que je voulais pas qu'on se sépare de la journée!»

Babalu a pris son air innocent des grandes cir-constances, celui qui nous donne toujours envie de la frapper parce qu'on sait qu'elle est de mauvaise foi et qu'elle essaie de nous manipuler.

«Y en avait six dans un manège, j'ai pensé qu'il pouvait ben y en avoir une septième ici!»

Madame n'a pas pu s'empêcher de lui donner une tape sur la main comme une maman énervée qui vient de retrouver son enfant perdu dans un grand magasin et qui ne sait pas comment mani-fester sa frustration.

«Elles étaient enfermées dans deux boîtes de métal entre ciel et terre, je savais oùsqu'elles étaient, je pouvais pas les perdre!»

Cette fois, c'était un air piteux, repentant, que Babalu arborait. Elle avait plongé le nez dans son décolleté carré et faisait semblant de retenir des larmes.

«Escusez-moi, madame…

— Pourquoi tu me l'as pas dit que tu voulais revenir ici?

— Parce que vous m'auriez pas laissée partir!

— Tu pouvais pas le savoir tant que tu le demandais pas!»

La patronne détailla le déchireur de tickets des pieds à la tête en faisant une moue de dégoût.

«Franchement! Babalu! Y pourrait être ton enfant!»

Celle-ci, insultée, a relevé le nez brusquement.

«C'est ben pas vrai!»

Babalu a sans doute beaucoup plus que la petite trentaine qu'elle avoue en tapochant des yeux pour faire oublier ses pattes d'oie et son prétendant semblait à peine sorti de l'adolescence, Madame avait donc visé juste.

«Voyons donc! Regarde-le! Il a même pas l'âge de se faire la barbe!»

Cette fois, c'est lui qui se sentit offensé. Ses oreilles ont passé du rose au rouge pendant qu'il criait avec une voix de fausset :

«J'vous demande bien pardon! J'me suis rasé ce matin!»

Madame l'a pris de haut.

«C'tait-tu la première fois?»

Alors il s'est fâché. Ce qui était plutôt comique vu sa gracilité. Il a tassé Babalu, s'est approché de Madame et lui a parlé dans le nez.

«D'abord, vous êtes qui, vous? Sa mère? Parce que si vous êtes pas sa mère, vous avez pas d'affaire ici! Est assez vieille pour choisir à qui elle va parler, non? Elle a pas besoin d'une chaperon à son âge, jamais je croirai!»

Fine Dumas n'a pas bronché d'un poil. Elle était plus petite que lui et se voyait obligée de lever la tête pour le regarder dans les yeux. Elle a soutenu son regard un long moment avant de dire :

«Chuis plus que sa mère, mon petit gars, chuis sa protectrice! Et c'est pas un petit avorton comme toi qui va me faire peur! Même si tu lui offres le grand amour entre deux déchirages de tickets de l'Expo! Babalu pourrait être ta mère naturelle, mais elle a le cerveau d'un enfant de quatre ans et elle a besoin qu'on la protège contre les bêtises qu'elle pourrait faire tous les jours de sa vie! Et c'est à ça que je sers, entre autres choses.»

Lui non plus ne s'en laissait pas imposer et l'affrontait avec un courage assez admirable.

«J'voulais pas la marier, votre Babalu!

— Non, je le sais ce que tu voulais d'elle... Elle t'a-tu dit combien ça coûtait?»

Madame allait trop loin. Babalu a reculé de quelques pas sous le coup et s'est réfugiée dans les bras de la grosse Sophie. J'avais l'impression d'assister à la dernière scène d'un vilain mélodrame : la méchante belle-mère allait gagner contre le petit couple d'amoureux sympathiques si personne n'intervenait. Alors, comme d'habitude, je me suis approchée pour essayer de calmer les choses. La patronne a levé la main dans ma direction sans me regarder.

«Céline, mêle-toi pas de ça! J'sais ce que tu veux faire et c'est pas le temps, crois-moi!»

Elle a ensuite posé l'index sur le bout du nez du jeune homme.

«Tu sais pas à qui t'as affaire, parce que si tu savais à qui t'as affaire, tu ferais dans tes culottes! Babalu, ça s'appelle touches-y pas! As-tu compris? Je sais que tu la trouves de ton goût, je sais qu'elle te trouve de son goût, mais elle est pas libre et le sera pas pour un maudit bout de temps! Alors, retourne déchirer tes tickets pour payer ton université si tu veux pas voir ton avenir compromis! Parce que crois-moi, mon garçon, ton avenir, je pourrais le compromettre!»

C'était la première fois que je voyais Madame si près de la vraie violence et j'étais sidérée. J'avais bien sûr déjà entendu parler de ses célèbres colères si souvent injustes, de la pure terreur qu'elle provoquait chez ceux qu'elle menaçait sérieusement, mais je n'avais encore jamais assisté à une scène comme celle-là. C'était impressionnant et c'était aussi terrorisant : au cœur de la froideur de glacier du ton qu'elle empruntait avec le jeune homme se sentaient un feu ardent, une détermination inflexible, une absence de scrupules beaucoup plus terribles que le Gyrotron lui-même, parce que le danger était authentique. C'était la propriétaire d'un cheptel de guidounes qui parlait business, ce n'était plus la mère inquiète pour son enfant égaré. C'était le *red light*, la *Main*, le monde interlope de Montréal prêt à tout pour protéger ses effectifs. Et il l'a vite compris. Nous l'avons vu blêmir en quelques secondes avant de se réfugier auprès de son tourniquet sans même jeter un regard en direction de Babalu. Il savait qu'il avait fait le bon choix, qu'il s'éviterait des embêtements.

Babalu a quitté les bras de Sophie pour venir me trouver.

«Tu vois ce qui arrive quand je m'éloigne de mon train-train quotidien?»

Tout ça avait bien sûr jeté un froid sur le party. Madame le sentait et je la vis faire un effort sur elle-même afin de reprendre cette humeur de joyeuse luronne qu'elle avait empruntée depuis le matin. Elle a fait signe au groupe de s'éloigner des tourniquets en arborant un sourire que nous savions tous faux mais que nous avons décidé d'interpréter comme vrai, par lâcheté. Comment allions-nous arriver à nous rendre au bout d'une journée si mal engagée? Le silence, denrée rare chez les travestis, était tombé dans nos rangs et nous avancions comme un groupe compact de zombis.

Monsieur Jodoin aussi voyait Fine Dumas d'un autre œil et il se tenait maintenant assez loin d'elle, hors de sa portée, en quelque sorte.

Madame avait posé son bras sur l'épaule de Babalu.

«Excuse-moi, Babalu, mais tu comprends, j'étais tellement inquiète! Fais pus ça, reste avec nous autres…»

La Duchesse a montré les toits pointus de toile blanche du Carrefour international qui se profilaient à l'autre bout de la Ronde.

«J'avais déjà faim avant, imaginez maintenant!»

Nous avons englouti d'énormes quantités de saucisses allemandes en regardant tourner le magnifique carrousel ancien installé en plein centre du Carrefour international, une antiquité du siècle dernier importée de Belgique, semble-t-il, et qui faisait les délices des enfants de tous âges. La foule évoluait autour du manège en tenant des assiettes en carton remplies de victuailles hawaïennes, ou britanniques, ou tchèques... Ça ruisselait de graisse, ça tachait les doigts avant de dégouliner le long des avant-bras, on devait se courber en deux pour manger, mais ça faisait partie de la découverte de la «gastronomie» internationale annoncée dans le programme officiel de l'Expo et on s'y pliait avec plaisir. Après tout, c'est aussi intéressant de connaître le *junk food* des autres que leur grande cuisine. Plus, même, j'imagine, dans le cas des Anglais. Des lèvres luisaient, des mentons étaient souillés, des vêtements montraient déjà des plaques de graisse fraîche qui ne sécheraient peut-être jamais, et tout le monde souriait de contentement. Les calories, à la Ronde, sont un sujet banni des conversations.

Moi, j'avais choisi du cervelas chez les Ouest-Allemands parce que je ne connaissais pas ça et que les autres saucisses, plus foncées que celles qu'on mange ici et qu'on annonçait plus piquantes, me semblaient trop lourdes... Accompagné de choucroute – ça non plus je n'en avais jamais mangé, en tout cas pas de la fraîche – et d'une bière froide, c'était délicieux quoique un peu copieux à mon goût pour un repas du midi. Les grains de genièvre me pétaient sous la dent, ça brûlait juste assez pour être agréable et la moutarde forte réchauffait agréablement le palais.

Je ne répéterai pas ici les commentaires grivois proférés par mes amies devant le présentoir du marchand de saucisses, elles feraient tort à leur réputation tant elles descendirent bas dans l'humour graveleux. Qu'il me suffise de dire qu'elles leur donnaient les noms de certains de leurs clients… surtout pour les plus petites. Quant à la Duchesse, elle semblait avoir pris Babalu sous sa protection et, pour une fois, ne faisait pas partie de celles qui disaient des niaiseries.

Nous étions toutes les trois assises sur un banc de bois, la Duchesse, Babalu et moi, et nous regardions tourner le manège en achevant notre repas. Je me suis léché les doigts avant de les essuyer avec ma serviette de papier tant c'était bon.

«C'est là-dedans qu'on aurait dû embarquer, tout à l'heure…»

La Duchesse a ramassé nos assiettes sales, nos verres de carton vides, et a allongé le bras pour les déposer dans une poubelle qui se trouvait au bout de notre banc.

«Les carrousels, c'est bon pour les moumounes, Céline…

— J'assume ma moumounerie, d'abord, et je répète que c'est ça le plus loin que je peux aller dans les affaires qui tournent et qui brassent… Si j'avais su qu'y en avait un, je vous aurais volontiers abandonnées au Gyrotron pour venir m'aérer ici avec les petites filles de cinq ans!»

Babalu, qui avait remis son mouchoir sur sa tête, ne semblait pas suivre la conversation. La Duchesse commençait à perdre patience et lança un soupir qui en disait long sur son exaspération naissante.

«Babalu, Jésus-Christ, tu vas quand même pas nous mimer une peine d'amour après-midi! T'as parlé avec ce gars-là un gros quinze minutes! Viens pas me dire que t'étais prête à refaire ta vie pour lui, tu l'aurais trouvé ennuyant avant la fin de la journée! C't'un étudiant, Babalu, il va à l'université, de quoi vous auriez parlé un coup vos affaires finies?»

Babalu s'est contentée de resserrer le nœud de son mouchoir.

«Pour une fois que je faisais quelque chose sur un coup de tête... Je le savais, pourtant, qu'y faut pas... J'te l'avais dit, Céline, que je ferais mieux de rester assise sur un banc à vous attendre...»

Pendant ce temps-là, un peu plus loin, Madame essayait de regagner la confiance de monsieur Jodoin avec des airs de reine et ce rire perlé qu'elle réussit si mal quand elle est nerveuse. Mais le chauffeur de minibus résistait. Il semblait un peu effrayé, comme s'il venait de trouver quelque chose de très laid au fond d'une jolie boîte.

Le repas était terminé, rien ne se passait. Il était à peine deux heures de l'après-midi et l'ennui pointait déjà son nez froid dans notre groupe d'habitude si joyeux. Même Fine Dumas ne semblait pas savoir par quel bout prendre cette drôle de journée qui avait pourtant bien commencé. J'avais peur qu'elle utilise le chantage, comme toujours, qu'elle sorte sa mauvaise foi et nous mette tout ça sur les épaules, son party de fête manqué, la visite de l'Expo hypothéquée par sa colère tout à fait inutile qui n'avait apporté que malaise et mécontentement.

Mais non.

Elle a semblé retrouver son énergie tout d'un coup, a relevé les épaules, replacé une mèche de cheveux qui n'avait pas bougé et déclaré avec des clochettes dans la voix :

«Bon! Mesdames, je sais que c'est toujours un peu difficile de rester alerte après un repas lourd comme celui qu'on vient de prendre... C'est sûr qu'on aurait plus le goût de dormir un petit quart d'heure que de continuer notre visite, mais il faut pas oublier que d'autres manèges nous attendent, on a encore presque rien vu de la Ronde!»

Ce n'était donc pas notre faute à nous, mais celle du repas trop lourd. Nous nous sommes contentées de ce mieux que rien et nous avons rapaillé nos énergies pour montrer un semblant d'enthousiasme.

Fine Dumas avait raison sur un point : un parc d'attractions, c'est fait pour être vu le soir. En plein soleil d'août, comme ça, sans zone ombragée parce que l'île venait d'être tirée des flancs du fleuve et que les arbres, d'ailleurs peu nombreux, à peine plantés, ne produisaient pas d'ombre, la Ronde prenait des airs de carnaval forcé et, surtout, de lieu d'amusement trop nouveau pour avoir eu le temps de prendre sa vitesse de croisière. Tout était coloré à outrance, la peinture fraîche rutilait d'une façon agressive parce que trop neuve, les manèges luisaient de tout leur métal chromé, les étals de tir à la carabine et de vente de bonbons de toutes sortes semblaient déplacés sans leurs petits lumignons de couleur et la complicité de la nuit, même le plaisir des visiteurs qui se faisaient brasser dans les manèges paraissait faux parce que lancer de tels cris d'épouvante en plein soleil n'est pas naturel. Ça sentait le graillon, la sueur, le sucré, des enfants pleuraient parce qu'ils avaient chaud, des mères s'impatientaient, des pères menaçaient de frapper ou de ramener tout le monde à l'hôtel. On était là pour s'amuser, mais la chaleur et le bruit étaient trop pesants et on perdait vite intérêt à ce qui nous entourait. Au bout d'à peine une heure, je voulais quitter cet endroit pour ne plus jamais y revenir.

Et je n'étais pas la seule.

L'ennui décimait nos rangs.

Les maquillages commençaient à plaquer, mes compagnes s'éventaient du mieux qu'elles pouvaient avec des magazines trouvés un peu partout sur le site, les cris de ravissement devant un manège ou une boutique à visiter se faisaient rares, même Madame, contrariée, au bord de la panique, regardait de plus en plus souvent autour d'elle à la recherche de quelque chose d'intéressant à faire.

Babalu se réfugiait dans l'ombre de la Duchesse, les deux Greta se tenaient par le bras comme pour se donner du courage, Jean-le-Décollé s'occupait de Madame depuis que monsieur Jodoin l'évitait, Mimi-de-Montmartre, Mae East, Greluche et la grosse Sophie se déplaçaient en un seul bloc compact, on aurait dit qu'elles avaient besoin de s'épauler pour continuer. Quant à moi, je claudiquais derrière tout le monde en sacrant intérieurement parce que j'aurais voulu avoir du fun et que je n'en avais pas!

Comme la Ronde, les travestis ne sont pas faits pour le plein jour, et comme elle, ils y ont facilement l'air déplacés. On nous regardait avec moins de sympathie, on ne nous prenait plus pour un numéro de clowns payés par l'Expo, nous entendions même de temps en temps un commentaire déplaisant ou un rire moqueur. Nous avions préféré les divertissements faciles du parc d'attractions à l'éducation un peu sèche des pavillons thématiques de l'Expo et nous commencions toutes à le regretter. Madame eut la charité de ne pas nous mettre sous le nez qu'elle nous l'avait bien dit et nous forcions un peu la note du plaisir dans l'espoir qu'elle ne se rende pas compte de notre abattement de plus en plus lourd. Mais elle voit tout, la maudite, je la sentais misérable et, malgré la démonstration de son vilain caractère devant les tourniquets de l'entrée, j'étais malheureuse pour elle.

Le lac des Dauphins était… un lac et les *Dancing Waters*, sans la magie des jeux de lumières, ressemblaient aux jets d'eau du parc Lafontaine un dimanche après-midi d'angoisse. On ne peut pas se lancer en parachute du haut de la Spirale comme l'avait prétendu Mae East dans le minibus, c'est juste une cabine en forme d'anneau qui monte le long d'un pilier central pour redescendre ensuite avec une lenteur exaspérante sans que rien d'autre de plus excitant ne se passe : existe-t-il dans le monde une chose plus ennuyante qu'une belle vue sur le pont Jacques-Cartier? Le Safari est lui aussi une perte de temps, le jour, parce qu'on voit les mécanismes des animaux tapis dans la fausse forêt tropicale et les haut-parleurs accrochés dans les arbres. Le Jardin des étoiles n'ouvre que le soir (Muriel Millard aurait au moins pu secouer notre torpeur du milieu de l'après-midi), mais le Village, avec ses fabricants de bottines de feutre et de pots en terre cuite directement issus du Salon des métiers d'arts, nous a tout de même tiré l'agressivité du corps et réveillés pendant quelques minutes : mes amis y ont lancé quelques-unes de leurs meilleures vacheries de la journée et nous avons bien ri.

Jean-le-Décollé, en montrant une assiette en poterie noire :

«Tiens, la perruque de jour de la Duchesse! La réchauffes-tu un peu dans le four avant de te la visser sur la tête, le matin, Duchesse?»

La Duchesse, en apercevant une jardinière en macramé :

«Tiens, le nouveau manteau d'hiver de Jean-le-Décollé! Je pensais que tu les faisais toi-même avec des guenilles de la Saint-Vincent-de-Paul! Mais non, tu les fais faire sur mesure! À Saint-Jean-Port-Joli!»

Madame, en manipulant un cendrier de fibre de verre rouge sang :

«Tiens, votre fessier, à tous les deux, à soir, si vous arrêtez pas de vous bitcher!»

On a goûté aux fromages du cru – ouache! – et aux tentatives de fermentation baptisées avec grande ostentation *vins québécois* alors que ça goûtait la pisse de cheval refroidie. Les Européens lançaient des cris d'horreur encore plus perçants que les nôtres, et pour une fois ils avaient bien raison.

Seul vrai moment de plaisir, cependant, dans cet après-midi où tout allait mal : la Laterna Magika, du théâtre de Prague, qui nous a arraché des cris de joie tant ce qu'on y présentait était pâmant : ces personnages qui semblaient sortir de l'écran, ce mélange de cinéma et de théâtre nous ravissaient! La Laterna Magika valait à elle seule le déplacement.

Enfin, bref, et avant de trop m'étendre sur le sujet, disons que l'après-midi a passé avec une lenteur exaspérante et que nous nous sommes retrouvés à l'autre bout de l'île Sainte-Hélène vers quatre heures et demie, devant la marina à peu près vide où aucun marin présent, selon l'avis de tout le monde, ne valait la peine qu'on tourne la tête pour vérifier l'état de sa fesse rebondie ou de sa cuisse musclée. Très peu de bateaux y étaient amarrés, d'ailleurs. Il n'y a rien de plus triste qu'une marina vide ; on dirait que quelque chose vient de se terminer et que tout le monde est parti.

Nous avons quand même joué les excitées devant Madame qui ne fut pas dupe et mit vite fin à nos exclamations exagérées :

«Tout le monde est là, pour une fois? Bon. Il faut se présenter au pavillon du Canada une heure avant le spectacle de Dodo et Denyse si on veut avoir des billets... Et le spectacle est à six heures et quart... Y a-tu quelqu'un qui sait où est le pavillon du Canada?»

Monsieur Jodoin a levé un doigt.

«C'est complètement à l'autre bout de l'Expo.

— À l'autre bout de l'île Sainte-Hélène?

— Ah non, ben plus loin que ça. À l'autre bout de l'île Notre-Dame...

— Et je suppose que c'est loin, à pied?»

Le chauffeur de minibus a toussé dans son poing en rougissant.

«C'est-à-dire que... Oui, ben sûr, c'est loin à pied mais... Excusez-moi, tout le monde, mais je me suis trompé quand on est arrivés ici... J'y a pensé trop tard et vous étiez déjà entrées à la Ronde...»

Sentant venir une autre catastrophe, Madame a replacé une de ses boucles d'oreilles qui n'avait pourtant pas bougé.

«Bon... Qu'est-ce qu'y a, encore...»

Monsieur Jodoin semblait de plus en plus confus.

«Écoutez, je vous ai dit au début de l'après-midi que pour se rendre aux pavillons de l'île

Sainte-Hélène, il fallait y aller à pied... C'était pas vrai... J'me suis trompé...»

Nous nous sommes regardés en fronçant les sourcils. Madame s'est approchée de lui, les poings sur ses hanches inexistantes puisqu'elle est bâtie comme un baril.

«Êtes-vous en train de nous dire que vous auriez pu nous emmener en minibus?»

Monsieur Jodoin a levé les deux bras en signe de protestation.

«Non, non, non... C'est justement parce que chuis chauffeur de minibus que j'y ai pas pensé sur le coup, je suppose... Mais vous auriez pu prendre les transports en commun.»

Il montrait le petit train suspendu rempli de touristes béats et hilares qui passait au-dessus de nos têtes.

Madame s'est étirée sur le bout des pieds pour que ses yeux arrivent à la même hauteur que ceux du chauffeur.

«On aurait pu prendre c't'affaire-là? Et on n'aurait pas eu besoin de marcher?»

Monsieur Jodoin a toussé une deuxième fois dans son poing.

«Non, pas celui-là... Celui-là fait juste le tour de la Ronde... Mais y en a un autre qui s'appelle la Balade et qui fait le tour de l'île Sainte-Hélène...»

La patronne était blême de rage. Elle avait changé le plan de sa journée de festivités à cause de ce qu'il lui avait dit, et voilà qu'il avouait que tout aurait pu se dérouler comme elle l'aurait voulu.

«En plus, y en a un autre?

— Oui... Un plus gros... Il suit le chemin qui traverse l'île... C'est pas un train suspendu, par exemple, c'est juste un petit train ordinaire, sur pneus... De toute façon, si vous étiez parties à pied, toute la gang, vous vous en seriez rendu compte, et vous auriez pu le prendre...»

Elle porta la main à son cœur, comme s'il l'avait poignardée.

«Si ça continue comme ça, vous allez nous mettre tout ça sur le dos, vous allez nous dire que c'est de notre faute!»

Pour une fois que quelqu'un usait de sa propre ruse pour se sortir d'un mauvais pas, la patronne ne s'en rendait pas compte!

À l'évidence, monsieur Jodoin ne savait pas quoi lui répondre. Il tremblait presque, le pauvre, devant le visage menaçant de Fine Dumas, une sueur abondante lui coulait le long du cou et il manquait de salive. Il voyait venir le moment où elle le menacerait comme elle l'avait fait plus tôt avec le déchireur de tickets.

«Non, non, c'est pas ça que je voulais dire, madame Dumas... C'est pas ça du tout... Écoutez... Y a une station de minirail pas loin, à côté de la marina... On va le prendre jusqu'au bout, jusqu'à l'entrée de la Ronde. Ensuite, on n'aura pas besoin de prendre la Balade pour traverser l'île Sainte-Hélène, c'est pas par là qu'on va... Mais y a un gros train qui fait tout le tour de l'Expo... Ça s'appelle l'Expo-Express... Y a une station à l'entrée de la Ronde...»

Fine Dumas lui tourna le dos pour se diriger dans la direction de la station de minirail qu'il venait de nous montrer.

«J'vous suis pus, là, monsieur Jodoin, y a trop de trains, de minirails et de Balades dans votre histoire... Montrez-nous le chemin, on va vous suivre...»

Et le troupeau d'oies d'emboîter le pas de Madame. Si à ce moment-là on nous avait demandé de voter, nous aurions tous décidé de rentrer à Montréal, d'ouvrir le Boudoir et de passer une soirée comme les autres à servir de soulagement à un régiment de touristes de toutes les provenances et de toutes les couleurs, c'était moins fatigant qu'une visite de l'Expo!

Babalu se tenait entre la Duchesse et moi. Elle a levé le nez, nous a montré le minirail du bout du menton.

«J'aurais ben passé la journée là-dedans, moi...
Ça tourne en rond...»

Avant de monter à bord du minirail, Madame a replacé sa deuxième boucle d'oreille qui n'avait pas bougé elle non plus.

«Ça prend-tu un sapré insignifiant!»

La traversée de l'île Sainte-Hélène en train suspendu a été le deuxième moment le plus agréable de l'après-midi, après la Laterna Magika. Vu de haut et parcouru avec rapidité, le parc d'attractions semblait moins laid, les visiteurs moins ridicules. Et la petite brise d'air frais, en plus de dissiper les odeurs de cuisine trop grasse, faisait du bien à tout le monde. Armés de leurs bâtons de rouge à lèvres et de leurs compacts, les travestis eurent le temps de se refaire une beauté, incomplète mais rassurante. Les vraies femmes, dont j'étais, s'éventèrent avec ce qui leur tombait sous la main sans prendre la peine de vérifier l'état de leur visage, c'était moins important pour elles que pour leurs compagnes, j'imagine. Monsieur Jodoin, honteux, faisait le piteux dans son coin. Nous sommes passés tout près du Gyrotron et, dans un bel ensemble, nous l'avons hué, même celles qui avaient prétendu s'y être amusées.

La station du minirail était située à côté de l'entrée de la Ronde et nous pouvions voir, en descendant de notre convoi, le pauvre déchireur de tickets qui étirait sans cesse le cou. Il semblait guetter le retour de Babalu, dans l'espoir de l'intercepter en passant, je suppose. Avait-il déjà oublié la terreur que lui avait inspirée Madame plus tôt? Mais il ne pensait pas à surveiller le minirail et nous sommes sortis de la Ronde en catimini, sans qu'il nous voie. Babalu, sous le regard assassin de la patronne, ne lui jeta même pas le moindre coup d'œil. Brigitte Bardot domptée? Je n'avais jamais cru voir ça de ma vie. La prostituée soumise l'emportait donc sur l'actrice sulfureuse. Dommage.

L'Expo-Express ressemblait à un vrai train. Nous avions l'impression de nous embarquer pour un long voyage. Nous nous attendions presque à entendre un coup de sifflet et à voir de la vapeur sortir de sous les roues. En noir et blanc.

Mae East a dit :

«Avez-vous vu *Some Like it Hot*? J'ai toujours aimé ça quand on voit Marilyn Monroe arriver, là, le long du train en se brassant le bassin...»

Elle nous l'imita pendant que la Duchesse et Jean-le-Décollé lui servaient de Jack Lemmon et de Tony Curtis. Ça ne ressemblait pas du tout à la scène du film, mais nous avons quand même bien ri. Il faut dire que nous en avions besoin.

Juste au moment où nous allions monter à bord – la queue étant courte, nous avancions vite –, Madame s'est tournée dans la direction de monsieur Jodoin sans toutefois le regarder en face. Elle fait ça quand elle a quelque chose de délicat à nous dire : sa tête est tournée vers son interlocuteur, mais pas ses yeux.

«J'ai pensé à ça, monsieur Jodoin... J'pense qu'on n'a pus besoin de vos lumières pour aujourd'hui... Vous nous avez assez guidés comme c'est là... Si on continue à vous écouter, on va tout manquer et on va visiter juste des choses qu'on voulait pas voir... Allez nous attendre dans le minibus, on devrait être là vers dix, onze heures, ce soir, si on fête pas trop... Et si on fête trop, attendez-nous pareil.»

Je me serais attendue à ce qu'il plie tout de suite, qu'il prenne son trou en baissant la tête comme un enfant puni – et comme nous le faisons, nous, parce que nous avons peur d'elle –, mais les propos de la patronne l'ont piqué au vif, au point

257

d'en oublier sa peur. Et il lui a presque grimpé dans le visage :

«J'ai fait une erreur, madame Dumas! Une! Et j'me suis excusé! Toutes les autres indications que je vous ai données étaient bonnes! Le Gyrotron était là où je vous l'avais dit, le Carrefour international aussi, le carrousel, les restaurants de *junk food*... Même la station de minirail... Vous auriez tout retraversé la Ronde à pied si je vous avais pas dit qu'y'avait une station de minirail à côté de la marina! Et peut-être l'île Sainte-Hélène! Et peut-être l'Expo au grand complet! Vous m'en voulez, je le comprends, mais quand vous allez descendre de l'Expo-Express, là, à l'île Notre-Dame, le savez-vous où aller? Non! Ben moi, je le sais!

— On va le demander, c'est toute!

— À des touristes qui le savent pas plus que vous? Et qui vont vous faire tourner en rond pendant des heures? J'vas aller chercher les billets pour le spectacle pendant que vous allez visiter le pavillon du Canada, si vous voulez... J'peux vous être utile! J'peux aller réserver une table dans un restaurant... J'peux vous faire visiter le pavillon de la France, j'y suis allé au moins cinq fois tellement c'est beau! J'ai pas envie d'aller passer des heures à vous attendre quand je pourrais vous aider à passer une belle soirée...

— Ça fait partie de votre métier...»

Il a enlevé sa casquette, s'est essuyé le front.

«C'est vrai que ça fait partie de mon métier... Mais... Écoutez, je dis pas ça pour vous flatter dans le sens du poil, mais vous êtes des clients... des clientes, je veux dire... tellement moins plates que ceux que j'ai d'habitude! Vous êtes drôles, vous êtes différents, ça va me faire plaisir de vous faire découvrir des choses... Même si vous me payez pas d'extra... J'vous demanderai même pas de pourboire, juste le plaisir de votre compagnie!»

Nous retenions toutes notre respiration. En fin de compte, nous aimions bien notre chauffeur de minibus, nous nous étions habitués à sa présence, et nous ne voulions pas le perdre.

La flatterie fonctionne toujours avec Fine Dumas. Toujours. Et monsieur Jodoin savait s'y prendre! Sans doute à cause de son métier. Ou alors, il avait vite compris à qui il avait affaire et sorti ses grands canons juste pour elle... (Il faut avouer que le coup du pourboire était un trait de génie, surtout quand on connaît la légendaire pingrerie de Madame...) Toujours est-il que son petit discours lui sauva sinon la vie, du moins sa journée, parce que nous avons vu le visage de Madame se transformer à mesure qu'il parlait...

Elle replaça encore une de ses boucles d'oreilles – décidément, ça devenait une manie! – et laissa passer sur sa bouche quelque chose qui pouvait faire croire de loin à un sourire.

«Tant qu'à ça...»

Ce fut son seul commentaire.

Elle ne s'abaissa pas à formuler son compromis en paroles, elle se contenta juste de ne pas empêcher monsieur Jodoin de prendre l'Expo-Express avec nous.

Elle appuya le front contre la vitre d'une fenêtre du compartiment et nous dit, peut-être pour montrer à monsieur Jodoin qu'elle n'était pas si ignorante :

«J'pense qu'on va longer la Voie maritime...»

Les légendes du Boudoir

IV - LA RÉSURRECTION DE LA NAINE

Quelques jours avant de quitter le Sélect, un doute profond prit Céline aux tripes. Elle ne voulait plus abandonner son emploi, ses amis du restaurant, sa vie si simple, si rangée, pour se lancer à l'aventure dans une existence en marge de la société – chez les proscrits, comme aurait dit sa mère –, au sein d'un monde cruel et peu fiable où rien n'est jamais stable ni définitif. Fine Dumas avait l'intention d'ouvrir une annexe à son Boudoir, mais qui disait qu'elle réussirait? Et même si elle y arrivait, l'Exposition universelle ne durerait que six mois et Céline se retrouverait à la rue fin octobre, quelques précieux dollars en poche, soit, mais désœuvrée et malheureuse. Elle se savait trop orgueilleuse pour retourner au Sélect suppliante, le caquet bas et de plates excuses aux lèvres, alors quoi? Aller vendre des pizzas chez Da Giovanni, en dessous des gondoles mauves et jaunes qui tournent sans cesse sur elles-mêmes dans le temps de Pâques, et des pères Noël hilares à l'époque des Fêtes, ou servir des *pepper steaks* trop relevés chez Géracimo, le concurrent immédiat du Sélect? Laisser un restaurant pour revenir s'installer en face quelques mois plus tard, non merci!

Elle habitait déjà l'appartement de la place Jacques-Cartier avec ses trois colocs depuis quelques mois, elle savait donc comment fonctionnait le monde dans lequel elle allait se jeter et n'était pas sûre d'y avoir sa place. Vu de loin et de temps en temps, en tant que serveuse de nuit dont la clientèle est en grande partie faite de créatures nocturnes un peu bizarres qui ne se comportent pas comme le commun des mortels mais comme les élus d'une obscure religion fondée sur l'humour noir et le ricanement, cet univers de perpétuels partys, cette existence de broche à foin où on se foutait du reste de la société et surtout de ses lois, cette apparente insouciance de tout, l'avaient attirée parce qu'elle avait besoin d'un changement et qu'il lui était offert juste au bon moment. Pourtant, Céline doutait tout à coup d'être faite pour ce tourbillon sans fin, elle qui avait toujours eu tant besoin d'harmonie.

Elle avait déménagé de bonne foi et avec une certaine excitation chez Jean-le-Décollé, Mae East et Nicole Odeon, le soir de la première des *Troyennes* au théâtre des Saltimbanques, elle les avait aimés tout de suite, elle s'était bien entendue avec eux et avait surtout apprécié la belle chambre dans laquelle on l'avait installée, avec son puits de lumière au-dessus du lit. Toutefois, elle avait aussi vite compris combien difficile était leur vie, combien humiliante ; l'injustice de ce qu'ils avaient à endurer chaque jour lui avait tout de suite sauté aux yeux et elle ne savait pas si elle arriverait à tout endurer ça, même si son nouveau métier d'hôtesse de bordel n'avait rien à voir avec le leur. Elles allaient quitter la rue pour se réfugier dans la chaleur du Boudoir, tant mieux, leur existence serait plus endurable ; la sienne le serait-elle, loin du Sélect et de la vie qu'elle avait jusque-là choisie ?

Elle supposait que cette inquiétude et que ces questionnements étaient normaux ; par contre, elle les vivait mal et commençait à craindre sérieusement ce grand saut dans le vide qu'elle s'apprêtait à faire sans se donner la peine de réfléchir. Parce que même ça, les vraies réflexions, les pensées contraires à son projet, elle les gommait, les censurait, dans sa volonté d'avoir eu raison d'accepter l'offre de Fine Dumas : si le doute maudit lui tombait dessus entre deux services, si elle se mettait à imaginer ce qui pourrait lui arriver après l'Expo, elle s'arrangeait pour penser à autre chose, elle détournait en quelque sorte ses pensées négatives pour se concentrer sur l'argent qu'elle ferait au Boudoir et l'aspect agréable qu'il y avait à évoluer désormais dans une perpétuelle atmosphère de fête.

Elle y arrivait moins, cependant, depuis un bout de temps. La peur panique de se retrouver devant rien lui serrait le cœur de plus en plus souvent, elle était au bord de faire volte-face, de choisir à tout jamais sa petite vie tranquille de waitress naine qui vivote des générosités des étrangers affamés et peu polis qu'elle sert tous les jours, lorsqu'elle reçut un bon soir la visite de la Duchesse.

Elle terminait un dernier Pepsi en compagnie du personnel du soir. Ils avaient beaucoup travaillé, étaient épuisés et la conversation traînait comme ça arrivait souvent quand ils ne se décidaient pas à partir parce que l'adrénaline les empêchait d'aller se coucher. Si elle allait au lit dans l'heure qui venait, elle verrait danser sous ses paupières des commandes grotesques, des monceaux de victuailles de toutes sortes paraderaient autour de sa chambre, on lui crierait des ordres absurdes qu'elle ne comprendrait pas et n'arriverait sans doute pas à s'endormir avant les petites heures du matin pour se réveiller en début d'après-midi plus fatiguée que lorsqu'elle s'était couchée.

Nick en profitait une fois de plus pour essayer, mollement c'est vrai, mais tout de même, de la convaincre de rester au Sélect. Il avait hésité à l'engager deux ans auparavant à cause de son physique, et voilà qu'il ne voulait plus qu'elle parte. Il s'était attaché à elle, c'est du moins ce qu'elle supposait, comme elle-même s'était attachée à tous ceux qui travaillaient au Sélect. Elle lui répétait encore une fois de ne pas trop en mettre, d'arrêter de profiter de ses hésitations, de sa faiblesse passagère, pour lui beurrer son message évident comme le nez dans le visage, quand la bonne bouille de la Duchesse avait fait son apparition dans la vitrine du restaurant.

Céline adorait la Duchesse. C'était un personnage fascinant né de l'imagination débordante d'un rêveur dont il représentait la planche de salut, la seule petite lueur d'espoir au milieu d'un quotidien exaspérant de médiocrité. Elle admirait le courage de ce gros Édouard sans personnalité quand il était lui-même et qui devenait un monstre de drôlerie, de perspicacité et de tendresse quand il se transformait en fausse noble. Il avait non seulement inventé une vie à son personnage, il l'avait aussi vécue. Pas toujours pour vrai, bien sûr, ce qu'il racontait contenait des tonnes de superbes faussetés et de belles supercheries, mais il était convaincu que tout était vrai et c'était là le principal. Dans sa tête, s'il disait une chose, elle devenait vérité et c'était la seule façon qu'il avait, croyait Céline, de survivre à son sort de vendeur de chaussures aux rêves trop fous. Il transportait son personnage avec lui, il revêtait en quelque sorte comme un vêtement précieux la femme qu'il contenait dans son corps, la suivait dans des aventures qu'il ne se rappelait pas avoir inventées ensuite ; il planait au-dessus de ce qui sinon aurait été une existence d'un insupportable ennui sans ses rêves éveillés. Il était plus grand parce qu'il s'était grandi à ses propres yeux, et Céline trouvait ça formidable. Si elle avait eu l'imagination du gros Édouard quand elle était enfant, se serait-elle inventé comme lui un personnage de géante à travers lequel elle aurait réglé tous ses problèmes ? Une Duchesse de Langeais bien à elle, adaptée à ses propres besoins ? Elle espérait que oui. Mais, hélas, elle n'avait pas son talent et était restée longtemps prisonnière de ses cauchemars.

Pomponnée comme les soirs de sortie sérieuse, un peu de fard ici et là, beaucoup de noir autour des yeux, un soupçon de rouge à lèvres pour s'élargir la bouche qu'elle avait un peu étroite, la minuscule perruque noire posée sur le bout de sa tête comme un bibi neuf, la Duchesse était venue s'asseoir à la table de Céline pendant que les autres faisaient semblant de se trouver quelque chose à faire ailleurs dans le restaurant. Tous savaient que lorsque la Duchesse se présentait seule au Sélect, c'est qu'elle avait quelque chose à dire à Céline et ils lui cédaient volontiers la place.

Ils avaient développé au cours des derniers mois, la Duchesse et elle, une conversation plus qu'amicale, une espèce d'échange grave et conséquent qui les aidait l'une et l'autre à comprendre des choses, à en accepter d'autres, une entraide mutuelle née de la marge dans laquelle elles évoluaient, Céline son nanisme, l'autre son incurable rêverie, et qui, du moins dans le cas de la jeune serveuse, avait pris une importance primordiale. Céline ne pouvait pas se confier à ses trois colocs de la place Jacques-Cartier comme elle le faisait avec la Duchesse parce que le quotidien qu'elle vivait en leur compagnie, le ménage à faire, la vaisselle à laver, à qui la tâche de nettoyer la salle de bains, cette intimité de tous les instants, sans mystère et trop pesante, empêchaient tout échange sérieux, un peu comme à la maison avec sa famille. Elle s'était reconstitué une famille qu'elle aimait, celle-là, avec laquelle elle s'amusait comme une petite folle; par contre, elle y retrouvait certains des mêmes problèmes qu'avec la vraie, presque tous engendrés par le maudit quotidien, l'intimité vécue à plusieurs et dans laquelle on risque de s'engluer.

La Duchesse avait retiré ses gants de cuir souple en étirant chaque doigt avec grande application. Ça produisait un léger bruit de glissement furtif assez agréable et ça sentait l'animal mouillé parce qu'il pleuvait.

«Sont beaux, hein? Je les ai achetés en vente, chez Ogilvy's, hier après-midi. Sinon, j'aurais jamais pu me les payer, tu comprends. C'est du vrai cuir, ça, là, ma petite fille, c'est pas du carton bouilli! Ça a déjà servi de peau à un vrai animal vivant! Ça a eu du vrai poil! Et ça a probablement mangé des affaires qui nous donneraient mal au cœur…»

Elle les serrait dans ses mains comme des objets précieux.

«Sont en kid. C'est quoi du kid, en français? Du chevreau? C'est quoi, un chevreau? Un petit chevreuil?»

Elle avait fait un clin d'œil à Céline pour lui faire comprendre que c'était une blague; la serveuse lui avait fait la grâce de sourire.

«Mais je dois avouer que je les ai un peu volés. J'ai changé l'étiquette. J'ai mis celle d'une paire moins chère. T'aurais dû me voir! Joan Crawford en voleuse de grand magasin! Bette Davis en méchante bandite! J'avais le menton tout étiré, je faisais des grands gestes exagérés, je devais avoir le mot voleuse inscrit dans le front en lettres de feu! Je faisais tout pour me faire prendre, je pense! Mais la vendeuse s'est rendu compte de rien, la niaiseuse, tout ce temps-là elle regardait ailleurs! Tant pis pour elle, elle aura pas son bonus de pogneuse de cleptomanes!»

À l'évidence, elle était fière de son larcin.

«J'ai pourtant été élevée à jamais voler. Mais j'ai aussi été élevée à penser que les hommes portent pas de robes!»

Elle était partie d'un beau grand éclat de rire qui avait fait se tourner les têtes. Céline avait fait signe à Janine d'apporter un thé à la Duchesse avant de prendre la dernière gorgée de Pepsi tiède qui mouillait encore le fond de son verre.

«As-tu aussi été élevée à tourner autour du pot avant d'attaquer le vrai sujet d'une conversation, Duchesse?»

La Duchesse avait enlevé son manteau de printemps qu'elle avait dû acheter en solde, lui aussi, parce qu'il paraissait plus chic que ce qu'elle pouvait se permettre.

«J'ai pas eu le temps de tourner autour du pot, je viens d'arriver! Donne-moi le temps de me détendre le grand nerf, un peu! De reprendre mon souffle! De boire un thé fort pour repartir mon moteur!

— J'allais partir, Duchesse... Mon dernier autobus va passer dans pas longtemps.

— Tu prendras un taxi.

— J'ai pas les moyens.

— C'est en disant des affaires comme ça qu'on passe à côté de la vie, ma pauvre enfant!»

Elle avait posé ses mains de chaque côté de la tasse de thé que venait de lui apporter Janine. Elle s'était un peu penchée vers Céline par-dessus la table.

«Bon. O.K. J'y vas.»

Elle avait pris quelques gorgées de thé, fait semblant de se brûler, sorti sa langue pour l'éventer avec sa main. Essayait-elle de faire rire Céline avant de frapper le grand coup, de détourner son attention pour mieux la surprendre? Elle n'avait réussi qu'à lui soutirer un vague sourire et avait paru désappointée.

«Je voulais un peu détendre l'atmosphère avant d'attaquer le sujet de ma visite, mais je vois que c'est inutile...

— Ben oui, laisse faire le clown, là, et fonce! Qui est-ce qui t'envoie? Madame? Le deal marche pus? Le Boudoir va juste rester un bar? L'Expo sera pas le Pérou comme on l'avait espéré?

— Ben non, où c'est que tu vas chercher tout ça! Le Boudoir ouvre son annexe la semaine prochaine comme prévu! T'es ben dramatique! Ma grand foi du bon Dieu, t'es plus dramatique que moi! Et Dieu sait que c'est pas peu dire!»

Elle avait fait celle qui, insultée, ou parce qu'on lui a manqué de respect, décide de partir avant de terminer une scène commencée : elle avait repris ses gants, son imperméable, s'était à moitié glissée à l'extérieur de la banquette de faux cuir.

«Excuse-moi, j'étais juste venue te rendre service!»

Céline avait tapé sur la table d'arborite avec ses ongles en signe d'impatience.

«Duchesse! S'il te plaît! Tu te meurs de me dire ce que t'es venue me dire, ça fait que vas-y, shoote, arrête tes sparrages!»

La Duchesse avait replacé sa perruque, baissé les yeux à la façon de son idole, Germaine Giroux, quand elle se prépare à faire un monologue bien dramatique qui va éclairer les trois longs actes de catastrophes diverses qu'on vient d'endurer, puis avait commencé à parler avec une voix éteinte, presque timide. Elle, timide! Cette fois, c'est Céline qui avait envie de quitter la table, de la laisser là avec ses niaiseries, mais la curiosité l'avait retenue.

«Écoute... Jean-le-Décollé m'a dit que t'avais l'air drôle depuis un bout de temps...»

C'était donc ça. La Duchesse était l'émissaire de ses trois colocs. On s'inquiétait dans son nouveau cercle d'amis pour la pauvre naine qui n'était plus elle-même et qui évitait d'en parler. Et ils savaient que la Duchesse serait la seule personne à qui Céline risquait d'accepter de se confier.

«Tu m'écoutes déjà pus, Céline!

— Ben oui, je t'écoute, je pense juste que j'aurais dû le deviner que c'étaient mes colocs qui t'envoyaient...

— C'est pas tes colocs qui m'envoient, c'est Jean-le-Décollé tu-seul. Et il est très inquiet pour toi. Pour vrai.

— Dans ce cas-là, tu lui diras de ma part que s'il veut une confession, qu'il vienne donc la chercher lui-même! Que c'est ça, ce manque de courage-là, tout d'un coup! Il est ben pissou! Je lui fais-tu peur, écoute donc! Il est pas capable de me parler? Chuis quand même pas dangereuse!»

Devinant très bien ce qui allait suivre, Céline tergiversait pour éviter une conversation dont elle avait pourtant besoin. Mais pas là. Pas maintenant. Elle était fatiguée, se savait fragile, elle voulait rentrer chez elle, se coucher, tout remettre ça à demain, ou plus tard, ou aux calendes grecques. C'était très gentil de la part de Jean-le-Décollé et de la Duchesse de s'inquiéter ainsi pour elle, mais non, elle n'avait pas envie de faire face à tout ça ce soir-là; peut-être demain, peut-être une autre fois...

La Duchesse avait pris les mains de Céline dans les siennes, les avait serrées très fort. Le clown avait disparu, il ne restait plus que la légendaire générosité du travesti, sa bonté qui finissait toujours par prendre le dessus malgré tous les efforts de la Duchesse pour rester la bitch la plus crainte de la *Main*.

«Je le sais ce que tu traverses, Céline. J'ai traversé la même chose, il y a très longtemps, et j'ai pris la mauvaise décision! Je veux pas que tu prennes la mauvaise décision, c'est surtout pour ça que chuis ici!»

Céline l'avait regardée droit dans les yeux. Une seule phrase était alors sortie de sa bouche, une question, mais sans aucun doute l'une des plus importantes, des plus fondamentales, de toute son existence :

«La mauvaise décision, ça serait de rester ici?»

La Duchesse avait alors eu un geste si étonnant, si beau, que toutes les résistances de Céline étaient tombées d'un seul coup : elle avait embrassé le bout des doigts de la serveuse, une main après l'autre, comme un amoureux qui fait la grande demande tout en ayant peur que la réponse soit négative.

«La mauvaise décision serait de pas sauter sur l'occasion qui se présente.»

Céline la connaissait, pourtant, cette réponse, elle l'avait toujours connue : il fallait qu'elle sorte du Sélect, c'était évident, avant de sombrer à tout jamais dans le cercle vicieux des habitudes à tel point ancrées en elle qu'elle n'arriverait plus à s'en débarrasser, le choix avait même été fait, elle avait accepté l'offre de Fine Dumas de devenir l'hôtesse de son nouveau bordel, mais il fallait que quelqu'un vienne écraser ses hésitations, ses inquiétudes; la Duchesse était là pour ça, mais trouverait-elle les mots pour tuer ses derniers doutes?

«On est venus te convaincre, Fine Dumas, Jean-le-Décollé et moi, de laisser le Sélect pour devenir hôtesse au Boudoir, y a pas longtemps. T'as accepté. Mais là, on dirait que tu flanches et ça inquiète tout le monde. Écoute… Je sais pas comment te dire ça… On a plus de trente ans de différence, Céline. Regarde-moi. Je pourrais être toi dans trente ans. Pas physiquement, bien sûr, c'est pas ça que je veux dire, tu pourrais jamais être aussi ridicule que moi… Hé, que je commence mal mon discours… Excuse-moi. Ce que je veux dire… Je l'ai pas eue, moi, la chance de sortir de mon magasin de chaussures, personne m'a ouvert la porte, personne me l'a même jamais montrée… Moi, y m'aurait fallu juste un petit encouragement pour que j'accepte de sauter la clôture, de tout changer, de tout jeter par-dessus ma tête ce que j'avais vécu jusque-là pour me garrocher dans le vide le plus complet et le plus dangereux. Une seule conversation comme celle qu'on est en train d'avoir, les conseils d'une seule personne avisée, avec une tête sur les épaules ou un brin de folie bien placé, auraient suffi pour que je devienne vraiment Duchesse, avec ou sans talent, avec ou sans avenir. Je pouvais pas plus parler à ma famille que toi, mes amis me trouvaient drôle, voulaient probablement pas me perdre et me conseillaient mal, j'étais tu-seule et pour mon grand malheur chuis restée tu-seule. Ce que tu vas faire, ça prend du courage, un courage que j'ai pas eu, alors si tu veux pas avoir l'air de moi quand le troisième millénaire va se présenter, saute! À pieds joints! Et si tu rates ton coup, si le Boudoir marche pas ou ferme boutique après l'Expo, au moins t'auras essayé! T'auras essayé! Tu vas être encore jeune, tout va être encore possible... Tu sais pas ce que je donnerais pour être à ta place, pour avoir encore une fois l'occasion de faire un choix, même pas définitif parce qu'à ton âge, rien n'est définitif... Si je m'étais dit que c'était pas définitif, il y a vingt ans, que c'était pas vrai que j'étais juste un comique de salon et que j'avais assez de talent pour monter sur une scène, si j'avais eu le courage que tu vas avoir, Céline, c'est pas Muriel Millard qu'on annoncerait pour animer le Jardin des étoiles, à l'Expo, l'année prochaine, c'est la Duchesse de Langeais! Guilda aurait même pas existé! Je l'aurais pas permis! Si tu rates ton coup, il va toujours te rester le Sélect. Si je m'étais dit ça il y a vingt ans, même si c'était un peu tard dans ma vie, je sais qu'aujourd'hui il y aurait pus de magasin de chaussures dans ma vie! Parce que j'aurais réussi, Céline! J'aurais réussi! Je te jure que j'aurais réussi! Et chuis venue te demander une chose, à soir : venge-moi!»

La Duchesse pleurait à chaudes larmes; Céline aussi.

Des serviettes de papier furent utilisées comme mouchoirs, des larmes furent écrasées avec le revers de la main, mais pas un mot ne fut ajouté. Le silence, qui traduisait leur soulagement, était le bienvenu à l'issue de ce long monologue, de cette bouleversante confession, et elles le laissèrent s'étirer entre elles en douceur.

Après une dernière gorgée de thé, la Duchesse se leva de table pour enfiler son manteau de printemps, remit ses gants en poussant bien chaque doigt dans sa gaine de chevreau, replaça sa perruque dans un dernier effort pour être drôle, puis se pencha sur Céline. On aurait dit qu'elle allait l'embrasser sur le front, mais elle s'était arrêtée à la hauteur de son oreille :

«Venge-moi, Céline! Réussis! Deviens riche! Deviens célèbre! Fais-les chier de ma part, toute la gang!»

Et elle était sortie, droite et digne, sans saluer qui que ce soit.

Le soir de l'inauguration du bordel derrière le Boudoir, désormais consacré fief exclusif de Céline et garni des guidounes les plus absurdes qu'on ait jamais vues dans une maison close de Montréal, quand elle avait aperçu son amie, si impressionnante dans sa robe verte à paillettes et ses souliers rouges de Dorothy dans *The Wizard of Oz* et à l'évidence si heureuse d'être là, la Duchesse avait levé le pouce en guise d'appréciation et lui avait crié à travers la foule :

«L'avenir appartient aux audacieux!»

Fine Dumas, qui se tenait tout près, prit le compliment pour elle et serra le coude de la Duchesse.

«Je le sais. Je l'ai toujours dit. Notre avenir a peut-être juste six mois pour le moment, Duchesse, mais laisse-moi te dire qu'il est audacieux rare!»

(En écrivant cette quatrième légende du Boudoir, j'ai essayé quelque chose de nouveau : même si je faisais partie de l'action, j'ai raconté l'histoire à la troisième personne, comme si tout ça était arrivé à quelqu'un d'autre et que je n'en étais que la narratrice. J'avais l'impression de pouvoir prendre du recul, d'avoir un peu plus d'objectivité devant ce que j'avais à raconter, j'aimais beaucoup sortir de moi-même pour me regarder évoluer et agir. Céline la serveuse était tout à coup un personnage parmi les autres et je la regardais de l'extérieur pour voir ce qu'il y avait en dedans plutôt que le contraire. Je vais sans doute renouveler l'expérience parce que j'ai trouvé ça passionnant.)

Une longue queue s'étirait devant le pavillon du Canada où se donnait chaque soir un spectacle bilingue intitulé *Katimavik* mettant en vedettes des comiques anglophones venus de Toronto, tous inconnus de nous, et quelques-uns des acteurs préférés des Québécois, en particulier les fabuleuses Dominique Michel et Denyse Filiatrault dont nous suivons les aventures à la télévision chaque semaine depuis quelques saisons avec une fidélité indéfectible : tous les mardis soirs, de septembre à mai, le monde s'arrête de tourner et la province au complet s'installe devant la télé pour regarder *Moi et l'autre*, les aventures loufoques de la petite Dominique et de la grande Denyse, la petite victime et la grande semeuse de troubles. Les créatures de la *Main* autant que le reste de la population sont devenues des inconditionnels de cette émission, ce qui signifie que les imitations de Dodo et Denyse commencent à se multiplier chez les travestis, consécration définitive pour une vedette populaire. Je suis même convaincue que Madame ne pourra pas ouvrir le Boudoir avant neuf heures trente, le mardi soir, à partir de septembre...

Alors voir ces deux idoles en personne, et gratuitement, est devenu pour les visiteurs québécois de l'Expo un must absolu et cinq cents badauds, chaque jour, font la queue pour les applaudir.

Les quelques personnes que nous connaissions qui avaient déjà vu le spectacle – Thérèse et

Bec-de-Lièvre, par exemple, venues nous raconter leur décevante visite à l'Expo un mardi soir de désœuvrement – avaient trouvé ça d'un ennui mortel, sauf pour Dodo et Denyse dont les apparitions, quoique insuffisantes à leur avis, les avaient fait mourir de rire. Il n'était donc pas question que nous les manquions et nous avions un peu forcé la marche, ou plutôt la course, à travers l'île Notre-Dame pour arriver à temps : aussitôt descendus de l'Expo-Express d'où nous avions pu admirer la Voie maritime inaugurée par la vraie reine Elizabeth en 1959, monsieur Jodoin, cette fois sans se tromper, nous avait pilotés à travers les méandres, chemins, routes et canaux de l'île pour nous amener au pavillon du Canada dont la vue admirable sur Montréal et son unique gratte-ciel nous avait fait lâcher des cris d'enthousiasme.

Nous avions passé en coup de vent près du pavillon de la Jamaïque. Un groupe de musiciens, les Dragonaires, y déversait des rythmes de calypso des plus prometteurs et des bassins se faisaient aller sur la minuscule place devant la belle auberge jamaïcaine qui faisait très colonialisme de bon aloi.

Madame avait dit, essoufflée :

«C'est ici qu'on vient manger, à soir, *girls*! C'est le jour de la Jamaïque, aujourd'hui, à l'Expo, et ils vont apprendre à leurs dépens que c'est aussi le jour de Fine Dumas!»

Des cris de joie avaient accueilli les propos de la patronne, surtout qu'une vingtaine de beaux cadets jamaïcains étaient en faction devant le pavillon pour diriger la circulation tout en faisant admirer leur uniforme immaculé et, bien sûr, leur physique avantageux.

Pendant que monsieur Jodoin était parti chercher les billets, nous avons formé un rang en regardant ce qui nous entourait.

Devant nous se dressait la construction la plus bizarre que j'avais jamais vue de toute ma vie : au-dessus de quatre ou cinq pyramides blanches en aluminium, d'ailleurs assez jolies, plutôt aériennes, on avait érigé une gigantesque pyramide brune, imitation bois, posée sur sa pointe et qui ressemblait plus à un entonnoir géant qu'à un pavillon d'Exposition universelle. C'était gros, haut comme un édifice de dix étages, c'était imposant, mais surtout affreux.

Greluche a résumé notre pensée à tous en disant : «Mais c'est ben laid!»

Madame lui a donné une tape sur l'avant-bras.

«C'est pas laid, c'est le pavillon de notre pays!»

Greluche a haussé les épaules en se frottant le bras parce que les tapes de Fine Dumas, même les petites, font mal.

«Ben oui, mais pourquoi une pyramide à l'envers! On n'est pas en Égypte!»

Madame était de toute évidence exaspérée par tant d'ignorance. Elle leva les yeux au ciel en poussant un soupir. Nous attendions tous sa réponse parce que nous pensions la même chose que Greluche et ne demandions pas mieux que d'être éclairés.

«C'est pas une pyramide à l'envers, pauvre toi, c'est un tipi à l'envers! Ou bien un igloo, je me souviens pus très bien… En tout cas, c'est un *katimavik* et ça veut dire un lieu de réunion… en esquimau! J'me rappelle, là! *Katimavik*, c'est de l'esquimau! Donc, c'est un igloo à l'envers!

— Mais ça a pas l'air d'un igloo pantoute, Madame! C'est une pyramide! Les Esquimaux construisent pas de pyramides! On a voulu rendre hommage aux Esquimaux en construisant une pyramide égyptienne à l'envers! Traitez-moi de niaiseuse si vous voulez, mais je comprends pas!»

Quand elle est à bout d'arguments, Madame prend souvent le parti de se fâcher. L'intimidation comme moyen de réussite. Elle est devenue toute rouge et a montré le pavillon du doigt en criant :

«Que ce soye une pyramide, un igloo, un tipi ou un bol de toilette, c'est le pavillon de notre pays et il faut le respecter! Un point c'est tout!»

Je ne savais pas Fine Dumas patriote ou natio-
naliste, je ne l'avais même jamais entendue parler
d'autre chose de plus vaste que l'île de Montréal,
alors j'ai compris qu'elle disait n'importe quoi pour
avoir le dernier mot. Surtout le jour sacré de son
soixantième anniversaire.

J'ai pris Greluche par le coude et je l'ai attirée à
l'écart du groupe.

«C'est sa fête, Greluche, laisse-la aimer le pavillon
du Canada si elle en a envie!

— Ben oui, mais c'est laid à faire peur! Ça a l'air
d'un chapeau de Guilda à la fin d'un de ses spectacles! J'pense que j'ai déjà vu Joséphine Baker avec
une affaire de même sur la tête, à la télévision!»

L'esplanade du pavillon du Canada se trouvait
en plein soleil de cinq heures; c'était collant, les
esprits s'échauffaient pour un rien, la tension montait dans le groupe. Madame faisait du boudin, à
l'écart, parce que nous n'aimions pas le pavillon
du Canada, et même si nous trouvions tous ça
enfantin, nous cherchions une façon de la ramener
à la raison ou de faire diversion.

C'est la Duchesse et Jean-le-Décollé, encore
une fois, qui essayèrent de sauver la situation.
Mais, sans le vouloir, ils ne firent qu'empirer les
choses.

Au cours des deux fins de semaines où la
Duchesse avait travaillé au Boudoir, ils avaient
commencé à développer, Jean-le-Décollé et elle,
un numéro assez drôle qui connaissait un certain succès, même si la plupart des clients du bar
n'avaient jamais regardé *Moi et l'autre* ou entendu
parler de Dodo et Denyse. La Duchesse, en bonne
hôtesse, restait dans la salle pour placer les clients
et les inciter à boire, et Jean-le-Décollé, à la fin
d'une chanson, l'apostrophait du haut de la scène
en imitant le personnage que Denyse Filiatrault
jouait souvent à la télé ou dans les spectacles
qu'elles donnaient, Dominique Michel et elle, à
travers le Québec depuis des années, la vendeuse

de robes anglophone qui «casse» le français de la plus comique façon et qui brusque un peu une timide acheteuse en essayant de la convaincre qu'une robe lui va alors que c'est de toute évidence faux. La Duchesse et Jean-le-Décollé avaient vu ce numéro un nombre incalculable de fois, au Beu qui rit, à la télévision, au cabaret, c'était l'un de leurs favoris et ils le savaient presque par cœur. Quand ils oubliaient une réplique, ils improvisaient et c'était encore plus drôle.

Alors que l'impatience atteignait son comble devant le vilain pavillon du Canada, que les mouchoirs posés sur les têtes ou passés dans les cous étaient de plus en plus trempés et inutilisables – j'étais sûre que Babalu allait fondre comme un bonbon en sucre tellement elle semblait avoir chaud sous son mouchoir qu'elle refusait d'enlever –, au moment même où monsieur Jodoin revenait, triomphal et rouge brique, en tenant nos billets à bout de bras comme s'il venait de gagner un match de boxe professionnel international catégorie poids lourds, nous entendîmes une voix enrouée et parfumée d'un accent anglais des plus loufoques s'élever au milieu des rangs :

«J'ai peut-être de la misère à parle la française, mais je vous disez que c'te robe-là vous fite parfait!»

Jean-le-Décollé, mains sur les hanches et tapant du pied droit sur l'asphalte de l'esplanade, apostrophait la Duchesse qui avait baissé la tête comme une petite fille timorée se faisant engueuler par une étrangère.

Presque tous les gens présents dans la queue reconnurent la réplique, l'accent et tournèrent la tête, croyant un court instant que leurs idoles étaient venues faire un bout de sketch pour les aider à patienter avant le début du spectacle. Jean-le-Décollé et la Duchesse sortirent un peu du rang pour continuer leur numéro. La Duchesse, une bien grosse et bien grande Dominique Michel, enchaîna la réplique suivante avec une voix douce, soumise :

«Mais il me semble, madame, qu'elle me fait pas très bien, cette robe-là... Elle poche de partout...»

On faisait déjà cercle autour d'eux, on quittait la queue pour voir qui étaient ces deux êtres étranges, accoutrés de façon si bizarre, qui se permettaient d'imiter Dodo et Denyse juste avant d'assister à leur show.

Crut-on encore une fois à un numéro fourni par l'Expo pour faire patienter le monde devant le pavillon du Canada quand la queue était trop longue, à un spectacle de clowns de rue, comme plus tôt à la Ronde, à une farce ourdie par des acteurs comiques pour faire passer le temps en attendant le début de *Katimavik*? Toujours est-il que ce fut un grand succès : ni Jean-le-Décollé ni la Duchesse n'avaient le physique de leurs modèles, bien sûr, mais la conviction dont ils faisaient montre et surtout leur grande drôlerie firent pardonner les imperfections de leur imitation et la vulgarité de certains gags qu'ils ajoutèrent à la parodie de Dodo et Denyse.

Ce qui m'étonnait le plus dans tout ça, cependant, était de voir que Jean-le-Décollé pouvait être drôle. Ça allait pourtant à l'encontre de tout ce que je savais de lui, son sérieux parfois imperturbable, son sens du tragique, sa vie de barreau de chaise qui ne portait pas du tout à rire, même son personnage de guidoune dépenaillée, triste, revenue de tout et sardonique. Les numéros qu'il faisait au Boudoir étaient parmi les moins réussis et les plus pénibles, ses accessoires passés de mode, ses farces aussi, sa voix de crécelle incapable de pousser une seule note juste, ses chansons livrées comme les corvées qu'elles devaient représenter pour lui. Mais voilà qu'avec un partenaire plus comique que lui – personne n'est plus comique que la Duchesse, il l'acceptait et lui laissait toute la place voulue pour improviser, comme les fameux *second bananas* américains –, il se transformait, se laissait aller, s'abandonnait en quelque sorte à la comédie et pouvait, peut-être sans s'en apercevoir, atteindre des sommets de bouffonnerie. Quand leur numéro était terminé, quand il quittait la scène à la fin de son tour de chant, il redevenait le Jean-le-Décollé que nous connaissions, trop sérieux pour le monde dans lequel il évoluait et trop souvent cynique. Et il retournait à ses clients comme si de rien n'était.

J'avais essayé de lui en parler, un soir où je m'étais glissée entre les perlouses de verre pour les regarder donner leur numéro, la Duchesse et lui, mais il m'avait repoussée de la main avec douceur :

«Ce qui se passe sur la scène, Céline, c'est oublié aussitôt que j'en suis redescendu.»

Il était cependant en train de nous prouver le contraire, puisqu'il n'y avait pas de scène sur l'esplanade du pavillon du Canada et qu'il ne semblait pas avoir oublié quoi que ce soit de leur numéro... Il s'amusait d'ailleurs comme un petit fou devant les niaiseries de la Duchesse qui en remettait, bien sûr, pour ce public en or, et se laissait même aller à éclater de rire au beau milieu d'une réplique.

La seule qui ne semblait pas apprécier cette scène improvisée était celle à qui elle s'adressait : Madame. Après tout, c'était pour l'extirper de son boudin d'enfant de quatre ans que Jean-le-Décollé et la Duchesse avaient décidé de faire les clowns. Mais elle boudait encore plus, se contentant d'admirer, et de façon tout à fait ostensible, le fleuve, la silhouette de Montréal qui se profilait devant le mont Royal, les quelques nuages blancs qui passaient d'ouest en est, pendant que les deux autres se fendaient en quatre dans le but de la faire rire. Je n'aurais pas été étonnée d'apprendre qu'elle avait honte d'eux. Elle était leur patronne, elle leur avait payé une journée de congé à ses frais afin de fêter son propre anniversaire, et elle avait honte d'eux!

Je l'aurais frappée.

Les portes du théâtre se sont ouvertes avant que Jean-le-Décollé et la Duchesse ne finissent leur numéro et les spectateurs du show des *Feux follets*, qui venait de se terminer, ont commencé à sortir de la salle, visiblement ravis. On parlait surtout de la finale où Dominique Michel elle-même avait fait une apparition surprise, si comique dans le costume des danseurs folkloriques, avec la capine sur la tête et les sabots aux pieds, pour attaquer une gigue endiablée avec eux.

«Est-tu folle!

— Hé, qu'est drôle!

— On a tellement ri, là... La petite Dominique qui se faisait aller avec les sabots dans les pieds, c'était impayable!»

Certains apostrophaient ceux qui faisaient la queue :

«Vous êtes chanceux d'avoir eu des billets pour *Katimavik*, vous autres! Vous allez voir Dodo et Denyse... Nous autres, on a vu juste Dodo... et des maudites danses folkloriques des siècles passés qu'on danse pus nulle part depuis des années parce que c'est trop plate!»

Interrompus au milieu d'un geste et juste avant une bonne réplique, les deux travestis se trouvèrent un peu frustrés de ne pas pouvoir terminer leur sketch, comme s'ils avaient cessé d'exister aussitôt que les portes du théâtre avaient été ouvertes, et reprirent le rang en maugréant.

Mais une certaine excitation, tangible à la nervosité qui s'emparait d'elle et sonore parce que les conversations avaient monté d'un cran, agitait désormais la foule des admirateurs de Dodo et Denyse; on sortait les billets, quelques-uns les portaient même à bout de bras, comme monsieur Jodoin plus tôt, des *horrays* enthousiastes se faisaient entendre aussitôt qu'une porte du théâtre bougeait, on se poussait d'une façon un peu plus brusque, on frôlait presque la bousculade.

Madame, son boudin fini parce qu'elle n'avait plus de raisons d'avoir honte de ses ouailles et peut-être aussi parce qu'elle avait fini par se rendre à l'évidence que le pavillon du Canada était laid, était revenue parmi nous et le groupe complet du Boudoir s'était refermé autour d'elle comme une huître sur sa perle. Autant Jean-le-Décollé et la Duchesse avaient tout fait pour attirer l'attention en imitant Dodo et Denyse quelques minutes plus tôt, autant nous voulions tous maintenant passer inaperçus pour pouvoir assister au spectacle en paix.

Mais la discrétion n'est pas notre lot ni disparaître dans une foule notre spécialité.

Une dame assez âgée a posé la main sur le bras de la Duchesse :

«Vous êtes pas mal drôle, vous, madame, saviez-vous ça! Mais vous êtes pas une vraie femme, hein?»

La Duchesse a levé le menton et a répondu avec sa voix de stentor, pour que tout le monde l'entende :

«Mais chuis pas un vrai homme non plus!»

La vieille dame a ravalé sa gomme et détourné la tête.

La Duchesse continuait, royale :

«Une dame, oui, jusqu'au bout des ongles, jusqu'à la racine de la perruque, jusqu'aux tréfonds du trognon, mais une femme, non... Et un homme non plus...»

Les portes du théâtre s'ouvrirent juste à ce moment-là et l'attention fut enfin détournée de ce drôle de groupe de messieurs d'un certain âge qui se prenaient pour des femmes plus jeunes qu'eux et qui n'étaient peut-être pas des acteurs, en fin de compte... Mais des têtes continuaient à se tourner dans notre direction, des commentaires étaient échangés à voix basse. La vieille dame se grattait le bout du nez. On devait aussi se poser des questions au sujet de la naine, si drôle, qui n'avait pourtant pas l'air d'un gars, de la grosse femme courte habillée de la même couleur des pieds à la tête et qui semblait diriger les autres au doigt et à l'œil, de la Brigitte Bardot des pauvres qui étirait sans cesse la tête, comme si elle attendait quelqu'un qui n'arrivait pas...

Nous avancions assez vite, les déchireurs de tickets prenaient à peine le temps de vérifier les coupons qu'on leur présentait et, les portes du théâtre franchies, tout le monde se précipitait sur les places restantes. Babalu faillit être piétinée par une famille complète d'Américains sans manières et la grosse Sophie dut sortir son médicament contre l'asthme, en arrivant à son siège, parce qu'elle avait trop couru. Le triumvirat prit place au milieu d'un rang, Fine Dumas au centre, ses deux estafettes de chaque côté d'elle, comme des appuie-livres protégeant une œuvre délicate et précieuse.

Le spectacle lui-même était plutôt boiteux, du moins de l'avis des cinq cents personnes présentes ce soir-là au théâtre du pavillon du Canada qui hurlèrent de rire aux numéros en français, à leur avis pas assez nombreux, mais restèrent de glace devant les autres. Les deux genres d'humour, le latin et l'anglo-saxon, se mariaient mal, les comédiens ne se connaissaient pas assez pour bien travailler de concert et lorsqu'ils avaient à le faire, ça paraissait forcé. Les numéros d'ensemble avaient l'air imposés et semblaient exécutés sans conviction. Comme d'habitude, ce sont les acteurs francophones qui avaient à parler anglais parce que les Torontois ignoraient le français. L'atmosphère est peut-être différente quand il y a plus de touristes présents, des Américains qui comprennent et prisent le genre d'humour que charrient les Canadiens anglais, du moins je le souhaite à ces pauvres acteurs; la représentation à laquelle j'ai assisté a dû être difficile pour eux. Lorsque paraissait Paul Berval, notre Beu qui rit national, ou quand Jean-Guy Moreau faisait sa célèbre imitation du maire Drapeau ou encore pendant les sketches de Dodo et Denyse, la salle s'animait, les rires fusaient, mais tout ça retombait, se dégonflait de lamentable façon pendant les scènes en anglais. Nous aurions peut-être dû rire par politesse, je ne sais pas... Mais je suppose que nous en avons assez d'être polis avec eux qui ne le sont jamais avec nous.

Pendant la scène de la petite robe, des têtes se tournèrent vers mes amis qui se rengorgeaient parce que le sketch était presque identique à ce qu'ils avaient fait sur l'esplanade. Dodo et Denyse étaient beaucoup plus drôles, c'est vrai, mais Jean-le-Décollé et la Duchesse avaient de quoi être fiers. Et ils l'étaient. Quant à Madame, elle s'efforçait de tout trouver drôle, riait sans cesse et pour rien, applaudissait à contre-temps, peut-être parce que trop de choses avaient mal tourné depuis le début de son party de fête et qu'elle voulait que ça, au moins, soit un succès…

Nous avons connu en fin de compte de bien courtes minutes de bonheur à l'intérieur d'une bien longue heure de spectacle. À la fin, nous fîmes bien sûr un triomphe aux nôtres, nos idoles que nous voyions enfin en personnes, et je crois bien que nous fûmes à peine polis avec les autres…

La sortie du théâtre se fit dans un murmure de léger mécontentement. On aurait préféré un spectacle tout en français et même tout en anglais. Deux spectacles, en fait, entre lesquels on aurait pu choisir. Nous aurions été moins frustrés. Et les touristes aussi, si on y pense bien. Un show bilingue était une idée absurde.

C'est en fin de compte la grosse Sophie qui résuma le mieux notre pensée en déclarant, alors qu'elle allumait sa première cigarette :

«Comprendre juste la moitié d'un show, c'est frustrant. Et apprendre l'anglais juste pour comprendre l'autre moitié, c'est pire!»

Un magnifique coucher de soleil sur Montréal déroulait ses couleurs folles à la sortie du théâtre. Du rouge sang, du jaune citron striaient le ciel, se reflétaient dans les eaux du fleuve et barbouillaient le dessous des nuages; le mont Royal semblait encore plus vert dans ce somptueux éclairage et l'édifice de place Ville-Marie plus blanc. Le jour tombe vite au mois d'août et le tableau changeait sans cesse. Habitat '67, le nouveau complexe d'habitations modernes construit au milieu du fleuve sur une presqu'île nommée Cité du Havre, plongeait déjà dans l'obscurité, loin à notre gauche, et avait l'air d'un tas de boîtes de carton géantes empilées entre le vieux port et nous. Nous avions l'impression d'être sur le pont d'un immense navire qui nous emmenait au bout du monde, de vivre le voyage rêvé que nous ne connaîtrions jamais. Nous sommes restés un long moment silencieux devant tant de beauté, jusqu'à ce qu'il n'y ait plus de lueurs dans le ciel, en fait, et que les lumières de la ville commencent à s'allumer une à une.

Quand tout a été fini et que Madame eut donné le signal du départ, Greta-la-Vieille s'est tamponné les yeux.

«N'empêche que ça c'est du show, hein? Et ça coûte rien! Le pire, c'est qu'on le regarde jamais!»

Ce à quoi Nicole Odeon a répondu, sarcastique :

«Un coucher de soleil au bout de la *Main*, c'est pas un coucher de soleil au-dessus du fleuve Saint-Laurent!»

Derrière nous, sur l'esplanade du pavillon du Canada, des musiciens habillés comme des paysans du début de la colonie, insensibles à la beauté de l'instant présent ou alors juste en train de gagner leur vie comme chaque soir, exécutaient une gigue hystérique en tapant du pied et en jouant de la cuiller. Nous nous sommes éloignés à toute vitesse, le folklore québécois n'étant pas notre genre de musique en général et surtout pas dans un moment pareil. Devant Montréal qui se profilait à l'horizon comme un collier lumineux posé le long du fleuve, au cœur de cette nuit naissante qui s'annonçait belle et pleine de promesses, ce n'était surtout pas de rigodons et de chansons à répondre que nous avions besoin, c'était d'une musique sud-américaine, un tango langoureux, une rumba frémissante, Carlos Gardel, Abbe Lane, Carmen Miranda – au moins notre propre Gloria locale qui malgré un flagrant manque de talent réussit quand même à nous faire rêver aux nuits tropicales que nous ne verrons jamais en ânonnant des chansons en espagnol auxquelles elle ne comprend rien –, ou alors des rythmes de la Caraïbe, Cuba ou... oui, la Jamaïque, et c'est là que nous amenait la patronne pour le souper!

Madame, de nouveau au bras de monsieur Jodoin, nous a d'ailleurs en quelque sorte testés en nous demandant, mine de rien :

«Qu'est-ce que vous diriez de deux ou trois pavillons thématiques avant d'aller manger, mesdames?»

Les protestations fusèrent de toutes parts :

«Laissez faire les pavillons thématiques pour à soir!

— On n'est pas venus ici pour s'éduquer!

— Ouan! C'est une fête, pas un enterrement!

— J'ai trop faim, on verra après!

— Y a-tu un pavillon thématique du *junk food*?»

Je crois bien que nous nous sommes éloignés de l'esplanade du Canada en courant.

Et comme le dit si bien la Duchesse au moment où nous quittions les lieux et en replaçant sa perruque de jour qui lui avait glissé sur l'oreille :

«Après tout, une Exposition universelle, c'est pas fait pour visiter le pavillon de son propre pays!»

Le pavillon de notre propre pays étant construit sur un immense terrain entièrement entouré de canaux, nous devions, pour le quitter, franchir des petits sentiers fleuris déguisés en ponts au demeurant jolis mais pas très commodes parce que trop étroits : la circulation s'y faisait avec une certaine difficulté et, ce soir-là, des bouchons s'étaient formés à la sortie du spectacle. Nous attendions donc notre tour pour franchir celui qui menait au pavillon des provinces de l'ouest, impatients de manger des choses différentes de celles auxquelles nous étions habitués, au rythme d'une musique exotique dont nous avions grand besoin, lorsque nous avons entendu au milieu de la foule une voix que nous connaissions bien :

«On nous attend au pavillon du Mexique! Nous sommes en retard!»

Denyse Filiatrault et Dominique Michel elles-mêmes faisaient la queue comme nous pour gagner le reste de l'île Notre-Dame!

J'aurais quelque difficulté à décrire ici l'excitation qui s'empara de nos rangs. Qu'il me suffise de dire que le Boudoir au grand complet, y compris Madame, a joué des coudes, des bras et peut-être aussi des pieds pour aller rejoindre les deux actrices. Mais la foule s'était séparée devant elles comme la mer Rouge devant Moïse et elles nous échappèrent de justesse. Nous les vîmes s'éloigner en courant, ne regardant ni à gauche ni à droite, pressées d'arriver au pavillon du Mexique, je suppose, de se détendre après une représentation frustrante.

Babalu s'était soulevée sur le bout des pieds pour les regarder disparaître quelque part entre le pavillon des provinces de l'ouest et celui de l'amiante.

« Denyse doit s'en aller rejoindre son chum, c'est un Mexicain... »

Quelques têtes se tournèrent dans sa direction. Elle haussa les épaules.

«Si vous lisiez les bons journaux, vous le sauriez. »

Nos regrettions tous l'occasion manquée de dire à nos idoles notre admiration, mais j'étais aussi convaincue que c'était tant mieux pour elles. Elles devaient en avoir assez de se faire aborder par des curieux à la sortie de leur spectacle. Signer des autographes. Jouer les gentilles quand elles n'en avaient pas envie. J'aurais pensé qu'une limousine les attendrait pour les ramener chez elles chaque soir, cependant... Mais, comme l'avait dit Denyse elle-même, elles avaient rendez-vous au pavillon du Mexique, elles avaient peut-être annulé la limousine pour aller manger… Et Babalu, qui savait tout sur les stars locales et internationales grâce à des feuilles de chou dont elle était l'esclave depuis son adolescence, avait insinué qu'elles allaient peut-être rejoindre le chum mexicain de l'actrice…

Le pavillon de la Jamaïque était tout près, juste derrière celui de l'amiante ; sitôt le pont franchi, nous y fûmes en moins de deux minutes, excités comme des puces et affamés comme des chiens de combat. Des musiciens, différents de ceux que nous avions vus plus tôt, jouaient du calypso, la foule brassait du bassin, les jambes tricotaient sur le ciment des arabesques compliquées, ça augurait bien !

Madame prit les devants, essaya de se grandir pour impressionner et demanda à l'un des beaux cadets jamaïcains qui dirigeaient toujours la circulation, et dans un anglais presque incompréhensible, où se trouvait le restaurant du pavillon.

Il lui répondit que le pavillon de la Jamaïque ne contenait pas de restaurant.

Stupeur générale.

Tout en laissant échapper un soupir qui semblait le dernier de sa vie, Madame porta la main à son cœur comme si on venait de la poignarder. Elle pâlit en quelques secondes. Le camaïeu était désormais complet : elle était blanche des pieds à la tête. De l'autre main, elle s'accrochait au bras de monsieur Jodoin qui la tapotait avec douceur, sans doute craintif de la voir faire une autre crise.

«Dites-moi que ça se peut pas ! Cette maudite journée-là aura donc été maudite jusqu'au bout ! On va finir au Sélect, je le sens ! J'vas finir la journée de mon soixantième anniversaire devant un club sandwich ! J'voulais danser le calypso au son des marimbas et j'vas écouter Jean Ferrat seriner que c'est beau, c'est beau, la vie, comme s'il voulait me narguer !»

Les protestations fusaient de toutes parts : ce n'était pas grave, il y avait des restaurants ailleurs, certains pavillons se faisaient un point d'honneur de servir les meilleures spécialités de leur pays, des chefs avaient déjà eu des demandes pour rester à Montréal après l'Expo, mais rien n'y fit, c'est en Jamaïque que Madame voulait finir son party de fête et elle n'en démordait pas.

«Je voulais des palmiers!

— Y en a ailleurs!

— Je voulais des drinks en couleur!

— Y en a ailleurs!

— Je voulais du calypso...»

Silence.

Elle jeta un regard mouillé en direction de l'orchestre de beaux musiciens noirs qui faisait danser la foule.

«C'est ça que je voulais! On n'est quand même pas pour aller se chercher des hot-dogs dans un stand à patates frites pour revenir ensuite les manger ici en dansant le calypso! Et en plus du calypso, je voulais, je sais pas, moi, des plats avec des bananes grillées, ou avec des mangues, ou bien des ananas! Un poulet avec tous les fruits exotiques possibles et une bouteille de rhum brun, c'est ça que je voulais!»

Babalu s'était faufilée à côté d'elle pendant qu'elle parlait. Madame, tout en la surveillant, ne lui avait plus adressé la parole depuis l'incident du déchireur de tickets et la fausse Brigitte Bardot était de toute évidence craintive. Mais elle prit son courage à deux mains et osa l'aborder :

«Si je peux me permettre une suggestion, Madame...»

La patronne la regarda comme si elle la connaissait à peine.

«Y a rien qui peut me consoler! Rien!»

Babalu se racla la gorge avant de poursuivre et nous regarda une à une, comme si elle se préparait à risquer sa vie :

«Écoutez... J'ai entendu dire... En fait, je l'ai lu dans le *Échos-vedettes*...»

Madame, moqueuse, la coupa avec une brusquerie quelque peu insultante; après tout Babalu
voulait l'aider, pourquoi ne pas la laisser finir sans
l'interrompre? Mais la déception lui enlevait toute
politesse, toute civilité :

«Si c'était dans *Échos-vedettes*, ça doit être coulé
dans le bronze! Que c'est que tu vas nous sortir,
encore!»

Babalu accusa le coup sans broncher.

«Tout ce que je voulais dire, c'est qu'il paraît que
le restaurant du pavillon du Mexique est extraor-
dinaire... Et c'est pas très loin d'ici... Ça s'appelle
Acapulco et ils servent sûrement du poulet à tous
les fruits exotiques que vous voulez...»

Elle toussa dans son poing, lissa sa robe rose,
regarda le bout de ses souliers.

«Et comme Dodo et Denyse viennent de dire
qu'elles s'en allaient là, je me suis dit qu'on pourrait
peut-être les voir pendant qu'on va manger...»

Tout le monde s'empressa de trouver l'idée
formidable, sauf bien sûr Fine Dumas qui voulait
continuer à faire pitié encore un bout de temps.
Elle se fit même tirer l'oreille avant de suivre le
reste du groupe, en disant, tête baissée et voix
chevrotante, des niaiseries du genre :

«Allez-y, vous autres, j'ai pus faim, moi. J'vas me
contenter d'une patate frite avec du vinaigre... J'vas
rester ici, j'vas prendre un drink au bar à ma santé en
regardant le monde danser... Mangez, vous autres,
amusez-vous... Quand viendra le temps de payer
la facture du souper, vous viendrez me chercher,
j'irai payer et ensuite on rentrera à Montréal... Ou
alors j'vas confier l'argent à Céline qui payera à ma
place... T'es capable, Céline, de payer à ma place
si je te donne du cash, ma belle?»

Quand Madame appelle quelqu'un «ma belle» ou
«mon beau», c'est que quelque chose ne va pas :
ou bien elle en veut à cette personne, ou bien elle
est sérieusement perturbée, mais il faut toujours être
sur ses gardes parce qu'un coup inattendu pourrait

surgir de n'importe où sans prévenir. De plus, il ne fallait surtout pas que Madame se mette en tête de rester seule pour prendre un verre, c'était trop dangereux, nous le savions tous et, une fois de plus, nous avons montré un enthousiasme quelque peu exagéré pour le projet de Babalu dans le seul but de la détourner de son plan et de la traîner avec nous vers un vrai repas, loin de la dangereuse boisson et de ses néfastes conséquences.

Nous avions faim, c'est vrai, nous voulions manger et n'importe quoi aurait fait l'affaire, mais le côté tout croche de cette journée, cette quête à travers l'Exposition universelle à la recherche d'une seule chose, le bonheur de Fine Dumas, et qui nous échappait sans cesse parce que la principale intéressée, paranoïaque notoire et convaincue que tout lui résistait, refusait de se contenter de ce qui se passait, l'atmosphère qui se transformait sans cesse, passant du léger au pesant tous les quarts d'heure, tout ça, à la longue, nous pesait sur le système et une drôle de fatigue, faite à la fois de nervosité et d'angoisse, commençait à se faire sentir chez chacun de nous et à miner nos énergies.

En nous dirigeant vers le pavillon du Mexique, nous avancions moins vite et parlions moins fort. La grosse Sophie traînait de la patte en s'éventant, les deux Greta faisaient bande à part et échangeaient des propos de messe basse, Jean-le-Décollé et monsieur Jodoin encadraient Madame qui jouait les femmes épuisées avec une mauvaise foi qui donnait envie de la frapper et nous, ce qu'il restait du Boudoir, essayions de prendre les devants, de montrer une certaine vitalité, mais sans grande force parce que nous nous sentions vidées. Même l'idée de manger en compagnie de Dodo et Denyse ne nous allumait plus.

C'est donc un groupe plutôt morose qui se présenta à la porte du restaurant Acapulco situé au fond d'une forêt tropicale d'une grande beauté reconstituée pour une période de six mois au bord du fleuve Saint-Laurent pourtant si nordique et si froid.

Le pavillon du Mexique était joli, aérien avec son étonnante forme d'éventail ouvert au bord de l'eau, animé, coloré, et lorsque Madame entendit les premières notes de l'orchestre de mariachis qui se promenait sur la petite esplanade, costumes blancs près du corps et immenses sombreros posés sur la tête ou attachés dans le dos, elle sembla sortir un moment de sa léthargie.

Elle trouva en tout cas la force de nous dire :

«Ah, ça, j'aime ça, cette musique-là!»

Bon, c'était déjà ça de gagné, les mariachis arriveraient peut-être à la dérider un peu.

La panique faillit nous prendre, cependant, lorsqu'on nous dit qu'il serait difficile de trouver une table pour douze personnes à cette heure. Madame lança un énorme : «Ah non!» de déception et nous avons cru la fin de cette journée mémorable arrivée. Mais je crois qu'une assez importante somme d'argent fut échangée, avec grande discrétion, après que monsieur Jodoin eut discuté pendant quelques minutes avec le maître d'hôtel, parce que tout à coup, et à l'étonnement de tous, une longue table, et bien située, se trouva libérée comme par magie.

Notre entrée ne passa pas inaperçue. Nous étions tous trop épuisés ou énervés pour garder notre sang-froid ou montrer un semblant de décorum et, après les minutes d'abattement que nous venions de traverser, notre naturel remontait vite à la surface, notre cheval revenait au triple galop, ce qui veut dire qu'un groupe de travestis bruyants et plus très frais traversa la salle d'un bout à l'autre en faisant se tourner toutes les têtes.

Même Dodo et Denyse, penchées au-dessus de ce qui semblait être un ceviche, grande spécialité mexicaine, montrèrent une surprise certaine à notre passage et arrêtèrent de manger. Elles nous firent un grand sourire et Dominique Michel elle-même en personne nous envoya la main.

Babalu n'en revenait pas et tirait sur la jupe de la Duchesse :

«As-tu vu? As-tu vu? Sont là! Et elles nous envoyent la main!»

La Duchesse lui saisit le poignet.

«Montre-les pas du doigt comme ça, on dirait que t'as jamais rien vu!

— Mais c'est Dodo et Denyse!

— Même si c'était Laurel et Hardy, retiens-toi un peu! Fais comme si tu les voyais même pas, ça fait plus chic!

— Chuis pas ici pour faire chic, chuis ici pour me pâmer devant elles! Et toi aussi, tu le sais très bien!»

La Duchesse haussa les épaules en poussant Babalu dans le dos pour la faire avancer plus vite.

«Chuis ici pour manger, ma petite fille, et regarde-moi ben aller dans le *pollo* et le *porco*!»

De son côté, Madame avait retrouvé sa superbe et louvoyait entre les tables en actrice consommée qui sait faire une entrée. Mais comme elle est petite et plutôt baquaisse, elle avait l'air d'un gros pouf blanc traîné par monsieur Jodoin et certains clients se cachaient derrière leur serviette de table pour rire sur son passage. Moi, je suis habituée à ce qu'on me regarde quand j'arrive dans un endroit public, j'ai depuis longtemps pris le parti de regarder droit devant moi sans me préoccuper de ce qui se passe, c'est devenu une seconde nature. Étant la dernière du groupe, je pouvais très bien voir la commotion que déclenchait notre arrivée et j'avais un peu peur des séquelles. Nous ne serions pas discrets, c'était évident, notre présence au restaurant Acapulco ne passerait pas inaperçue, alors il fallait que je sois vigilante si je voulais éviter la débandade qui risquait de se produire au milieu de cette clientèle plutôt chic qui n'apprécierait sans doute pas de se faire déranger par la plèbe carnavalesque de la *Main*.

Notre jeune serveur, très beau et plutôt grand pour un Mexicain, nous impressionna dès le départ en réussissant l'exploit assez unique de retenir par cœur tous les apéritifs que nous avions commandés sans prendre une seule note. Et nous étions douze à table! Et ce n'était pas tous des margaritas! Lorsque les Pink Ladies, les Piña Coladas et autres Daïkiris arrivèrent, ils se retrouvèrent tous devant la bonne personne et, sans exception, fabriqués de la manière qu'on l'avait demandé, l'alcool à la bonne température, la glace concassée ou non, le verre givré s'il le fallait. Il ne s'est d'ailleurs pas trompé une seule fois de tout le repas et l'unique bout de papier que nous lui avons vu entre les mains était la facture, sans doute salée à l'air que fit Madame, quand le temps de payer est arrivé. J'avoue que moi-même je n'y serais pas parvenue du temps du Sélect, surtout au milieu du brouhaha et du va-et-vient qui régnaient dans le restaurant à cette heure achalandée. C'était là un serveur exceptionnel, exceptionnellement beau, et ses pourboires devaient s'en ressentir.

Il s'est laissé draguer avec beaucoup d'élégance par à peu près tout le monde, la grosse Sophie autant que Mae East et Greluche, et même Madame qui profitait de ce que monsieur Jodoin regardait ailleurs pour lui jeter des regards langoureux; il eut un compliment pour chacun, une robe qu'il trouvait jolie, un accessoire qui lui plaisait, jusqu'au mouchoir de tête de Babalu, pourtant fort défraîchi, qui trouva grâce à ses yeux et qu'il déclara charmant. Il était de la même allégeance que nous, et il voulait bien que ça se sache, du moins à notre table. À un moment donné, je me suis même demandé s'il n'était pas en quelque sorte le contraire de la Duchesse, serveur de restaurant le soir et travesti le jour, tant il se fondait bien dans notre groupe : même langage, même sens de l'humour, mêmes expressions du visage. Et même malice dans le propos. Mine de rien, avec tact et un admirable contrôle, il fit des victimes dans nos rangs comme, sans doute, aux tables voisines où des dames riches et peu dignes lui faisaient de l'œil sans vergogne sous le regard absent, complice ou non, de leurs maris.

Moi, il me dit que j'avais des mains de magicienne et j'ai compris qu'il se réfugiait dans ce que j'ai de plus beau pour éviter le reste, et je lui sus gré de ne pas me tenir à l'écart, de ne pas ignorer ma présence, d'autres l'avaient osé avant lui, parce qu'ils ne trouvaient rien à me dire. Il trouva ça, ce n'était pas grand-chose mais j'en fus touchée.

Lorsqu'il s'est retrouvé devant la Duchesse, elle s'est contentée de lui dire :

«Moi, mon garçon, on ne me fait pas de compliments sur un détail de ma personne, on me trouve *gorgeous* au grand complet!»

Le serveur s'est incliné très bas :

«C'est justement ce que j'allais faire, madame Giroux!»

Le coup porta, tout le monde rit, y compris la Duchesse qui appréciait toujours qu'on la compare à son idole.

Les travestis ne sont pas ce qu'on pourrait appeler une engeance qui s'y connaît en grande cuisine; leurs repas se résument la plupart du temps en *junk foods* de toutes sortes avalés n'importe comment et à n'importe quelle heure : ça a du goût, ça se mange vite, ça ne coûte pas cher, voilà ce qui les intéresse. Les travestis que je connais mangent souvent sur le pouce parce qu'un repas trop long est du temps perdu et que du temps perdu ça représente de l'argent comptant de moins sous leur matelas ou au fond de leur sac à main. (Ai-je besoin d'ajouter qu'ils ne fréquentent pas beaucoup les banques non plus.)

Mais ce soir-là, les douze convives sans exception mangèrent avec ravissement et sans se presser les choses étonnantes, exotiques, inconnues d'eux, qu'on leur servit avec un goût des plus raffinés : des volailles au *mole*, cette sauce faite en partie de cacao et de piments forts, des variétés de binnes de toutes les couleurs et de toutes les formes dont ils ne soupçonnaient pas l'existence, du porc effiloché mélangé avec des olives, des câpres et de la coriandre – je me suis informée auprès du garçon – qui aurait fait crier leurs mères au scandale, le célèbre *guacamole* dont ils reprirent tous une deuxième portion, les bananes plantains que certains d'entre eux prirent pour un dessert arrivé trop tôt. Ils s'émerveillaient devant chaque plat et plongeaient dedans avec délectation.

La Duchesse disait parfois entre deux bouchées :

«Dans un an d'ici, quand je serai installée au Mexique, ce repas-là va être mon ordinaire!»

Mae East lui dit à un moment donné :

«Dans un an d'ici, tu vas être tellement grosse que c'est toi qu'on va servir, avec une pomme dans la bouche et un paquet de persil dans le nez!»

Ce à quoi la Duchesse répondit du tac au tac :

«Tu sais très bien que c'est pas dans le nez que je le voudrais, le persil! Et que de toute façon, j'en ai déjà!»

Le repas avançait avec une lenteur voulue, la nappe se salissait de plus en plus de taches de gras et de vin rouge, les visages s'animaient, prenaient une belle teinte brique, signe de congestion et promesse de digestion lente et laborieuse, les langues, comme si elles en avaient besoin, se déliaient, le ton montait, on était heureux. Y compris Madame.

D'innombrables toasts étaient lancés à sa santé, à sa longévité, à sa prospérité, elle y répondait la larme à l'œil et le sanglot dans la voix. La nouvelle courut assez vite que nous fêtions son soixantième anniversaire et, cadeau suprême, hommage sans pareil, elle reçut une bouteille de champagne de la part de Denyse Filiatrault, de Dominique Michel et de leurs escortes, deux gars superbes qui n'avaient rien à envier, loin de là, à notre garçon de table. Babalu faillit en perdre l'esprit, Madame le prit comme les autres compliments, avec grâce, en grande dame, levant son verre en signe de reconnaissance.

À un moment donné, la Duchesse avait lancé entre deux bouchées de *pollo* ou de *porco* :

«Mon Dieu! On est douze à table! Si on était un de plus, il faudrait élire un Christ!»

Jean-le-Décollé avait pris son temps avant de répondre :

«Avec toi, on est toujours un de plus!»

Ce qui jeta une espèce de froid parce que nous ne saisissions pas au juste ce qu'il avait voulu dire. Insinuait-il que la Duchesse était toujours de trop parmi nous, ou avait-il juste voulu répondre quelque chose de drôle, à brûle-pourpoint, sans réfléchir? Seule la Duchesse avait ri; il y avait peut-être là un message entre eux que nous ne comprenions pas…

Les musiciens, plus timides ou plus prudents que le serveur, avaient commencé par se méfier de nous et avaient fait plusieurs fois le tour de toutes les tables du restaurant sauf la nôtre. À l'heure du dessert, cependant, peut-être attirés par l'atmosphère de pur plaisir que nous dégagions, par les rires qui fusaient sans arrêt à notre tablée et l'alcool qui coulait à flots, ils semblèrent se dégêner un peu et s'approchèrent de nous en chantant. Les conversations cessèrent autour de la table, toutes les têtes se tournèrent dans leur direction.

Ils chantaient *Malaguena*; ce n'était pas très original, mais ça suffit pour faire monter le rouge de l'émotion à certaines joues. Ils encerclèrent Madame qui se trouva emprisonnée entre une mandoline et une guitare. Le tableau était plutôt amusant parce que son visage était à la hauteur des instruments de musique et semblait faire partie de l'orchestre. Elle ferma les yeux, renversa la tête. Le chanteur, pas beaucoup plus grand qu'elle – ou même que moi –, se tenait derrière sa chaise, les deux mains sur le dossier, et s'égosillait de belle façon. Ses notes hautes, tenues longtemps sur la troisième syllabe du mot Malaguena, étaient justes et d'une grande pureté. Il étirait le cou pour les lancer vers le plafond, les oreilles rougies par l'effort, la cage thoracique bien ouverte, les bras levés comme un Jésus en croix. Il était conscient de l'effet que produisait sa voix chez son public et en profitait sans honte.

Je n'avais jamais entendu un orchestre de mariachis de si près. C'était à la fois primaire – tout ce qui vient d'un folklore qu'on ne connaît pas et dont on n'a pas eu le temps de s'écœurer l'est – et bouleversant, à l'instar de tout ce qui est issu d'une sincérité vraie. À la fin de la chanson, le restaurant au complet applaudit avec frénésie et, bien sûr, en redemanda.

Les mariachis commencèrent aussitôt un autre morceau, chanté à plusieurs voix celui-là, une ballade inconnue de moi, lente et belle, prenante – toutes les romances qui viennent du sud et qui nous parlent avec langueur d'amours malheureuses, de suicides irraisonnés ou d'assassinats sanglants au bord d'une mer paradisiaque ne le sont-elles pas? Je ne comprenais pas un mot de ce qui se disait mais je voyais tout, j'y étais : la belle mulâtre traîtresse, le macho dévasté par sa peine d'amour, le coucher de soleil somptueux sur le Pacifique déchaîné suivi d'une pleine lune démente et d'une nuit noire aux caresses un peu collantes. Tout ça, la joie masochiste la plus complète dans le malheur le plus total, résumé à l'intérieur d'une chanson de quatre minutes.

Je ne regardais plus l'orchestre, j'étais au bord de fermer les yeux à mon tour pour bien me concentrer sur la musique, sur la fausse et agréable souffrance qu'elle provoquait en moi, lorsqu'une voix féminine, chaude et voluptueuse, s'est ajoutée à celles des mariachis, se greffant à elles, leur tournant autour tout en suivant leurs modulations, une magnifique voix profonde qui, tout en faisant office de contre-chant, ajoutait à cette complainte une pointe de souffrance féminine qui me creva le cœur.

Toutes les têtes se tournèrent dans le restaurant.

Fine Dumas chantait.

Elle avait placé ses deux mains de chaque côté de son assiette à dessert, comme pour prendre appui, elle s'était un peu penchée par en avant, les yeux toujours clos, et on aurait dit qu'elle ne savait pas qu'elle chantait. Sa voix semblait jaillir du plus profond de son âme, d'un coin de son cœur qu'elle ne nous avait jamais découvert, peut-être parce qu'elle ne le connaissait pas elle-même : on aurait dit qu'elle avait décidé tout à coup et sans réfléchir d'étaler ses douleurs les plus noires devant tout le monde le temps d'une chanson, de nous livrer ce qu'elle avait de plus secret et de plus personnel au moment où on s'y attendait le moins. Un aveu de fragilité étonnant et inattendu de la part d'une maîtresse femme qui ne laissait pourtant jamais transparaître quelque faiblesse que ce soit, dure au travail et dure dans ses relations avec les autres. Un chagrin qu'on pouvait deviner insupportable s'élevait dans l'atmosphère surchauffée du restaurant et retombait sur chacun des convives en miettes de musique douloureuse et lancinante.

On aurait juré que Fine Dumas avait chanté toute sa vie avec ce même groupe de mariachis tant leurs voix se mariaient bien ; le style était le même, le langage aussi, la propriétaire d'un bordel de Montréal se trouvant, par quel hasard, par quel nœud dans le temps ou l'espace, exactement sur la même longueur d'onde qu'un orchestre de musique folklorique venu d'Acapulco, à l'autre bout de l'Amérique du Nord : ils avaient traversé ensemble tous les pays du monde, ils avaient chanté *Malaguena* pour des têtes couronnées et pour des bandits notoires, ils avaient connu des années de gloire et des périodes d'éclipse où tout allait mal, ils avaient triomphé dans des théâtres immenses et hanté des boîtes à chanson perdues au fond des quartiers louches de villes inconnues, ils avaient survécu à tout pour venir ici, ce soir, au restaurant Acapulco, au cœur de l'Exposition universelle de Montréal, nous livrer une dernière fois leur cœur avant de disparaître à tout jamais.

La dernière phrase musicale, une longue plainte qui annonçait une mort lente provoquée par une peine d'amour insupportable, fut exécutée à l'unisson, sans modulations, et la dernière note étirée à l'infini. La chanson ne se termina jamais, elle s'éteignit sans qu'on s'en rende compte. Le silence qui suivit faisait encore partie d'elle.

Le triomphe fut incroyable. Les bravos fusaient de partout, des serviettes tachées de nourriture mexicaine étaient lancées en l'air, on tapait des pieds autant que des mains, on criait bis, on refusait que ça se termine là. Le maire Drapeau, avec son restaurant où les serveurs chantaient des airs d'opéra devant des convives compassés, pouvait aller se rhabiller, la vraie émotion était ici.

Quand le calme fut revenu, relatif parce qu'on pouvait encore sentir l'excitation qui n'avait pas eu le temps de retomber, Madame se leva, se racla la gorge comme si elle venait de produire un effort surhumain et dit d'une toute petite voix de toute petite fille :

«J'avais la voix. J'avais pas le physique. J'ai vite compris.»

Et j'ai su à ce moment précis que mon destin était à tout jamais lié à celui de cette femme.

On réclama un rappel. À grands cris. Madame consulta les mariachis – parlait-elle en plus l'espagnol sans nous l'avoir jamais dit? – avant de nous annoncer, avec un petit sourire d'excuse :

« Ça fait longtemps que j'ai pas chanté en dehors de ma douche… Mais on va vous faire *La Golondrina*, une des plus belles chansons venues d'Amérique du Sud et mon grand succès, dans le temps… »

J'avais toujours entendu cette chanson en français, je ne savais même pas qu'elle ne venait pas de France : «Tu vas partir, charmante messagèèère…»; j'ignorais même son titre. Je l'avais souvent écoutée à la radio, enfant, et j'aimais la nostalgie qui s'en dégageait.

Aussitôt l'introduction commencée, une lamentation de quatre guitares d'une tristesse à fendre l'âme, un silence religieux tomba sur le restaurant. Les gens ne mangeaient plus, les serveurs avaient cessé de circuler, le maître d'hôtel lui-même restait figé à sa place, à l'entrée, et ne faisait rien pour hâter le service. Juste avant que Fine Dumas commence à chanter, le trompettiste tourna presque le dos aux autres musiciens pour atténuer un peu les notes acidulées de son instrument. Et quand la belle voix de mezzo monta dans l'air saturé de parfums exotiques et de relents d'alcool, des yeux se fermèrent, des têtes se baissèrent, peut-être pour cacher une trop forte émotion.

Le ravissement fut tout aussi complet.

L'exécution en était même supérieure à celle de *Malaguena* parce que les musiciens commençaient à connaître les capacités de la voix de la patronne et que celle-ci les sentait mieux.

J'ai regardé l'un après l'autre chacun des convives de notre table pendant que Fine Dumas chantait. Ce qui se reflétait le plus sur les visages, je crois, au-delà de la surprise ou de l'admiration, c'était la fierté de découvrir que quelqu'un dans ce groupe de *misfits*, de marginaux déguisés, de sans-génies, savait faire ça! Une si belle chose! Tout ce temps-là, un vrai talent s'était caché parmi eux et ils ne s'en étaient jamais doutés. Madame avait passé des soirées complètes à regarder un spectacle pourri en sachant qu'il aurait suffi qu'elle-même monte sur la scène pour que tout change, et elle ne l'avait jamais fait! Comme elle avait dû souffrir devant ces chansons idiotes assassinées par des travestis qui n'étaient même pas intéressés à se produire en public et qui exécutaient leurs numéros n'importe comment avant d'aller gagner leur vie avec ce qu'ils savaient le mieux faire. D'où venait-elle? Que lui était-il arrivé? Qu'est-ce qui l'empêchait d'être la star de son propre établissement? Quel malheur caché, quelle peine insoutenable la retenaient de monter sur le *stage*, avec une voix pareille et de triompher sous les projecteurs au lieu de se ronger les sangs au bout de son bar?

Je lisais la même pensée dans le regard des autres. Parce qu'à cette fierté de découvrir chez Madame un talent qu'ils n'avaient pas se mêlait peu à peu la honte d'avoir, et dès le lendemain, et chaque soir par la suite, à refaire leurs niaiseries devant elle.

Avait-elle une capacité surhumaine à se couper complètement de ce qui se passait sur la scène du Boudoir? Pouvait-elle faire abstraction du grotesque des *Follies* qu'elle présentait à un public d'étrangers pour la simple raison qu'elle faisait beaucoup d'argent? Ou alors, ce spectacle, n'était-ce en fin de compte qu'une vengeance sur le destin : « Vous n'avez pas voulu de moi, vous ne me méritez pas, vous allez endurer ça ! Et payer le prix fort. »

Les deux personnes les plus étonnées et les plus émues autour de la table étaient, bien sûr, la Duchesse et Jean-le-Décollé. Même eux, ses amis, ses gardiens, ses estafettes, n'avaient pas été mis au courant! Ils se tenaient par les épaules et chialaient comme des Madeleine. Je sentais qu'une longue explication allait être exigée avant longtemps et j'espérais y être présente.

Mais ce fut pendant le troisième morceau, qui serait le dernier avait précisé Madame, un *Guantanamera* plus joyeux et plus swingant que tout ce que j'avais jamais entendu, que le grand coup m'a été porté.

Je chantais avec tout le monde, je battais des mains, je commençais à avoir envie de sortir de table pour aller rejoindre ceux qui s'étaient mis à danser un peu partout dans le restaurant, lorsque j'ai aperçu dans un coin retiré, devant un repas à peine entamé, ma famille au complet qui me regardait me trémousser sur la chaise sur laquelle on avait déposé un bottin téléphonique pour me hisser à la hauteur de ce que je mangeais.

Mon père. Ma mère. Mes deux sœurs.

Je ne les avais pas revus depuis un an et demi. Je n'avais pas essayé de les contacter après mon départ précipité. Eux non plus. Ils n'avaient pas demandé d'explication, je ne leur en avais pas offert. La coupure avait été nette, définitive, ils ne me manquaient jamais et je ne crois pas qu'ils s'ennuyaient de moi de leur côté.

Ils se tenaient tous les quatre dans la même position, sauf ma sœur Carole qui devait se tortiller un peu sur sa chaise pour regarder dans notre direction puisqu'elle faisait dos à notre table : un peu penchés par en avant, la fourchette à la main, le front plissé et le regard assassin, ils semblaient poser pour un peintre ou un photographe tant ils étaient immobiles. Je suppose qu'ils venaient juste de m'apercevoir eux aussi, la stupéfaction se lisait encore dans leurs yeux.

On a beau dire que le hasard n'existe pas, que le destin est un mythe ou une excuse pour ceux qui en sont dépourvus, ce qui nous avait réunis tous les cinq à cet endroit-là, ce soir-là, surtout après les péripéties qu'avait traversées ma journée à moi – il ne faut pas oublier que je mangeais ailleurs, au pavillon de la Jamaïque, dans le plan initial de Madame –, devait bien porter un nom! Hasard, oui, bien sûr, comment expliquer autrement le croisement des routes jusque-là divergentes de gens qui vivent dans deux mondes différents depuis dix-huit mois et qui se rejoignent tout à coup sans l'avoir planifié, sans même y avoir pensé, mais je préfère destin parce que lui seul peut réserver de telles surprises à ses victimes. Voilà, c'est dit, nous étions des victimes du destin. Une machination des dieux mineurs d'une Olympe d'importance secondaire avait fait qu'il n'y avait pas de restaurant au pavillon de la Jamaïque, que ma mère s'était trouvée trop fatiguée pour que ma famille rentre à la maison avant le souper ou que mon père, pour une fois, s'était montré convaincant en faisant l'éloge de la nourriture mexicaine, un Bacchus des pauvres avait guidé nos pas, semé les embûches et réservé cette chute un peu mélodramatique au beau milieu d'une chanson de folklore, sans doute à la grande joie des demi-divinités pour lesquelles ce coup avait été monté.

Ma mère, ça paraissait à la couche de liquide un peu épais qui recouvrait ses yeux et qu'on appelle la *graisse de binnes* dans ma famille, avait bu. Je devinais, intacte, la méchanceté lovée au fond de son cœur et qui pouvait jaillir d'un instant à l'autre en flots d'insultes d'autant plus blessantes qu'elles seraient injustifiées. Je la savais capable de se lever pour venir m'agonir d'injures devant tout le monde si je soutenais son regard trop longtemps à son goût, et je n'avais pas du tout envie que ça se produise, surtout dans une si unique circonstance.

Mon père avait vieilli. C'est tout ce que je peux en dire parce que je ne l'ai pas beaucoup regardé : il était le seul qui aurait pu me faire ressentir une quelconque culpabilité et ce n'était vraiment pas le moment. Mais je voyais bien que le temps et le chagrin avaient laissé leur marque sur lui. Je l'avais su, je l'avais deviné, j'en avais maintenant la preuve sous les yeux, et c'est ça qui me bouleversait le plus.

Mes deux sœurs sont maintenant des jeunes femmes. Je ne voudrais pas manquer de générosité à leur égard, mais disons qu'elles n'ont pas embelli en passant de l'adolescence à l'âge adulte, que leurs chrysalides ont donné naissance à de bien vilains papillons. Carole est devenue grassette et Louise s'est teinte en blond platine, ce qui ne lui va pas du tout. Et toutes les deux arboraient à ce moment-là au fond des yeux la méchanceté héritée de notre mère, à peine diluée par la curiosité de découvrir dans quel monde j'étais tombée.

C'est d'ailleurs cette méchanceté même, je crois, qui m'a décidée à leur tenir la dragée haute. À elles trois, en fait, puisque mon père, après avoir croisé mon regard, avait baissé la tête comme un homme foudroyé qui abdique devant plus fort que lui. *Guantanamera* achevait, dans quelques secondes la tablée à laquelle je me trouvais allait exploser en applaudissements hystériques et en cris de joie, on allait en redemander, le concert continuerait ou non, les trois autres femmes de ma famille verraient, si ce n'était déjà fait, avec qui j'étais, quel monde je fréquentais, l'univers que j'avais rejoint après les avoir quittées, et elles pourraient se laisser aller sans que rien ne puisse les en empêcher à leur tendance naturelle, surtout ma mère : la cruauté verbale et la médisance pernicieuse. Alors, oui, j'ai décidé de les affronter en silence puisque je n'avais pas l'intention de leur adresser la parole, mais j'allais leur montrer ma fierté d'appartenir à un tel groupe de joyeux fous, à cette bande de tout-croches, hommes habillés en femmes, elles-mêmes femmes de petite vertu, et je me suis mise à suivre la musique, à taper des mains, à me dandiner sur ma chaise en regardant ma mère droit dans les yeux. Qu'elle ose donc se lever, s'approcher de moi et m'aborder, elle saurait de quel bois je me chauffe!

Je les narguais la joie au cœur, une joie mêlée de tristesse, c'est vrai, qui laissait une boule dans la gorge et un arrière-goût d'amertume, mais une joie quand même. Ma mère portait son verre de vin à sa bouche sans me quitter des yeux dans lesquels j'ai vu passer tous les sentiments négatifs, le mépris, la rancœur, l'aversion, qu'elle avait ressentis à mon égard depuis ma naissance, un florilège de tout ce qui avait rendu mon enfance et mon adolescence misérables résumé à l'intérieur de la courte minute que durait la fin d'une chanson. Un mélange de «je le savais que tu finirais comme ça» et de «tu m'auras fait damner jusqu'au bout», une couronne de reproches muets, un assassinat silencieux. Et définitif. Duel discret qui eut bien lieu même s'il fut en fin de compte nul puisque aucune des deux duellistes ne put se vanter de l'avoir gagné. J'ai baissé les yeux avant elle, mais c'était pour me verser un verre de vin que je levai d'ailleurs à sa santé.

Le restaurant était sens dessus-dessous. La Duchesse dansait avec le beau serveur qui se laissait faire avec un évident plaisir, les autres filles du Boudoir avaient choisi des cavaliers parmi la clientèle de l'Acapulco en attaquant une tentative de mambo pas toujours réussie mais amusante par sa maladresse même, monsieur Jodoin s'occupait d'une des plus belles femmes présentes pendant que Madame, suivie des mariachis, avait commencé à faire le tour des tables comme si elle avait fait ça toute sa vie. Elle reprenait sans s'en apercevoir son rôle de patronne et sa dégaine royale en imposait presque autant que sa voix. La chanson se termina sur une explosion de notes de trompette lancées en pluie de confettis sonores qui gonfla les joues du musicien et fit pousser à Madame des cris de joie et des encouragements, en espagnol s'il vous plaît, qui semblaient issus d'un vrai spectacle de flamenco.

Le triomphe fut inimaginable et dura plusieurs minutes pendant lesquelles Madame, qu'on aurait dit grandie de six bons pouces, distribua des baisers de-ci de-là, fit la fausse humble en se cachant le visage dans les mains et rosit de plaisir aux compliments qu'on venait lui prodiguer.

Elle leva ensuite les bras pour demander le silence.

«S'il vous plaît... S'il vous plaît... Un peu de silence...»

Elle toussa dans son poing, replaça son tailleur blanc quelque peu défraîchi et prit son ton de propriétaire de commerce gentille mais à son affaire pour livrer son petit discours :

«Comme vous le savez probablement déjà, c'est aujourd'hui mon soixantième anniversaire et j'avais décidé d'emmener mon staff visiter l'Expo pour fêter ça. Ça a été une journée pleine de surprises, pas toutes bonnes, je dois l'avouer, et j'aimerais la terminer en beauté. Alors j'ai décidé d'ouvrir mon bar, le Boudwar, boulevard Saint-Laurent près de Sainte-Catherine, pour le reste de la nuit et de vous inviter à la terminer en venant vous débaucher en notre compagnie! Je dois vous prévenir que notre réputation est loin d'être surfaite et que vous n'oublierez pas de sitôt votre visite au Boudwar. Et surtout ce qu'il cache d'étonnant et d'unique.»

Sa franchise fit rire et plusieurs tablées se déclarèrent d'accord pour la suivre jusque sur la *Main* : après le Mexique et sa cuisine piquante, le piment du monde interlope de Montréal ne semblait pas une mauvaise idée.

Denyse Filiatrault et Dominique Michel s'étaient faufilées à côté d'elle pour lui parler et Babalu s'était garrochée dans leur direction pour ne rien perdre de la conversation qu'elle me raconta plus tard, fière d'en avoir été témoin et, surtout, émue de son contenu.

Après avoir serré la main de Madame, Denyse Filiatrault lui avait dit :

«Je vous ai vue, dans le temps, au Mogambo...»

Fine Dumas avait souri.

«Mon Dieu, vous deviez être une enfant!

— J'avais quatorze ans et je m'étais déguisée pour pouvoir aller vous applaudir...

— Ça fait tellement longtemps...

— Vous étiez divine.

— J'étais grotesque. Une petite grosse qui chante des chansons sexy, franchement...

— Vous auriez pu faire pâlir Alys Robi si vous aviez persévéré.

— Non. C'est elle qui me faisait pâlir. Elle avait tout, y compris le physique, je pouvais rien contre ça, j'avais juste la voix... Elle m'a coûté ma carrière mais elle l'a payé cher.

— Vous aussi...

— Non, moi, je me suis reprise... autrement.»

Elle avait brusquement changé le cours de la conversation, sans doute pour éviter de sombrer dans la nostalgie ou l'amertume que rien ne peut racheter, même pas le cynisme.

«Venez-vous avec nous autres?»

C'est Dominique Michel qui avait répondu :

«Non... on a notre spectacle à donner, demain! Merci pour l'invitation, c'est très gentil... On a entendu parler de votre... bar par Maurice Chevalier qui s'y est beaucoup amusé, faudrait qu'on aille visiter ça, une bonne fois...»

Les deux femmes s'étaient éloignées après avoir donné l'accolade à Fine Dumas qui, au dire de Babalu, avait écrasé une larme furtive.

Moi, aussitôt le petit discours de Madame terminé et sans me donner le temps de réfléchir, je m'étais dirigée tout droit vers la table occupée par ma famille. En me voyant m'approcher, ma mère avait eu un haut-le-cœur et un peu reculé sur sa chaise, comme si elle craignait que je la frappe. Mes sœurs avaient plongé le nez dans leur assiette où tout avait refroidi, la purée de binnes noires, le riz, le *pollo*, le *porco*. Mon père, pour sa part, semblait dormir comme chaque fois qu'une chose importante se produisait autour de lui, en père inexistant qu'il était. Je savais qu'il écoutait tout et j'aurais préféré qu'il dorme pour vrai, pauvre lâche qu'il était.

Eux assis et moi debout, j'étais à la hauteur de leurs visages et j'ai revu en quelques secondes ces innombrables repas que je leur avais servis pendant tant d'années parce que notre mère n'était pas «en forme» et qu'il fallait tout de même manger. J'apportais les plats et nous nous retrouvions comme en ce moment, eux un peu courbés s'ils voulaient me regarder, moi humiliée, toujours humiliée, leur tendant leur pitance qu'ils ne se donneraient pas la peine d'apprécier parce qu'ils considéraient que je leur devais tout ce que je faisais pour eux.

Mais cette fois je tenais le haut du pavé : j'ai posé les mains sur la table et je leur ai demandé, avec un grand sourire goguenard :

«Venez-vous avec nous autres?»

Sidérées, clouées à leurs chaises, elles n'ont rien trouvé à répondre. Ma victoire était complète, mais frustrante parce que trop facile. Alors j'ai décidé d'en remettre, de beurrer épais pour bien leur montrer qu'elles ne m'impressionnaient plus, ce qui m'est bien sûr retombé sur le nez.

«Vous pouvez pas imaginer à quel point c'est le fun où je travaille! Chuis hôtesse dans un bordel de travestis, au cas où vous le sauriez pas déjà. C'est moi qui présente les guidounes aux clients. Et les guidounes sont des hommes. Je fais beaucoup d'argent. Beaucoup. Beaucoup plus que vous en verrez jamais. Dans un milieu qui se débat pour vivre au lieu de se laisser mourir à petit feu dans la boisson et le malheur. Vous êtes sûrs que ça vous tente pas de venir voir ça? Vous pourriez enfin rencontrer du monde qui ont pas honte de moi!»

Ma mère a fait claquer son verre sur la table.

«Gagnes-tu ta vie avec ton cul, toi aussi?»

J'ai cru entrevoir la façon définitive de lui river son clou : la laisser dans le flou, mijoter dans le doute, la priver de la certitude que sa fille était devenue une prostituée.

«Vous le saurez jamais si vous venez pas avec nous autres au Boudoir…»

Elle a laissé échapper un rire de dépit qui, je dois l'avouer, m'est allé droit au cœur. Elle n'avait pas perdu elle non plus le moyen de me rejoindre dans ce que j'avais de plus fragile, mon orgueil, et se souvenait à quel point ce genre de ricanement moqueur de sa part pouvait me faire mal.

«J'aimerais mieux mourir que de rentrer là-dedans, j'aurais trop honte!

— Vous avez honte de moi depuis toujours, de toute façon.

— Oui, mais pas à ce point-là. Ce soir, c'est le bout de tout. Le point final. J'ai plus que honte, chuis embarrassée au point de pas savoir quoi faire. Chuis figée sur place. Va-t'en donc rejoindre ta gang, Céline, ta présence salit notre table!»

J'ai accusé le coup en retirant toute expression de mon visage. Je n'allais tout de même pas lui laisser la satisfaction de lui montrer la blessure qu'elle venait de me faire! Et j'ai quitté leur table après avoir dit à l'oreille de mon père, mais de façon à ce que tout le monde m'entende :

«Inquiète-toi pas, papa. Chuis très heureuse.»

Le signal du départ venait justement d'être donné et un indescriptible brouhaha se faisait dans le restaurant. Madame, suivie de sa cour que j'allais réintégrer d'un moment à l'autre, et à tout jamais, donnait des instructions à ceux des clients qui avaient décidé de se joindre à nous, rendez-vous au Boudoir était pris, tout le monde semblait excité, y compris le personnel du restaurant et même les mariachis qui promettaient de fournir la musique pour le reste de la nuit.

Jean-le-Décollé m'attendait à côté de ma chaise où j'avais laissé mon petit sac à main.

«Ta famille?»

J'ai appliqué une bonne couche de rouge à lèvres bien brillant avant de répondre.

«Ça? Pas du tout. Des clients du Sélect. Du monde pas très intéressant, en fin de compte...»

Sur la petite place devant le pavillon du Mexique, les mariachis chatouillaient leurs guitares et une bande de travestis fatigués se demandaient comment ils allaient passer à travers la longue et épuisante nuit qui s'annonçait. Serait-elle seulement payante? L'invitation de Madame englobait-elle *tous* les services du Boudoir, et *gratuits*? Fine Dumas se pendait au bras de monsieur Jodoin et on pouvait l'entendre chantonner des airs inconnus venus de l'autre bout du monde.

Et une naine, le cœur allégé mais encore lourd, claudiquait derrière tout le monde en regardant la lune.

Les légendes du Boudoir

V - CÉLINE'S BOUDOIR : UN RÊVE

Dans quelques minutes nous allons changer de millénaire.

Le Céline's Boudoir est rempli à craquer de fêtards de tout acabit affublés des vêtements les plus à la mode et les plus fous, tous chapeautés de cônes de couleur, les épaules couvertes de confettis, une flûte de champagne à la main. Ils braillent des chansons en vogue – on est bien loin de *Ce soir je serai la plus belle pour aller danser*, Michèle Richard est morte depuis longtemps – et se trémoussent sur des rythmes qu'on aurait trouvés barbares à l'époque révolue où je n'étais que l'hôtesse de l'établissement.

Aujourd'hui, et depuis assez longtemps, j'en suis non seulement la patronne mais aussi la propriétaire. Quand Fine Dumas s'est retirée à l'âge vénérable de quatre-vingts ans, elle m'a vendu, cher, son fonds de commerce que j'ai transformé du tout au tout en triplant sa surface grâce à des travaux gigantesques, onéreux et fort longs : j'ai acheté le vieux cinéma désaffecté et la boutique de *dry goods* qui l'encadraient, j'ai fait percer des murs, défoncer des plafonds, j'ai ajouté une mezzanine d'où on peut espionner ce qui se passe au rez-de-chaussée en sirotant son drink si on ne veut pas faire partie de la mêlée, j'ai semé un peu partout des fauteuils profonds, confortables, et des tables basses éclairées par de petites lampes discrètes, bref j'en ai fait l'endroit chic qu'il n'avait jamais été.

La seule chose que j'ai gardée intacte, à part le piano droit de la grosse Sophie, est le long bar de faux marbre au bout duquel Fine Dumas a trôné chaque soir pendant tant d'années en tirant sur son maudit fume-cigarette. Je l'ai laissé là où il a toujours été, devant ce qui était autrefois l'entrée, même s'il est désormais dans le chemin comme un vieil animal à qui on permet de dormir au milieu de la place parce qu'on se doute qu'il n'en a plus pour longtemps. Je sais qu'il faudrait que je m'en débarrasse, j'avais d'ailleurs l'intention de le faire pour fêter le tournant du siècle, mais l'image de Madame drapée dans un de ses fameux camaïeux, le dos droit et l'œil aux aguets, m'en a empêchée. Même s'il empiète un peu sur le plancher de danse que j'ai fait installer devant la scène, bien sûr agrandie, mieux décorée et désormais pourvue d'un système de son plus sophistiqué, j'ai décidé de le garder encore un peu. Ce qui signifie, j'imagine, qu'il restera là tant que je serai propriétaire du Céline's Boudoir.

J'ai changé le nom du bar par pure vanité, je l'avoue. Pour qu'on sache bien que la naine qu'on avait connue sans un sou vaillant et indécise quant à son avenir était devenue la patronne de l'endroit et que c'était elle désormais qu'on appelait Madame. Eh oui. On m'appelle Madame. Je ne l'exige pas, mais je le suggère fortement et mes suggestions, comme celles de Fine Dumas jadis, sont prises en considération par un personnel stylé, poli et dévoué. Je sais me montrer généreuse comme une vraie madame, et comme une vraie madame je sais être sévère. On me respecte parce que je fais un peu peur. Mais j'avoue que je joue mon rôle sans trop le prendre au sérieux, qu'il m'amuse parce que je sais d'où viennent tous les tics que j'ai adoptés et qui ne me sont pas naturels : je suis en quelque sorte une actrice qui n'a joué qu'un rôle dans sa vie, qui l'a perfectionné au cours des années et qui s'y complaît. Je me complais donc sans aucune honte à perpétuer la mémoire de Fine Dumas, j'en suis très fière.

La vocation du bar, on sera peut-être étonné de l'apprendre, n'a pas changé au cours des années, elle n'a fait que se développer : le Céline's Boudoir est devenu sous ma coupe l'un des bordels les plus rentables de Montréal et demeure le plus original. Les mœurs ont bien évolué depuis l'Exposition universelle de 1967, la prostitution est maintenant presque légale, plus que tolérée mais pas institutionnalisée, ce qui fait que sans être sous le joug d'un gouvernement qui ramasserait tout, mon établissement est régi par des règlements précis et, bien sûr, se trouve toujours dépendant de pots-de-vin bien placés et d'enveloppes bien garnies.

Les travestis qui travaillent chez moi auraient fait pâlir Guilda à l'époque de sa gloire ; je les choisis moi-même non seulement pour leur beauté, mais aussi pour leur talent. Les spectacles que je présente sont montés par des metteurs en scène à la mode, mes prix ne sont pas exagérés et tout le monde peut se payer une soirée, ou une nuit, au Céline's Boudoir sans se ruiner pour autant. Et les hommes qui passent la nuit dans les bras de mes filles prétendent toujours être hétérosexuels… certaines choses ne changent jamais, heureusement pour moi.

Il est minuit moins deux. Je jette un regard inquiet vers l'entrée où Marilyn, un géant d'une beauté stupéfiante, Marilyn Monroe monumentale et plus sexy que la vraie, monte la garde en attendant le grand moment. J'espère que tout ira bien. Mon cœur bat, j'ai l'impression d'avoir cinq ans et qu'une promesse faite depuis longtemps va enfin trouver son aboutissement. Le ton monte dans le bar, l'hystérie est à son comble. À minuit moins une, Marilyn me fait signe que tout est prêt et je lui donne le signal qu'elle attendait.

Les portes s'ouvrent au moment précis où le monde bascule dans le vingt et unième siècle et un bien drôle de défilé fait son entrée au Céline's Boudoir. On dirait des fantômes et c'en sont peut-être.

L'ancien personnel de Fine Dumas a survécu au complet aux vicissitudes des trente-deux dernières années et tous sont présents.

Un bouquet de travestis vieillissants fait d'abord son apparition, timides, hésitants, proprets dans leurs anciens costumes de guidounes. Ils se tiennent en groupe compact, marchent avec une lenteur étudiée, conscients de l'intérêt qu'on leur porte, à la fois fiers et honteux. On dirait que quelqu'un les a mis en scène, qu'ils sont l'ouverture d'un spectacle dont on ne sait pas encore ce qu'il contiendra, ou alors que le coryphée va se détacher du chœur, commencer à parler et que la première scène des *Troyennes* va nous être livrée par de bien éton-nantes femmes de Troie.

Babalu, qui a mon âge, cinquante-quatre ans, n'a jamais oublié Brigitte Bardot et sa robe à crinoline bleu paon en fait foi. Elle a laissé tomber le mou-choir de tête, cependant, mais sa perruque trop rousse la vieillit. Et les gants de fil blanc à unique bouton lui recouvrent toujours les mains, cette fois, sans doute, pour cacher les tavelures, une des grandes hantises des guidounes et que mes filles appellent avec horreur des fleurs de cimetière. Elle joue à l'ingénue depuis quarante ans et il ne lui viendrait pas à l'esprit d'essayer autre chose.

Nicole Odeon et Mae East se tiennent par le bras comme pour se donner du courage. Elles habitent toujours ensemble dans l'appartement de la place Jacques-Cartier et se sont recyclées dans la lingerie pour dames, pas loin d'ici. Quelques-unes de mes filles sont devenues leurs clientes, mais moi, comme j'ai depuis longtemps abandonné l'idée de m'ha-biller de façon provocante, je n'ai jamais mis les pieds dans leur commerce pour des raisons profes-sionnelles, juste pour jaser avec elles, et Dieu sait si elles en ont à raconter! Elles doivent porter ce qu'elles vendent, en faire la publicité : à soixante ans passés depuis longtemps, elles semblent pourtant plus déshabillées que vêtues pour un party de retrouvailles et risquent d'attraper froid avant la fin de la nuit. Elles sont toujours belles, j'imagine qu'elles veulent nous le prouver.

Les deux Greta ne se sont pas adressé la parole depuis au moins dix ans – une histoire d'homme, bien entendu – et j'espère les réconcilier avant la fin de la fête. Elles se tiennent ostensiblement éloignées l'une de l'autre, mais quelque chose dans le port de tête, dans la façon de garder le sac à main sous le bras gauche, dans la démarche chaloupée aussi, tout ce qu'elles sont, en fait, tout ce que projette leur personnalité proclame leur intimité de vingt-cinq ans et on les prendrait encore pour des sœurs. La sœur aînée venue du fin fond de la campagne et qui a réussi à se creuser un nid dans la grande ville, la cadette qui, elle, en est issue et n'en est jamais sortie. Elles ont beau ne plus s'adresser la parole, les gènes parlent d'eux-mêmes.

Greluche n'a pas changé, juste un peu plissé, et porte toujours bien son nom. Elle a ouvert un restaurant de hot-dogs à deux pas d'ici et une perpétuelle odeur de graillon la suit partout. Mais elle demeure la vendeuse de hot-dogs la plus sexy de la *Main* et ceux qui ne savent pas que c'est un homme tueraient celui ou celle qui le leur apprendrait : ses prétendants de toute allégeance font la queue à la porte de son commerce et ont fini par sentir la même chose qu'elle.

Mimi-de-Montmartre est la seule qui fasse pitié : elle a subi la grande opération malgré les avertissements de son entourage, elle est maintenant une vraie femme et personne parmi ses anciens chums ne veut plus d'elle parce que c'est en fin de compte un homme habillé en femme qu'ils voulaient baiser. Elle travaille toujours comme barmaid, mais dans un trou de l'ouest de la ville où on profite de sa grande expérience tout en la sous-payant à cause de son âge. À soixante-six ans, elle confectionne encore des Pink Ladies et des Cucumber Delights pour une clientèle incapable de les apprécier à leur juste valeur, elle et ses savantes mixtures. Je lui ai offert un emploi au vestiaire, récemment; elle a refusé. Mais je n'ai pas perdu espoir de la rescaper.

Cigarette au bec, la démarche toujours chaloupante dans des souliers confortables mais d'une grande laideur, la grosse Sophie, seule vraie femme de ce tableau, quitte son groupe aussitôt la porte franchie pour se diriger vers son ancien piano que j'ai placé en vue dans un coin bien éclairé du bar. Elle passe les mains dessus comme on caresse un être cher, se penche pour déposer un baiser sur sa surface vernie. La grosse Sophie n'a pas touché à un piano depuis qu'elle a quitté le Boudoir et vit de ses rentes, en solitaire – on prétend qu'elle en a de collé, qu'elle a caché de l'argent un peu partout dans son appartement – quelque part dans l'extrême est de la ville. Elle boit sa bière sur son balcon, l'été, et dans son salon, l'hiver. J'aurais envie qu'elle me tourne le dos pour mieux la reconnaître. J'aurais surtout envie qu'elle ranime le piano, qu'elle fasse monter dans le Céline's Boudoir ses vieilles tounes de honky tonk ou son répertoire inépuisable de chansons des années quarante et cinquante. Mais le piano n'a pas été accordé depuis longtemps; elle non plus, peut-être.

Tout ça, cette procession de fantômes de mon passé, s'est faite parmi les cris, les rires, les souhaits de bonne année et de joyeux millénaire lancés de partout dans le bar sous une pluie de confettis, de ballons et de serpentins. Moi seule les ai observés faire leur entrée sans bouger de ma place au bout du bar. Ils m'ont vite aperçue, ils se dirigent maintenant vers moi. Arrivé à ma hauteur, le groupe se scinde en deux et ceux que j'attendais le plus paraissent.

Le triumvirat est de nouveau réuni. Sans doute pour la dernière fois.

Jean-le-Décollé est toujours affublé d'oripeaux gris, bruns et noirs sortis d'on ne sait où et qui lui pendent sur le corps ; on dirait presque que ce sont les mêmes qu'en 1967 tant ils sont usés par la patine du temps, déformés à force d'avoir été portés, décolorés par de trop nombreux nettoyages à sec. La jupe bâille sur ses genoux, la blouse, très échancrée, laisse deviner les os, on jurerait que les bas nylon datent de l'après-guerre, les souliers sont défoncés à cause des oignons qu'il a aux pieds et les bijoux, en nombre excessif – bracelets, gourmettes, colliers, boucles d'oreilles, il ne manque qu'un diadème –, le font tinter comme ces vieilles femmes riches qu'il trouvait autrefois si ridicules et de qui il a tant ri toute sa vie. Quant à la veste, une version cheap de Chanel achetée en solde il y a longtemps, elle pendouille misérablement autour de lui : un rhumatisme lui a déformé le dos depuis quelques années et il marche désormais courbé, ce qui accentue encore plus le côté défraîchi de son costume qui se veut pourtant chic. Il a maigri de la même façon que fondent les chandelles : sa peau flasque dégouline en poches vidées de leur graisse, il s'est tassé sur lui-même, tout chez lui s'égoutte vers le bas. Et il a le teint cireux des grands buveurs. Il vit des prestations du Bien-être social, s'est organisé une existence monacale dans une chambre louée de la rue Clark et, prétend-il, profite de sa vieillesse pour relire les grands classiques (des romans d'amour ou d'aventures) en sirotant des grands crus (de la bière). Il est toujours habillé en femme mais continue d'exiger qu'on parle de lui au masculin.

La Duchesse et lui viennent souvent me visiter et nous épluchons pendant des heures et avec ravissement notre histoire commune si riche en péripéties tristes et anecdotes drôles. Ils s'installent avec moi au bar et on ne voit pas les nuits passer.

La première chose que je remarque chez la Duchesse, c'est qu'elle porte ce soir sa perruque noire, courte, qu'on dirait faite en céramique et fraîchement sortie d'un four électrique tant elle est luisante et raide. Plus de perruque rousse à la Germaine Giroux pour elle, et depuis un bon bout de temps ; la Duchesse appelle ça son look Zizi Jeanmaire, facile à entretenir et passe-partout : «Tu te mets ça sur le genou et tout est réglé! Et ça va avec tout, le maillot de bain autant que la robe longue jusqu'à terre! Quand c'est trop sale, tu sapres ça dans la machine à laver et tu l'étends ensuite sur la corde à linge... Chuis trop vieille pour donner des permanentes à mes perruques... Zizi, Dieu ait son âme, m'a sauvé la vie! Il faut pas oublier que c'est du simili succédané d'imitation de faux nylon synthétique, ça, là! On arrête pas le progrès!» Elle a tout de même revêtu ce qui lui reste de plus excentrique de ses années de gloire : une toilette en taffetas lapis-lazuli – c'est elle qui le dit – garnie de plumes de coq, parsemée de paillettes de toutes les couleurs et qui lui va encore bien. Une rivière de diamants d'eau douce – toujours selon elle – garnit son cou qui fut beau et des pendants d'oreilles trop lourds lui allongent le lobe. Elle ressemble à un mannequin de vitrine des années cinquante et crache sur tout ce qui est moderne. Elle prétend même que la vraie mode s'est arrêtée en 1967. À quatre-vingts ans passés, la Duchesse reste drôle, méchante, pétulante et bitch. Et grasse. Ni la vieillesse ni la maladie ne sont venues à bout de son obésité. Elle a gardé un étonnant teint rose de jeune fille, son visage poupin n'est traversé d'aucune ride, on la dirait soufflée à l'hélium tant elle donne une impression de légèreté malgré son poids. J'ignore de quoi elle vit, elle n'a jamais voulu me le dire, mais je soupçonne un orgueil démesuré et une grande pauvreté dissimulés sous une épaisse couche de poudre Yardley.

À quatre-vingt-douze ans bien sonnés, Fine Dumas, bien qu'elle se déplace désormais à l'aide de deux cannes, impressionne toujours autant.

Elle est plus petite que jamais, elle a maigri, de nombreuses chirurgies l'ont affaiblie, mais son assurance naturelle, sa grande maîtrise et son port de reine – le reste du corps s'en va à vau-l'eau, mais la tête reste droite! – en font encore le pôle d'attraction chaque fois qu'elle accepte de sortir de chez elle, ce qui est de plus en plus rare parce que, comme elle le dit elle-même, elle apprécie la solitude après tant d'années au milieu de la bataille. Elle n'a jamais quitté ses camaïeux et celui de ce soir est couleur lilas comme un dimanche de printemps : tout chez elle est lilas, des souliers aux boucles d'oreilles, et même les cheveux qu'elle a encore épais malgré son âge et qu'elle a dû faire teindre pour la circonstance. En vieillissant, elle a atteint ma grandeur, elle est devenue une naine. Et moi, sans grandir, une madame. Elle a su placer l'argent que m'a coûté son bar et coule des jours tranquilles sinon heureux dans un joli appartement du Plateau-Mont-Royal, le plus loin possible du *red-light*. J'aurais pensé qu'elle s'ennuierait de la *Main*, de sa vie de barreau de chaise, de son bar, de ses filles, de la mêlée, mais elle prétend le contraire lorsqu'elle me rend visite : «J'vous aime bien, toute la gang, mais j'vous ai assez endurées.» Elle est devenue une petite chose délicate qu'on penserait fragile, mais dès qu'elle vous regarde, vous cessez presque d'exister et c'est elle, comme avant, comme lorsqu'on l'appelait patronne et qu'elle faisait trembler de peur, qui prend le contrôle.

L'ancien personnel du Boudoir l'encercle, la protège, mais on sait très bien que sans elle, on cesserait d'exister.

Je les embrasse longuement tous les trois, je crois même que nous pleurons tous les onze. La Duchesse me glisse à l'oreille :

«Le vingt et unième siècle, Céline, penses-y! Qui aurait pu dire qu'on durerait jusque-là!»

Un trou de silence s'est creusé au milieu de la liesse générale. Tous les invités présents sentent qu'une chose importante se déroule sous leurs yeux et enregistrent ce qu'ils voient et ce qu'ils entendent pour pouvoir se vanter un jour d'en avoir été témoins. Ils savent que le groupe qui vient de faire son entrée et qui se réunit sans doute pour la dernière fois fait partie de la légende, ils pourraient mettre un nom sur chacun des personnages et même raconter certaines de leurs aventures désormais célèbres parce que répétées par des générations de travestis de la *Main* dont ils sont les idoles et les modèles. Dans vingt-cinq ans d'ici, quand plus personne de nous n'existera, ils diront à ceux qui nous auront remplacés : «J'étais là quand la gang de Fine Dumas s'est réunie pour la dernière fois. J'vous dis que ça a été tout un événement!»

De peine et de misère, et avec grande délicatesse, nous avons juché Fine Dumas sur son ancien tabouret au bout du vieux bar. Un nœud dans le temps. Nous étions tout à coup tous plus jeunes de plusieurs décennies, le Boudoir était plus petit, l'air conditionné trop fort, un rideau de perlouses de verre pendait à côté des toilettes des hommes pour cacher ce qui se passait derrière, la grosse Sophie allait d'un moment à l'autre entamer le premier morceau de la soirée et une fausse Marlene Dietrich ou bien une Brigitte Bardot géante allait monter sur la minuscule scène pour faire rire d'elle devant un public qui ne l'écouterait pas.

Et comme si elle le sentait elle aussi, Fine Dumas redresse la tête, sort son fume-cigarette, fait signe à la Duchesse de lui en allumer une dernière. Elle prend une longue bouffée, la goûte longtemps et la libère vers le plafond.

Les larmes aux yeux, elle dit :

«S'il vous plaît, mesdames, un peu de discipline! Les clients vont arriver!»

(Je sais que ce rêve est illusoire – qui sera encore là en l'an 2000, qui aura disparu? –, mais pour combler ce nouveau plaisir de la fiction que je viens de découvrir, j'ai décidé d'inventer à mon groupe de folles finies une fin heureuse qui convient à mon besoin d'harmonie.)

ÉPILOGUE

À l'aller, nous étions douze dans le minibus; au retour, nous étions presque le double à nous entasser comme nous le pouvions dans une mêlée assez comique et des éclats de voix joyeux : les serveurs du restaurant Acapulco et les mariachis avaient décidé de monter avec nous plutôt que de prendre le dernier Expo-Express pour rentrer en ville, c'était plus simple et plus commode. Nous avions installé les instruments de musique, tout de même volumineux, sur la banquette du fond, des hommes s'étaient assis sur les autres et avaient pris chacun une femme, vraie ou fausse, sur leurs genoux. C'est ainsi que je me suis retrouvée sur les cuisses musclées du petit chanteur, pas tout à fait par hasard parce que nous nous étions arrangés sans nous consulter pour que ça se produise en jouant des coudes et en nous faufilant. De près, comme ça, avec son visage à la hauteur du mien, il était encore plus beau, ses yeux plus verts et son sourire dévastateur. Peu habituée à me faire draguer, je profitais de la noirceur qui régnait dans l'autobus pour me laisser aller à rougir sans avoir à me demander si mes compagnons s'en rendaient compte.

Ils voyaient tout, bien sûr, et des regards complices étaient échangés, je les ai vus, entre Jean-le-Décollé et la Duchesse qui, toujours aussi subtile, a même lancé à voix assez haute pour que tout le monde l'entende :

«Jean! Mae! Nicole! J'pense que vous allez avoir un pensionnaire de plus, à soir! J'vous en souhaite quatre, mais y en a un de sûr!»

Si le chanteur – j'étais convaincue qu'il s'appellerait José ou Pedro mais c'était en fin de compte un Miguel – comprenait le français, il n'en a rien laissé voir et a continué à me sourire, en toute innocence, comme si de rien n'était. Et à me serrer de près. Pour mon plus grand plaisir.

Babalu se consolait déjà de la perte de son déchireur de tickets dans les bras du trompettiste – le coup de foudre n'avait été en fin de compte qu'un éclair de chaleur, Madame avait eu raison une fois de plus – et la Duchesse était en grande conversation avec notre serveur. Pas de connivence à caractère sexuel dans ce dernier cas, cependant, seulement la bonne vieille collusion entre deux membres d'une même allégeance qui sont heureux de se reconnaître et entre lesquels une amitié peut naître très vite parce que leurs intérêts sont les mêmes. Et je crois que leur intérêt mutuel, à ce moment-là, était un des guitaristes des mariachis qui, pour leur grand malheur, faisait une cour assidue à Nicole Odeon. Des couples se formaient, donc, dans l'obscurité du minibus – la grosse Sophie était courtisée par le maître d'hôtel, Greta-la-Jeune par un autre guitariste, pas beau mais très sexy, etc. – et la nuit qui venait s'en trouvait plutôt prometteuse.

Madame s'était d'office assise à côté de monsieur Jodoin; j'imagine qu'elle avait choisi d'oublier qu'elle le trouvait insignifiant. Mais ça avait peu d'importance étant donné l'usage qu'elle souhaitait en faire quelques heures plus tard…

Au milieu du pont Jacques-Cartier, mon chevalier servant s'est mis à chanter quelque chose de très doux que ses compagnons ont repris en chœur : ça devait parler d'amour parce qu'une drôle de lueur s'était allumée dans son regard et un sourire goguenard lui décorait le visage. Je me suis donc laissé chanter la pomme en me disant que pour une fois, je mettrais de côté mes craintes et mes inquiétudes. Du calme, Céline, abandonne-toi, pour une fois! J'écoutais mon propre conseil.

Alors que nous entrions à Montréal par la rue de Lorimier, la Duchesse a lancé à la cantonade :

«On a passé une journée complète à l'Expo et on a réussi à pas visiter un seul pavillon!»

Quand le minibus, qui prenait une belle teinte bleutée sous les lampadaires, a remonté la *Main* vers le nord, Madame s'est tournée vers nous pour nous dire :

«Il est passé minuit, c'est pus le jour de mon anniversaire, mais le reste du party est quand même sur mon bras...»

Pour mettre un point final à mon cahier rouge, maintenant que j'ai raconté ces deux journées exceptionnelles, j'aimerais citer les deux dernières phrases de *La maison Tellier*, une nouvelle de Maupassant que j'aime beaucoup, et qui conviennent si bien à la fin de ce récit qui lui ressemble un peu :

Et comme ils s'étonnaient de cette générosité, Madame, radieuse, leur répondit :

«Ça n'est pas tous les jours fête.»

Key West, 8 décembre 2003 – 9 mai 2004

CRÉDITS

Exergues : SOMOZA, J.C., *Le détail*, Éditions Mille et une nuits, département de la Librairie Arthème Fayard, traduction de l'espagnol (Espagne) par Marianne Millon; GARCÍA MÁRQUEZ, G., *Vivre pour la raconter*, Éditions Grasset, traduction de l'espagnol (Colombie) par Annie Morvan.